Pierre Pallardy

Pierre Pallardy est ost
plus de trente-cinq an
traduits dans le mo
chemins du bien-être.
Vaincre fatigue, stre
cœur, ou encore *Mon code de vie : santé, jeunesse, harmonie.*

PLUS JAMAIS MAL AU DOS

PIERRE PALLARDY

PLUS JAMAIS MAL AU DOS

Comment guérir votre dos sans médecin et sans médicaments

Dessins de Jacques Taillefer

LAFFONT

ISBN 978-2-266-16811-3

À tous les maltraités du dos auxquels ce livre,
je l'espère, montrera le chemin de la guérison.

Préface

Le lecteur ne s'y trompera pas.

Le livre qu'il tient entre ses mains a l'accent de la vérité.

Son titre peut paraître ambitieux, mais, à vrai dire, il n'est pas loin de tenir sa promesse.

Tous ceux qui auront compris et assimilé cette lecture sauront, à coup sûr, comment éviter les embûches, déjouer les pièges dans lesquels ils sont peut-être déjà tombés et rejeter les modes aussi fantaisistes qu'illusoires dont on abreuve leur naïveté.

Le livre de Pierre Pallardy n'est pas seulement un livre de santé de plus... de ceux qu'on entame avec avidité, puis scepticisme, et qu'enfin on abandonne déçu, en songeant : « Et alors... ? »

L'auteur a su trouver les mots pour vous transmettre tout ce qui peut l'être de son savoir et de son immense expérience des « dos douloureux ».

Il a le culte de la douceur, de la non-violence et du respect de la nature, à la fois si mystérieuse et si délicate.

Une réserve, toutefois : il apparaît évident que la

plupart d'entre vous ne pourront confier leur dos meurtri aux mains expertes de Pierre Pallardy, et, on le sait bien, toutes les mains n'ont pas le même talent ni la même magie.

Quoi qu'il en soit, ce livre vous aura guidés vers le bon chemin.

À vous de le suivre.

Que l'auteur en soit remercié.

Docteur Philippe Stora
Rhumatologue,
Ancien Chef de Clinique à la Faculté de Médecine de Paris,
Médecin-Expert en Rhumatologie et Traumatologie près la Cour d'Appel de Paris.

Avant-propos

La colonne vertébrale qui soutient le corps humain est solide, mobile et même flexible, adaptable, capable de supporter, en tension et extension, des mouvements de toutes sortes. Mais elle est aussi fragile, car composée d'une juxtaposition précise de vertèbres liées entre elles par des disques intervertébraux d'une grande complexité, et solidaire des systèmes sanguin, musculaire et nerveux, du tissu conjonctif, voire des organes qui l'entourent ou auxquels elle est reliée d'une manière ou d'une autre.

Les douleurs dorsales ont le plus souvent pour origine ce que l'on peut appeler pour simplifier un stress, moral ou physique, parfois les deux à la fois. Atteint au centre de sa vie même, l'organisme se plie, se tord, se rétracte, et souffre. Puis, s'enfonçant dans cette souffrance comme dans un carcan, ne trouve plus ni ses marques ni sa place. Avoir mal au dos, c'est être, réellement, mal dans sa peau, dans son corps, dans le monde.

Que la douleur s'étende sur quelques jours ou des années, brutale ou insidieuse, le mal au dos n'arrive jamais par hasard. Sauf accident, chute ou maladie, ses sources sont nombreuses, physiques ou psychologiques.

Causes physiques : travail pénible, postures fatigantes, sports mal pratiqués, sédentarité, diminution soudaine ou accroissement de l'activité, etc.

Causes psychologiques : stress, surmenage, conflits familiaux ou professionnels, manque d'épanouissement sexuel, timidité, étouffement de la personnalité, anxiété, anorexie mentale et, naturellement, embonpoint.

Autant de raisons d'avoir mal au dos.

Ce livre a pour vocation de vous aider à comprendre la cause ou les causes de votre mal au dos et de vous proposer une démarche personnelle pour y remédier. Il vous permettra en même temps d'éviter les pièges, les solutions miracles, toutes les propositions malhonnêtes du « marché du dos ». Je vous conseillerai pour faire appel — éventuellement — à un vrai spécialiste.

1. Rendre au dos sa mobilité, sa souplesse, sa musculation, sa statique par une série d'automassages, ou de massages pratiqués par un ami ou un conjoint ; d'exercices spécifiques faciles à accomplir chez soi, en voiture, au travail, pendant les moments de loisirs.

2. Calmer la douleur par des soins, des remèdes et des exercices très simples, à la portée de tous.

3. Retrouver une nouvelle hygiène de vie par des exercices de respiration, de relaxation, par une alimentation équilibrée, gage d'une bonne santé du ventre.

4. Apprendre à protéger son dos dans toutes les circonstances de la vie.

Si vous suivez mes conseils, je peux vous l'affirmer, vous n'aurez *Plus jamais mal au dos*.

I

LE MARCHÉ DU DOS

1

LES CAS D'ANNE G. ET DE GILLES

Anne G. est apparemment une jolie femme en pleine forme, la quarantaine sûre d'elle-même et du monde qui l'entoure. Un mari, deux enfants, un travail de secrétaire-hôtesse dans une société d'informatique et les week-ends à la campagne près de Paris chez ses parents. Anne n'a pas beaucoup de temps pour elle. Mais elle est heureuse et elle se dit qu'elle a de la chance.

Au début de l'histoire d'Anne il y a un accident de voiture. Pas un de ces accidents qui font la une des journaux, non, un simple choc, un froissement de tôles comme il y en a des centaines par jour à Paris, aux carrefours. Elle a à peine pris garde à la douleur de sa nuque quand sa tête est partie en arrière, elle a pesté contre l'autre qui n'avait pas freiné, rempli le constat en vitesse, « Je vais être en retard », pensé à l'arrière cabossé de sa R5 qu'il allait falloir faire réparer.

Le lendemain au réveil, Anne a la nuque un peu raide et une douleur qui lui plombe le haut du dos quand elle bouge la tête. Un torticolis. Ce doit être ça, le coup du lapin.

Les heures passent et la douleur est toujours là. Au bureau, la journée est difficile. Le matin suivant, elle n'ose plus bouger : chaque mouvement est une torture. Anne se dit : ça va passer.

Elle attend une semaine avant de consulter un rhumatologue qui prescrit des anti-inflammatoires à haute dose, demande une radio et conseille quelques jours de repos suivis de vingt séances de massage-rééducation.

Anne reste chez elle trois jours, mais elle se sent un peu coupable. Sur la radio, on ne voit rien, ce ne peut donc être bien grave.

Quelques courses, un peu de ménage, un peu de repassage, les devoirs des enfants à quatre heures et demie, cela finit par faire beaucoup, même si c'est moins que d'habitude. Elle prend scrupuleusement ses médicaments, retourne au bureau, évite de tourner la tête et, munie de son ordonnance, se retrouve chez le kinésithérapeute conseillé par son médecin.

Celui-ci la questionne à peine, l'écoute encore moins et la prie de se déshabiller sans perdre de temps. Dans une cabine de soins minuscule, Anne s'allonge à plat ventre sous une lampe à infrarouges où elle reste seule, une vingtaine de minutes. Elle est alors conviée à se rhabiller : la séance est terminée.

Anne n'ose s'étonner que le kinésithérapeute ne l'ait ni auscultée ni touchée. Qu'il n'ait même pas cherché à savoir où, exactement, elle avait mal. Elle aimerait comprendre quand même pourquoi on ne l'a pas massée, mais le médecin est catégorique : dans son cas, les massages sont contre-indiqués. Ils ne feraient qu'aggraver la douleur. Ils pourraient même la rendre inguérissable.

Anne est de cette race de patients qui ont en leur médecin une confiance totale. Mais elle continue à avoir mal. Deux fois par semaine, dix semaines durant, elle va donc chez le même kinésithérapeute et passe vingt minutes au chaud, sous la lampe, sauf une fois. Ce jour-là, après dix minutes, le praticien est entré :

« Alors, ça va mieux ? Je vais vous masser. »

Il a frictionné son cou et ses épaules énergiquement. Elle a crié.

« Vous avez mal ? »

Elle n'a pas eu le courage de lui dire qu'elle souffrait. Le lendemain, c'était pire. Elle n'a plus parlé de massages, lui non plus. Pas une fois il n'a pris le temps de la palper, de mobiliser ses articulations, de vérifier les points douloureux dans son dos. Mais pas une fois il n'a oublié de la rassurer : c'est normal qu'elle souffre autant. Ses douleurs finiront par s'estomper mais il lui faudra de la patience, beaucoup de patience.

Trois mois après son accident, Anne n'a pas rejoué une seule fois au tennis avec son mari ni fait, un samedi, une balade à vélo avec ses fils comme elle en avait l'habitude. Elle souffre presque en permanence au niveau des trapèzes et de la nuque, et elle a de plus en plus souvent mal à la tête.

Elle retourne voir le rhumatologue qui lui fait une

infiltration. Elle ne sait pas très bien quelle sorte de produits on lui injecte, n'ose d'ailleurs pas poser la question, et repart ragaillardie : la douleur a presque disparu. Pas pour longtemps. Quelques jours plus tard elle est à nouveau là, lancinante, violente, indéracinable.

Son dos est devenu pour Anne un sujet de conversation. Et quel sujet ! Elle découvre que tous les gens qui l'entourent ont eu ou ont mal au dos. Et que tous connaissent quelqu'un de génial qui, lui, pourra la sortir de là.

Le premier qu'on lui conseille est un médecin de médecine physique, spécialiste renommé qui mettra un mois à lui donner un rendez-vous et dont le salon d'attente est plein à craquer.

Bon signe, se dit Anne. S'il a autant de malades, c'est qu'il est aussi excellent qu'on le dit.

Mauvais signe : un bon thérapeute s'organise pour donner du temps à ses patients.

Anne a attendu une heure et demie avant que la secrétaire du célèbre spécialiste de médecine physique ne la fasse entrer dans une cabine où elle se déshabille et ne l'introduise enfin auprès du maître. Le dialogue est court :

« Vous avez mal là ? Je vois. Vous devez avoir un sérieux blocage. C'est assez grave mais ne vous en faites pas, on vous guérira. Ne soyez quand même pas trop pressée, il faudra plusieurs séances. »

En quelques instants, Anne est manipulée — sa tête tourne à droite, crac, à gauche, autre crac —, redressée, renvoyée.

« Revenez dans deux jours. Vous vous sentirez peut-être un peu secouée mais n'y prêtez pas trop attention, c'est normal. »

Le médecin a déjà disparu. La secrétaire lui donne, d'office, un autre rendez-vous. Anne se sent un peu désorientée, chancelante. Elle a atrocement mal mais c'est vrai, sa nuque est moins raide. Le lendemain elle souffre encore, mais c'est (presque) supportable. Elle bouge mieux sa tête et il lui semble que ses épaules aussi sont plus mobiles. Certains gestes, pourtant instinctifs, lui rappellent qu'on est encore loin de la guérison : se retourner pour faire un créneau en voiture ou répondre à quelqu'un qui l'appelle, se relever brusquement après s'être baissée, porter un sac lourd au bout du bras. Elle n'est pas infirme mais elle se sent nettement diminuée.

Deux jours après, elle est au rendez-vous dans le salon d'attente. Cette fois, elle a pris un journal. Le scénario est le même, exactement. Un coup à droite, un coup à gauche, deux craquements, elle a mal. C'est normal. Il faudra qu'elle revienne plusieurs fois. Rendez-vous est pris pour la semaine suivante.

Anne vient, sans le savoir, d'entrer dans le cycle infernal des manipulations. La troisième fois, elle croit au miracle. La douleur a presque disparu, sa tête pivote librement, le poids qui pesait sur ses épaules s'est envolé. Elle vit une semaine de liberté qui lui fait soudain prendre conscience des souffrances qu'elle a endurées pendant tout ce temps, des activités, même les plus anodines, auxquelles il lui a fallu renoncer. Elle prend avec délices rendez-vous chez le coiffeur : elle n'osait plus y aller par peur d'avoir à pencher sa tête en arrière.

Chaque semaine Anne retourne se faire manipuler, et le répit se prolonge pendant un bon mois, peut-être deux. Puis la douleur revient. Et dès lors, elle a mal sans cesse. À la nuque, aux épaules, au haut du dos. À la tête aussi : des maux de tête effrayants la clouent de plus en plus souvent, effondrée, paupières closes, sur son lit. Le spécialiste, interrogé, prend un air dubitatif :

« Il y aura des mieux et des crises, il faut vous y faire. »

Anne est désespérée et elle a peur. Elle ne veut pas, elle ne peut pas vivre ainsi jusqu'à la fin de ses jours, la tête vrillée, le dos en compote. Si les médecins sont incapables, elle trouvera autre chose.

Une amie lui indique un acupuncteur.

La salle d'attente de l'acupuncteur ressemble à celle du médecin physique, une douzaine de personnes y attendent patiemment leur tour, en silence. Mais l'homme est moins pressé. Anne se raconte enfin, et il l'écoute sans impatience. Le diagnostic est clair : Anne a subi un choc et les traitements pratiqués jusqu'ici n'ont rien arrangé : inefficaces et surtout trop brutaux. L'acupuncteur n'aime guère les manipulations. En préparant ses aiguilles, il explique à Anne les vertus de cette ancestrale médecine chinoise. Elle va retrouver son énergie vitale, ses muscles contractés vont se détendre, elle ira mieux. Il plante les aiguilles, lui demande de ne penser à rien, et la laisse seule. D'autres patients l'attendent.

La sensation est désagréable, mais Anne se dit que

cette médecine-là, au moins, ne risque pas de lui faire de mal.

« Il faudra six ou sept séances, dit l'acupuncteur. »

Anne est persuadée que, cette fois, elle a trouvé la voie de la guérison. Elle vient d'entrer dans le troisième marché du dos, celui des médecines qu'on dit douces, ou bien alternatives.

Dès la troisième séance, Anne se sent mieux. Ses maux de tête s'estompent et lorsqu'ils reviennent, ils sont moins violents. Elle se sent plus forte et plus gaie. Elle entrevoit le bout du tunnel. À la fin du deuxième mois, elle décide de ne plus retourner chez l'acupuncteur. Elle est presque guérie, mais qu'importe ce presque après toute une année d'enfer.

C'est trois semaines après, très exactement, que tout a recommencé. Les maux de dos et de tête, la raideur dans la nuque au réveil, les crises de plus en plus fréquentes.

Pendant deux ans, Anne a vécu ainsi de thérapeutiques nouvelles en méthodes plus ou moins avouables. Elle a consulté des rebouteux et des spécialistes aux noms compliqués, tâté du yoga et du stretching, cru au miracle souvent, et déchanté à chaque fois. Elle a parcouru un chemin douloureux qui, de vrais médecins en faux thérapeutes et de médecines parallèles en gymnastiques exotiques, l'a laissée par-delà la frontière qui sépare les malades des gens bien portants. Elle y a perdu sa belle assurance et pense sérieusement qu'elle est — elle ose dire le mot — incurable. Elle s'est habituée à l'idée de vivre, le reste de sa vie, entre médecins et médicaments. Elle est au bord de la dépression.

Anne est venue chez moi après avoir lu mes livres dont elle n'avait retenu qu'une chose : l'être humain est une personne entière, globale, qu'on ne peut traiter ni soigner par morceaux, mais seulement en prenant en compte tout son corps, et même son cœur et son âme.

À l'examen, elle m'apparaît très lasse, les muscles de son dos sont tétanisés, elle ose à peine bouger de peur de souffrir. Lentement, patiemment, avant de commencer la thérapie, il me faudra jouer les psychologues pour entamer le mur d'angoisse et de découragement tissé par trop d'espoirs chaque fois trahis. J'ai soigné Anne pendant deux mois, une fois par semaine, doucement, sans jamais forcer, avec le seul souci de dénouer et calmer un à un les blocages, les raideurs, les tensions de son corps meurtri. Ce n'est que lorsqu'elle a commencé à se sentir mieux qu'elle a, peu à peu, repris confiance en elle et consenti à suivre mes conseils.

Anne a guéri, appris à se rééduquer et à se prendre en charge. Elle sait que pendant deux ans elle devra, chaque soir et chaque matin, faire cinq minutes de mouvements de gymnastique très doux que je lui ai appris. Trois fois par an, elle revient pour une séance de thérapie manuelle. Elle ne souffre plus.

Elle a échappé au lot commun à des millions de nos contemporains, à l'incurie des faux thérapeutes, à l'avidité des faiseurs d'argent, au système qui, à coup de traitements brutaux et inadaptés, fait d'accidents bénins des pathologies majeures et transforme en êtres souffrants et diminués des individus jeunes, forts et sains.

Gilles, 27 ans, sportif accompli, agent de France Télécom, souffre depuis deux ans de douleurs du dos que rien ne semble expliquer : tous ses examens, ses radios, ses analyses sont parfaits. Il a pourtant, comme Anne, consulté de nombreux médecins et thérapeutes.

À la palpation, son dos harmonieusement musclé est dur, ses muscles comme tétanisés. Sa région lombaire constamment douloureuse, il ne peut rester assis très longtemps, la station debout lui est très inconfortable. Une douleur sournoise le réveille entre trois et cinq heures du matin.

D'où vient cette lombalgie chronique inexplicable ?

Gilles a eu une enfance étouffée par l'autorité paternelle. Il reste timide, super-émotif, mal dans sa peau. Marié, dominé par sa femme, il ne parvient pas à s'épanouir. Sa relation amoureuse est cahotante. Il recherche une évolution positive, un meilleur équilibre, une affirmation de sa personnalité dans son activité professionnelle.

Après un long entretien, mon premier geste consiste à lui conseiller de stopper tout traitement : massages sportifs, manipulations, infiltrations. Il pratiquera toutes les heures, chez lui, au bureau, en voiture, etc., des séances courtes d'une minute trente environ de ma méthode de respiration (voir p. 191-192).

Je lui demande d'arrêter tout traitement : massages sportifs, manipulations, infiltrations. Et je lui fais pratiquer ma méthode des respiration-relaxation. Il arrêtera momentanément la course à pied au profit de la natation. Durant mes dix séances de traitements manuels doux, j'arrive à lui faire admettre que le vrai problème n'est pas dans son dos, mais dans les profondeurs de sa personnalité et dans sa relation difficile avec le reste du monde.

J'observe, dès le début des traitements, une amélioration. Mais il reste en profondeur des blocages et des raideurs. Gilles me précise que mes soins lui réussissent, mais que dès qu'il se retrouve dans le contexte familial, ses douleurs réapparaissent. Sur ma demande, il accepte alors de m'adresser son épouse Sylvie, que je reçois seule à mon cabinet.

Je vois arriver une jeune femme nerveuse, tendue, ne restant pas en place. Très sportive, elle pratique l'aérobic et fait de la musculation plusieurs fois par semaine. Elle me confie qu'elle est amoureuse de son mari, mais qu'elle regrette son caractère intériorisé, réservé, et qu'elle a beaucoup de difficultés à établir avec lui une relation équilibrée, sereine, heureuse. Elle ne réalise pas que son caractère dominateur, avec son comportement *speedé*, est pour Gilles un prolongement de l'étouffement de sa personnalité depuis son enfance.

Après plusieurs traitements et de longues conversations, j'arrive à convaincre Sylvie que, compte tenu de sa forte personnalité, elle détient en grande partie les clés de l'harmonie du couple. D'ailleurs, reconnaît-elle, elle se sent beaucoup plus calme, compréhensive ; la communication s'est améliorée entre son mari et elle.

— Maintenant, lui dis-je, réduisez votre entraînement de musculation et d'aérobic, et essayez de pratiquer avec Gilles un sport d'endurance, natation, marche ou vélo. Vous verrez que, pendant les séances d'endurance, le dialogue va se nouer plus naturellement.

Au bout de quelques semaines, il est clair que les tensions de Gilles ont disparu et que Sylvie se sent beaucoup moins nerveuse.

Je leur explique qu'ils peuvent maintenant se passer de moi en pratiquant l'un sur l'autre, alternativement, mes traitements manuels, ne serait-ce qu'une fois par semaine.

D'abord sceptiques (il me disent : nous n'y arriverons jamais), j'arrive à les convaincre que beaucoup d'autres couples ont réussi — pourquoi pas eux ? — Ces massages doivent obligatoirement être accompagnés de ma méthode de l'imagination, à base de contractions-relâchements (voir p. 188).

Je leur répète qu'un dos ne se guérit pas définitivement seulement avec des massages.

— N'oubliez-pas, leur dis-je, que si la main du thérapeute apaise la douleur, seule l'application globale de ma méthode conduit à la guérison.

Les douleurs du dos de Gilles ont totalement disparu ; il a retrouvé un nouvel équilibre qui va lui faciliter sa relation avec sa femme comme celle qu'il entretient avec le reste du monde.

Lorsque je relis les fiches où est consignée l'histoire de chacun de mes patients, lorsque je pense à Anne, à Gilles, et aux centaines d'autres que je connais, devenus par l'incurie de mauvais médecins et de faux thérapeutes des handicapés, il me vient l'envie de hurler. Et ce livre n'est rien d'autre qu'un cri. Cri de colère contre les charlatans qui envahissent nos professions et les tuent en détruisant la confiance des patients qu'ils se renvoient de l'un à l'autre avec la bénédiction de la Sécurité sociale. Cri d'espoir pour tous ceux qui croient qu'ils n'en finiront jamais d'avoir mal et doivent savoir enfin qu'ils peuvent être guéris.

« Un Français sur deux a souffert, souffre ou souffrira du dos », déclarait il y a peu à un journal connu un de nos plus célèbres rhumatologues. Incroyable aveu de carence et d'impuissance !

Mal de dos, mal du siècle, a écrit l'un de nos meilleurs spécialistes en orthopédie, titulaire de la première chaire de rééducation fonctionnelle créée en France. Il y mettait de l'ironie, dénonçant déjà, lui aussi, les méthodes excessives et dangereuses de praticiens incompétents. On fit de ce titre un slogan résigné.

Mal au dos un jour, mal au dos toujours, admet honteusement notre société, pourtant si soucieuse de confort, de bien-être, et qui érige en vertu la forme physique.

Sur le dos des autres, des fortunes se bâtissent, des réputations usurpées se construisent, fondées sur des pratiques inavouables perpétuées dans le silence général.

J'ai écrit ce livre parce que j'ai honte.

J'ai écrit ce livre parce que je suis scandalisé.

J'ai écrit ce livre pour dire à tous ceux qui ont mal au dos : vous n'êtes pas l'objet d'une fatalité. Reprenez courage. Oui vous êtes des victimes, mais votre mal n'est pas un mal de société comme on voudrait vous le faire croire. Vous êtes victimes de l'inconscience et de la rapacité de faux spécialistes et d'incompétents, entretenus par l'incapacité des vrais médecins et des bons thérapeutes manuels à se soutenir et à s'entendre, l'incurie des pouvoirs publics et le laxisme du système tout entier.

Je dédie donc ce livre à tous les maltraités du dos.

Que l'on me comprenne bien, il ne s'adresse pas aux vrais malades, à ceux que touche une de ces graves pathologies organiques que sont par exemple le cancer des os, l'ostéoporose, ou même des rhumatismes inflammatoires aigus ou une arthrose importante. Ceux-là ont besoin des traitements appropriés de médecins spécialistes de haut niveau. Mais je sais aussi, par expérience, qu'une thérapie manuelle bien conduite peut prévenir ou retarder l'apparition des symptômes et, lorsque malheureusement il est trop tard, aider à soulager les douleurs qu'ils provoquent. Chaque jour, à la fin de sa vie, j'ai soigné Maria C., atteinte d'un cancer. Médicalement, je ne pouvais rien pour elle, elle le savait. Mais j'ai le bonheur d'avoir pu lui rendre la souffrance un peu plus supportable. Souvent, aujourd'hui, des malades atteints de cancers viennent chercher un peu de réconfort dans l'apaisement de leurs maux.

Je ne suis pas médecin. Kinésithérapeute, élève de Boris Dolto, formé à l'ostéopathie et à la naturopathie à l'European School of Osteopathy en Grande-Bretagne quand cette spécialité n'était pas encore reconnue en France, je suis — et je le revendique — un thérapeute manuel. Je devine, je soigne, je guéris avec mes seules mains. Mais aussi avec ce que la vie m'a appris au long de ces années passées à essayer de comprendre et soulager les corps.

Au début, comme tant d'autres, j'ai commis des erreurs. J'ai pratiqué des manipulations et cru parfois en mon pouvoir quand mes patients, arrivés pliés de douleur, repartaient soulagés et droits comme des I. J'ai négligé souvent la part importante du stress, de l'angoisse, de rythmes biologiques perturbés, d'une mauvaise hygiène de vie et d'une alimentation déplorable dans l'aggravation des pathologies vertébrales. Mes patients s'en allaient « guéris » un mois, trois mois, six mois, puis ils revenaient plus courbés, plus douloureux qu'avant. J'ai voulu comprendre. Et pour cela, il m'a fallu continuer à apprendre. J'ai ainsi, par exemple, suivi l'enseignement en nutrition du professeur Albert Creff à l'hôpital Saint-Michel.

Là, j'ai pris conscience que nul ne faisait la liaison, pourtant évidente à mes yeux, entre santé du ventre et santé du dos. Pourtant, il est clair que l'état du dos, des os, des articulations, des muscles et des tendons dépend en grande partie de notre alimentation. Je ne conçois pas une véritable guérison du mal au dos sans un retour à la santé optimale du ventre.

La guérison du dos passe aussi par des traitements très doux. Il faut supprimer peu à peu toutes les douleurs inflammatoires dues aux traumatismes vasculaires, ligamentaires, musculaires, articulaires, reposer l'organisme lésé pour lui permettre de retrouver ses mécanismes naturels d'autodéfense. Puis, quand les souffrances se sont estompées, quand derrière la douleur-alarme on a trouvé la douleur cachée, la lésion primaire, il faut encore stabiliser le résultat en apprenant à ce corps soulagé à s'adapter pendant quelques mois à sa propre guérison. Et ensuite, seulement, lui donner les moyens de préserver pour toujours son intégrité retrouvée grâce à des mouvements d'entretien très doux et parfaitement adaptés, une hygiène de vie retrouvée, une diététique personnalisée et des rythmes biologiques harmonieux.

trop. Au point que la première question que l'on se pose lorsqu'on a mal est : « Qui aller voir, un ostéopathe ou un chiropracteur ? Un rhumatologue ou un kinésithérapeute ? »

Sous ces noms barbares se cachent de vrais et de faux médecins, des formations poussées et des absences de connaissances rédhibitoires, d'excellents thérapeutes et des attrape-gogos. Pis, aucune spécialité, à ma connaissance, n'a vu fleurir autant d'escrocs au diplôme et de maîtres chanteurs à la guérison. Plaques de cuivre mensongères, papiers à en-tête aux titres ronflants sont des signes extérieurs de respectabilité médicale souvent trompeurs puisque usurpés. Pourtant les patients se taisent, le Conseil de l'Ordre fait semblant de ne rien remarquer et la Sécurité sociale rembourse.

Largement en retard dans la reconnaissance des nouvelles thérapeutiques pourtant depuis longtemps admises et codifiées dans les autres pays d'Europe, la France est, par excès de prudence, devenue la championne du monde du risque en matière de pathologies vertébrales. Ces nouvelles méthodes qu'elle refuse d'admettre officiellement, elle les ignore, si bien qu'en toute impunité des charlatans ont pignon sur rue.

Alors que de remarquables médecins se battent depuis près de vingt ans pour imposer un enseignement hospitalo-universitaire de haut niveau, seuls quelques services que l'on compte sur les doigts d'une main forment les vrais thérapeutes dont nous avons cruellement besoin.

Alors que les pathologies vertébrales coûtent chaque année des sommes incalculables à la Sécurité sociale, celle-ci accepte, les yeux fermés, de rembourser des traitements de deux ans, trois ans, parfois plus, toujours sans résultat. Mais les pouvoirs publics refusent systématiquement d'autoriser des honoraires décents à des praticiens qui pourtant, s'ils gagnaient normalement leur vie, soigneraient mieux leurs malades qui, du coup, coûteraient moins cher à la société et aux entreprises pénalisées par leur absentéisme.

Dans la perversité du système, chacun porte sa part de responsabilité. Mais les vraies victimes sont les malheureux — vous, moi, tout le monde — qui un jour ont mal au dos et se retrouvent, sans comprendre, maltraités et mal traités.

Pour éviter cela, il faut savoir quoi faire, ou ne pas faire. Ce qui est « normal » et ce qui ne l'est pas. Les questions à poser, les gestes à refuser, les précautions à prendre.

Savoir d'abord qui consulter dans le maquis des spécialistes, qu'attendre de qui, et comment se préserver des rencontres dangereuses.

ILS SONT MÉDECINS :
L'ORTHOPÉDISTE, LE RHUMATOLOGUE,
LE MÉDECIN DE MÉDECINE PHYSIQUE

L'orthopédiste

Formation

Il est non seulement médecin (sept ans d'études) mais chirurgien (trois ou quatre ans d'internat dans un service spécialisé), spécialiste des os et des articulations (quatre ans de clinicat).

Spécialité

Tous les traumatismes, fractures, déformations et maladies du squelette.

L'orthopédiste prend en charge son malade du diagnostic à sa réadaptation, ce qui implique la prescription et la surveillance éventuelles d'une rééducation fonctionnelle ou de l'installation d'une prothèse.

Pour

Un bon orthopédiste — et ils sont nombreux — ne peut pas se tromper.

Les services hospitaliers d'orthopédie sont presque toujours des services de pointe, faisant appel aux techniques les plus sophistiquées de la chirurgie, et bien équipés en kinésithérapeutes et rééducateurs.

Contre

Parce qu'il est chirurgien, l'orthopédiste fait peur au patient qui croit — à tort — qu'il opérera à tout prix.

Il est vrai que les services d'orthopédie traitent les cas lourds, les accidentés, les polytraumatisés. Mais ils s'intéressent aussi aux cas moins difficiles, et leur diagnostic, appuyé sur les meilleurs moyens d'investigation et d'examen, est fiable. Débordé, l'orthopédiste a rarement le temps de suivre attentivement la rééducation de son patient. De celle-ci dépend pourtant à 50 % le résultat final de l'opération, si réussie soit-elle.

Nombreux aussi sont ceux qui orientent leurs patients vers des kinésithérapeutes de ville, auxquels ils garantissent de véritables rentes de situation, sans avoir toujours les moyens, le temps (ou la volonté ?) de vérifier que leurs soins donneront les résultats escomptés.

Mon conseil

Un bon choix pour un diagnostic quand on a très mal et qu'on ne sait pas où aller.

De plus, il saura vous aiguiller sur un thérapeute approprié si vous ne relevez pas de la chirurgie.

Indispensable en cas de hernie discale résistant à tout autre traitement.

Le fragment du disque qui comprime la racine nerveuse est enlevé (discectomie). Cette opération obtient 85 à 95 % de bons résultats. Mais la récidive est possible si les mauvaises habitudes perdurent.

Avant de vous faire opérer, demandez un second avis chirurgical.

La sécurité impose que votre chirurgien orthopédique soit spécialisé dans le problème qui vous concerne. On ne fait bien que ce que l'on fait souvent.

Le rhumatologue

Formation

Jusqu'à une date récente les rhumatologues suivaient, après leurs études de médecine (sept ans), une formation spécialisée de quatre ans sanctionnée par un CES (Certificat d'études spécialisées).

Désormais tous doivent passer le concours de l'internat et accomplir celui-ci dans un service spécialisé.

Spécialité

Les os, les articulations, les muscles, les tendons, les ligaments.

Traitements

Médicaments : anti-inflammatoires, très actifs mais relativement toxiques et à doser avec précaution (risques de nausées, maux de ventre, aigreurs, gastrite).

Infiltrations : piqûres localisées de produits analgésiques (le plus souvent des corticoïdes), très efficaces contre la douleur.

Manipulations : nous aurons l'occasion de reparler longuement des manipulations. Il faut noter que d'après le *Code de la santé publique* seuls les médecins ont en France le droit de les pratiquer. À ce titre le rhumatologue fait partie des rares praticiens autorisés à les utiliser.

Chimionucléolyse : cette méthode relativement nouvelle est utilisée dans le traitement des hernies discales pour éviter l'opération. Elle consiste à injecter dans le noyau du disque vertébral un produit (chimopapaïne et, plus récemment, hexatrione) qui fait disparaître la douleur. Pratiquée sous anesthésie locale elle ne nécessite que quelques jours de repos et donne parfois de bons résultats.

N.B. : une enquête de la Société française de rhumatologie a montré que les rhumatologues font souvent appel à des thérapeutiques parallèles comme adjuvants de leurs propres traitements. Dans l'ordre : la mésothérapie, le laser, l'acupuncture, la magnétothérapie.

Pour

Bien des douleurs du dos ne viennent pas des vertèbres. Le rhumatologue possède une formation qui lui donne accès à tout l'arsenal des thérapeutiques, médicales ou manuelles.

Contre

Comme tout spécialiste, le rhumatologue a souvent tendance à négliger ce qui n'est pas « sa partie » et joue pourtant un rôle primordial dans l'installation et l'aggravation des pathologies dont il a la charge : nutrition, hygiène de vie, stress, par exemple.

Trop souvent il manipule rapidement, sans préparation, uniquement préoccupé du symptôme localisé, indifférent aux autres troubles, en particulier fonctionnels ou psychologiques, de ses patients. Pourtant, toute manipulation devrait être précédée par des massages et des manœuvres d'élongation très douces.

De même, il oublie systématiquement de prescrire et

contrôler une rééducation personnelle pourtant indispensable.

Je préfère passer sous silence les pourvoyeurs de cabinets de rééducation, directement intéressés au chiffre d'affaires généré par des ordonnances généreusement distribuées.

Mon conseil

On doit consulter le rhumatologue dans tous les cas d'arthrite, tendinite, sciatique et toutes les formes de rhumatismes, notamment inflammatoires, d'arthrose et de tous les troubles dus à l'usure ou à un dysfonctionnement des articulations.

Le médecin de médecine physique

Pendant très longtemps la *physical medicine* reconnue aux États-Unis et ailleurs a été ignorée, voire interdite, en France.

C'est en 1969 que les doyens Milliez et Grossiord ont créé à la Faculté Broussais-l'Hôtel-Dieu le premier enseignement qui a été officialisé en 1975 par la création d'un diplôme universitaire de « médecine orthopédique et thérapeutiques manuelles ».

Responsable de la chaire de l'Hôtel-Dieu, le professeur Robert Maigne a fait avec son équipe un remarquable travail en enseignant et codifiant les thérapeutiques manuelles, et notamment les manipulations, en réponse aux différentes douleurs vertébrales.

Formation

Aujourd'hui le médecin de médecine physique — dont le nom officiel est « spécialiste en rééducation et réadaptation fonctionnelles » — est un médecin titulaire d'un CES (Certificat d'études spécialisées), sanctionnant quatre années de spécialisation.

Une autre voie consiste à passer le concours de l'internat, et à accomplir celui-ci dans un CHU possédant un service spécialisé. Malheureusement, ceux-ci sont encore rares !

Spécialité

Toutes les affections neurologiques (paralysies), rhumatologiques, orthopédiques (fractures, rhumatismes), respiratoires, nécessitant pour leur traitement une méthode de rééducation.

Traitements

Toutes les techniques de médecine physique : thérapies manuelles, manipulations, mobilisations, massages, gymnastique, ainsi que les traitements et appareils de soins complémentaires : hydrothérapie, laser, électricité, chaleur, froid, etc.

Pour

Les médecins de médecine physique sont, à l'heure actuelle, les meilleurs spécialistes du dos puisqu'ils allient à des connaissances anatomiques approfondies, garantissant la sûreté de leur diagnostic, une maîtrise parfaite des techniques manuelles les plus efficaces.

Contre

Après avoir mis des années à imposer en France, à juste titre, les techniques manipulatives, les spécialistes de médecine physique ont fini par les considérer comme les seuls traitements valables de toutes les affections du dos. La plupart manipulent à la chaîne et sans trop de précaution tous les cas qui se présentent. Le plus souvent, leurs solides connaissances médicales les garantissent. Mais parfois, abusés par un diagnostic trop hâtif, ils entraînent de sérieux accidents.

Ceux-ci sont souvent provoqués par l'absence des soins préparatoires indispensables à la manipulation.

De même ils prennent rarement le temps de guider et de surveiller la rééducation qu'ils prescrivent.

Mon conseil

À consulter lorsqu'on se sent handicapé, que ce soit par les séquelles d'un traumatisme ou par une douleur vertébrale, à condition d'en trouver un, et un vrai.

Méfiez-vous des imitateurs, et si les titres qu'on vous annonce vous paraissent suspects, n'hésitez pas à demander sa formation et ses diplômes au praticien que vous consulterez.

À la suite d'un traumatisme à la tête, Violette D. a eu la mâchoire désaxée et un blocage des maxillaires qui a déclenché chez elle une cervicalgie importante. Elle souffre beaucoup de maux de tête qui font de sa vie un calvaire quasi permanent.

Pendant plusieurs années, Violette D. consulte une dizaine de spécialistes de médecine physique et des rhumatologues, parmi les meilleurs et les plus connus. Elle subit des infiltrations sans nombre, avale des anti-inflammatoires à haute dose, essaye la mésothérapie, et on pratique sur elle de nombreuses manipulations vertébrales, toutes exécutées sans aucune préparation, palpation ou examen manuel préalables. Non seulement ces traitements n'ont aucun résultat mais elle constate, au fil du temps, une aggravation qui l'inquiète.

J'ai soigné Violette D. uniquement par des manœuvres de digitopuncture et d'élongations très douces sur toutes les régions dorsale, cervicale et maxillaire.

Au bout de neuf séances, elle ne souffrait plus.

CERTAINS SONT MÉDECINS,
D'AUTRES PAS

L'ostéopathe

Conçue à la fin du siècle dernier par l'Américain Andrew Taylor Still, l'ostéopathie s'est développée d'abord aux États-Unis.

Destinée aux médecins, elle se fondait sur une théorie que je conteste, selon laquelle une perturbation mécanique ou une lésion articulaire est toujours à l'origine de manifestations pathologiques : osseuses, musculaires, nerveuses, ligamentaires ou vasculaires, celles-ci entraînant à leur tour, si elles ne sont pas soignées, des troubles fonctionnels, voire des maladies organiques.

En un mot : tous nos maux viennent de notre dos et les manipulations vertébrales en sont la panacée.

Formation

Parce qu'ils s'intéressaient aux problèmes vertébraux et que l'ostéopathie n'était ni reconnue ni enseignée en France, des médecins français et d'autres (comme moi) qui n'étaient pas médecins mais kinésithérapeutes, s'en allèrent l'étudier aux États-Unis, ou en Grande-Bretagne où la British School of Osteopathy et l'European School of Osteopathy délivraient après cinq ans d'études poussées un diplôme à des élèves tous déjà diplômés de kinésithérapie et ayant exercé leur profession pendant au moins deux ans.

En France, l'ostéopathie n'est toujours pas reconnue et les médecins tentés par les techniques manipulatives cherchent, à juste titre, à obtenir leur diplôme de médecin de médecine physique.

Parée des charmes de la clandestinité et de l'auréole du modernisme anglo-saxon, l'ostéopathie n'en a pas moins fait des émules. Au point que, malheureusement, des écoles privées ont fleuri, peu regardantes sur l'enseignement qu'elles dispensaient et les diplômes qu'elles distribuaient.

Si bien qu'on trouve aujourd'hui un grand nombre d'ostéopathes dont bien peu savent de quoi ils parlent.

À l'European School of Osteopathy, nos trois premières années étaient consacrées à l'étude de la physiologie articulaire, de la pathologie, des correspondances entre la colonne vertébrale et les organes, les glandes, les viscères, les systèmes nerveux, musculaire, cardio-vasculaire. On nous enseignait aussi toutes les techniques manuelles susceptibles de détendre et d'assouplir les groupes musculaires, et les tests de mobilité indispensables pour diagnostiquer l'existence et la localisation d'un blocage vertébral.

On nous apprenait surtout à considérer chaque malade dans son entier, et à faire appel à tous les moyens thérapeutiques : naturopathie, diététique, psychologie, rééducation fonctionnelle. Ainsi qu'à ne jamais nous fier aux apparences, et aux douleurs engendrées par la lésion tertiaire, mais à chercher la ou les causes profondes des pathologies du dos, lésions primaires et secondaires dont seule la découverte nous permettrait d'appliquer le bon traitement.

C'est dans cette optique que l'on nous enseignait également la physiologie et le fonctionnement de l'ensemble des articulations : hanches, genoux, chevilles, épaules, coudes, poignets. Une place importante était faite aux différentes techniques d'examen, notamment l'étude des clichés radiologiques.

Nos professeurs nous mettaient en garde contre l'utilisation trop hâtive des manipulations, qu'ils considéraient comme la technique du dernier recours. Celle que l'on emploie lorsqu'au bout de trois ou quatre séances de soins, les autres n'ont pas réussi, et que le malade, préparé physiquement et psychologiquement, est en mesure de la supporter.

Spécialité

Partant du principe que de nombreuses pathologies sont les conséquences de blocages articulaires, en particulier vertébraux, l'ostéopathie s'adresse non seulement à l'ensemble de ces dysfonctionnements, mais aussi aux troubles fonctionnels qui en découlent.

Pour l'ostéopathie, « la structure gouverne la fonction ».

Traitement

Toutes les techniques manipulatives.

De là viennent à la fois l'efficacité et les dangers de l'ostéopathie.

Pour

Alors qu'elles étaient inconnues en France, l'ostéopathie a permis à nombre de médecins et thérapeutes de découvrir l'efficacité des thérapeutiques manuelles.

Contre

Les succès indéniables obtenus par les manipulations dans les réels cas de blocages articulaires et leurs conséquences : douleurs cervicales, dorsales, lombaires, maux de tête ne doivent pas faire oublier que la théorie, on pourrait dire la philosophie, sur laquelle repose l'ostéopathie n'est pas tout à fait exacte. Ni les troubles fonctionnels ni, *a fortiori*, les maladies organiques ne peuvent relever seulement des manipulations qui, au contraire, ne feront bien souvent que les aggraver.

Mon conseil

Les médecins qui, dans les années cinquante et soixante, s'étaient avec enthousiasme affiliés à la Société française d'ostéopathie l'ont pour la plupart abandonnée pour s'inscrire à la Société française d'orthopédie, à moins qu'ils n'aient choisi d'appartenir aux deux.

Aujourd'hui, les bons thérapeutes n'ont conservé de l'ostéopathie que les manipulations qui sont les techniques de rééducation fonctionnelle enseignées dans les services de médecine physique et que seuls les médecins ont le droit de pratiquer.

Forts d'un diplôme qui ne leur donne aucun droit, de trop nombreux ostéopathes se sont arrogé celui de manipuler sans précaution leurs patients, n'appliquant plus, de tout ce qu'on leur a enseigné, que cette technique expéditive qui permet de soigner à la chaîne trente ou quarante malades par jour sans grande fatigue.

Pour ma part, si mes années d'études en Angleterre m'ont été très précieuses, il m'a fallu du temps pour admettre et comprendre que la manipulation est une technique parmi d'autres, et non une pratique magique.

Frais émoulu de l'European School of Osteopathy, fasciné par ce que m'avaient appris mes professeurs dont je dois saluer la qualité et la conscience professionnelles, totalement ignorant de la loi et du *Code de la santé publique* et sûr de moi comme on l'est à vingt-cinq ans, je me suis installé et, pour soulager mes malades, je les ai manipulés. Et comment résister lorsqu'on constate des résultats spectaculaires et que vos patients vous remercient avec les larmes aux yeux de les avoir soulagés. J'ai vu des patients arrivés pliés en deux repartir en marchant normalement, des maux de tête disparaître en deux ou trois séances, des insomniaques retrouver le sommeil. Mes malades croyaient au miracle, moi aussi. Nous avions tort. Cinq ou six mois plus tard, les uns après les autres, ils sont revenus avec les mêmes douleurs, les mêmes symptômes parfois aggravés. Je les manipulais à nouveau, le « miracle » recommençait, et puis ils revenaient quatre mois après, puis trois, puis un. J'ai commencé à douter de tout : de la kinésithérapie, de l'ostéopathie, de moi.

Il m'a fallu longtemps pour comprendre, mettre bout à bout mes observations et commencer à entrevoir la vérité. Ce n'est que lorsque j'ai pris en charge réellement mes patients et pas seulement leur dos que, peu à peu, ils m'ont quitté pour ne plus revenir.

La manipulation, par sa nature même qui est de forcer le mouvement physiologique normal de l'articulation, est dangereuse et doit être pratiquée avec d'infinies précautions. Et je suis le premier à admettre que seuls des médecins possèdent les connaissances suffisantes pour la pratiquer sans risque, à condition qu'ils en aient appris toutes les règles, les finesses mais aussi les limites et qu'ils en aient le don. Je ne manipule plus qu'exceptionnellement mes patients, pourtant je les guéris. Je sais aujourd'hui que ce qu'autrefois j'appelais un miracle n'était qu'un signe : en manipulant un patient atteint d'un blocage vertébral, je débloquais la lésion et il n'avait plus mal. Mais cette « guérison », spectaculaire parce que immédiate, provoquait en même temps une autre lésion qui, elle, s'installait et, à son tour, induisait d'autres traumatismes.

Parfois, par hasard, il m'arrivait, comme cela peut arriver à d'autres, de débloquer en même temps toutes les lésions, récentes et plus anciennes, apparentes et cachées. Mais c'était un hasard dont le propre est de ne pas s'expliquer ni se renouveler. Et on ne construit pas une thérapeutique sur le hasard.

Aux premières douleurs dues à un début de lombalgie, Bernard V., jeune P.-D.G. très occupé d'une agence de publicité, consulte un ostéopathe très connu. En un mois et demi, à raison de trois séances par semaine, le célèbre praticien le manipulera quatorze fois.

Le lendemain de la quatorzième séance, Bernard V. ne peut plus bouger et c'est sur des béquilles qu'il arrive chez moi deux jours plus tard.

Dès les premiers tests de mobilité, je me suis aperçu qu'il souffrait d'une sciatique si douloureuse qu'il était impossible de la traiter et même de le toucher. Je l'ai persuadé de passer un scanner qui a en effet révélé une grosse hernie entre les vertèbres L4 et L5. Très aggravée sans doute par les manipulations, elle ne pouvait être traitée en thérapie manuelle. L'orthopédiste éminent auquel je l'ai adressé lui a conseillé une opération qui a été pratiquée avec succès.

Je poursuis avec lui un travail de rééducation qui l'amènera sous peu à une guérison complète.

L'ostéopathie crânienne

L'Américain William Garner Sutherland donna une nouvelle dimension à l'ostéopathie en montrant l'importance du liquide céphalo-rachidien et des structures crâniennes dans le bon fonctionnement du système immunitaire et du psychisme. Le crâne vit, bouge et respire, et son mouvement favorise la circulation artérielle et veineuse et de multiples échanges.

Certains ostéopathes se sont fait une spécialité du massage crânien, estimant qu'un blocage des os de la tête a des répercussions sur le corps tout entier.

Je sais d'expérience qu'un massage du crâne apaise, détend et régénère. Ce genre de massage exige du thérapeute une forte concentration et beaucoup d'énergie. Bien exécuté, il donne de formidables résultats.

ILS NE SONT PAS MÉDECINS : LE CHIROPRATICIEN, LE KINÉSITHÉRAPEUTE, L'ÉTIOPATHE, LE REBOUTEUX

Le chiropraticien

Née au siècle dernier aux États-Unis, la chiropratique est une discipline de santé non médicamenteuse et non chirurgicale dont l'objet est de maintenir la santé en harmonisant le système nerveux et la colonne vertébrale.

Comme l'ostéopathe, le chiropraticien est maintenant reconnu en France depuis mars 2002 par le ministère de la Santé.

Formation

L'Institut français de chiropratique dispense le même programme que les collèges américains. En six années d'études pratiques et théoriques, un stage d'assistant dans un cabinet agréé par la profession, un mémoire de fin d'études, le diplôme de « Doctor of Chiropratie » est remis à l'étudiant.

Spécialité

Les manipulations.

Traitement

Après l'examen clinique du patient : interrogatoire, tests, palpation, examen des radios, le chiropraticien établit son diagnostic et effectue, s'il n'a pas reconnu de contre-indication, un ajustement qui se doit précis et ponctuel sur le segment vertébral en cause.

Il peut renoncer à la manipulation s'il la juge inadaptée ou dangereuse et diriger son patient vers un médecin spécialiste.

Contre

Toutes les manipulations hâtives qui empêchent d'évaluer les risques de contre-indications : fractures, infections osseuses ou articulaires, tumeurs...

Mon conseil

Prudence, comme pour toutes les thérapies manuelles, c'est une question d'homme.

Le kinésithérapeute

Formation

Trois années d'études après le baccalauréat, dans une école publique ou privée agréée, sanctionnées par un diplôme d'État. Les études portent sur les massages et les techniques de rééducation dans différentes affections neurologiques, orthopédiques, respiratoires ou rhumatismales.

Traitement

Les traitements appliqués par les kinésithérapeutes sont obligatoirement prescrits par un médecin, et des circulaires ministérielles établissent clairement les actes qu'ils sont autorisés à pratiquer : massages, techniques rééducatives, applications de chaleur et de certains courants électriques, mobilisations, *mais en aucun cas manipulations.*

Pour

Le masseur-kinésithérapeute est l'auxiliaire indispensable des médecins et, souvent, c'est de la qualité de ses traitements que dépend la guérison finale du patient.

D'autant que les spécialistes qui lui adressent leurs malades ne lui donnent le plus souvent que de vagues directives et se reposent entièrement sur lui pour la conduite de la rééducation.

Il aura, pour réussir, l'avantage de pouvoir prendre du temps pour comprendre et réadapter le patient et le suivre jusqu'à sa guérison.

Cette attitude généralisée des médecins confère aux kinésithérapeutes une lourde responsabilité. Certains savent l'assumer. D'autres n'en sont pas capables et, au moindre problème, en feront les frais, servant de boucs émissaires auxquels on reprochera les initiatives qu'on les a poussés à prendre.

Contre

Que l'on me permette de ne pas être contre une profession que j'ai choisie, que j'aime, et dont je sais ce qu'elle peut apporter à tous ceux qui souffrent du dos.

Mais ne soyons pas aveugles pour autant. Si l'on rencontre dans ce métier le meilleur, on y côtoie aussi le pire.

La formation des masseurs-kinésithérapeutes-rééducateurs français n'est pas en cause. À l'école de la rue Cujas, que dirigeait alors le merveilleux Boris Dolto, je pense avoir parfaitement appris les bases et la pratique de ces trois spécialités qui n'en font qu'une. On nous en a enseigné la théorie et les techniques. On nous a montré comment soulager, masser, mobiliser, réadapter. *Le reste est affaire de don : un kinésithérapeute n'a que ses mains pour guérir, et il est des mains banales et d'autres miraculeuses, des mains qui font leur métier consciencieusement mais sans génie, et d'autres qui réchauffent, apaisent, détendent par leur seul contact, des mains aveugles et des mains qui savent lire dans les corps.*

Affaire aussi d'humilité et d'ouverture d'esprit. Humilité, car la kinésithérapie a ses limites. Ouverture d'esprit, car le patient qui est devant vous n'est pas seulement un cas de scoliose. Il a un métier, des soucis, des chagrins récents ou anciens, des frustrations, des stress qui, tous, sont inscrits dans son dos, ses nerfs, son ventre. Pour l'aider, il nous faut devenir un peu nutritionnistes, psychologues, hygiénistes, le voir, le comprendre dans son entier pour lui donner les clés de son propre art de vivre. Beaucoup n'ont pas le temps, ou pas la volonté, d'apprendre d'autres disciplines, de consacrer des heures à étudier les inter-relations entre le stress et les blocages vertébraux, les lésions du dos et les troubles fonctionnels, ceux-ci et nos habitudes alimentaires.

L'autre aspect du problème est purement social. Pris

dans le cadre strict de conventions qui fixent les tarifs de leurs interventions à des prix ridiculement bas : environ 15 € pour une rééducation du cou, du rachis, du dos ; dans les 20 € pour une rééducation des membres inférieurs, les kinésithérapeutes ne peuvent vivre décemment en traitant correctement les cas qui leur sont confiés.

Les uns renoncent et font de leurs cabinets des usines à soins où défilent six par six les patients, l'un chauffant sous la lampe tandis qu'un autre travaille sur un appareil. Ceux-là ont depuis belle lurette abandonné l'idée d'exercer leur métier et font de l'argent, d'autant que le système génère une véritable rente de situation : mal soignés, pas guéris, les mêmes malades viennent inlassablement une ou deux fois par semaine, pendant des années.

Les autres trichent pour parvenir à joindre les deux bouts : avec la complicité de leurs clients ils facturent deux séances pour une ou font, au noir, des visites à domicile qu'ils font payer plus cher. Ce n'est pas glorieux, mais c'est inévitable et lorsqu'un système oblige tant de gens à trouver des moyens pour le contourner c'est, à l'évidence, le système lui-même qui est à blâmer et à réformer. Tant que le ministère de la Santé refusera de voir les choses en face, de s'asseoir à une table et de négocier, les kinésithérapeutes français n'auront d'autre solution que de tromper ou leurs malades ou leur ministère de tutelle. Avec la bénédiction des médecins dont ils sont totalement dépendants et qui, de quinze séances en quinze séances, renouvellent les ordonnances sans trop s'interroger sur l'étrange durée des traitements.

Il est, bien sûr, un autre moyen. Mais pour l'avoir moi-même expérimenté, je peux attester qu'il est difficile à mettre en œuvre. Jeune kinésithérapeute nouvellement installé, avec tous les frais que représente un cabinet pour un débutant et de surcroît une femme et deux enfants en bas âge, je m'échinais pour cinquante francs la séance à l'époque. Je savais bien que jamais je ne m'en sortirais, que je m'userais sans jamais boucler mes fins de mois, à moins de faire, comme on dit, du rendement en oubliant ce qu'on m'avait appris, ce qui était mon but ; en d'autres termes en me reniant moi-même. La seule issue était de sortir de la convention et de pratiquer des honoraires libres, de jouer le tout pour le tout. Je l'ai fait. Pendant près de six mois, je n'ai pas travaillé. Les médecins ne m'envoyaient plus personne, j'étais seul à attendre dans un cabinet vide, ma femme travaillait pour nous nourrir, j'étais en pleine dépression nerveuse. J'ai failli craquer, abandonner, changer de métier. Mais peu à peu, des patients que j'avais soignés quelques mois avant sont revenus, prêts à accepter mes nouvelles conditions parce qu'ils avaient mal et ne savaient plus à quel saint se vouer. Ils m'en ont, à leur tour, envoyé d'autres et en quelques mois je me suis retrouvé débordé, mais bien décidé à ne jamais transiger avec ma déontologie personnelle. Je consacre à mes malades tout le temps dont ils ont besoin, sans presque jamais les manipuler, et si mes traitements sont plus longs et moins spectaculaires, ils obtiennent ce qui est à mes yeux essentiel : des guérisons à longue échéance.

L'étiopathe

Plus récente que la chiropraxie et l'ostéopathie, l'étiopathie est née dans les années soixante et fut, étrangement, élaborée par un mathématicien : Christian Trédaniel. Traité et guéri d'une sciatique rebelle par un ostéopathe, passionné par les nouvelles thérapeutiques manuelles, Trédaniel allait en chercher une théorie explicative. De là naîtra une thérapeutique qu'il appellera étiopathie, de *aition* : cause, et *pathos* : douleur.

L'étiopathie se fonde sur une recherche des causes. Selon elle, un trouble (sciatique, migraine, trouble fonctionnel) peut avoir plusieurs causes appelées « variables d'entrée » (chute, faux mouvement, mauvaise alimentation, stress...). Celles-ci provoquent une lésion étiopathique (mécanique) ou une lésion organique qui, elle-même, sera la cause directe du symptôme dont souffre le malade.

Formation

Les étiopathes ne sont pas médecins. Formés dans diverses écoles privées difficilement contrôlables, en France ou à l'étranger (notamment en Suisse), munis de diplômes qui ne veulent pas dire grand-chose, les étiopathes n'ont pas les moyens de leurs théories, c'est-à-dire les connaissances médicales indispensables à une pratique érigée sur la valeur du diagnostic.

Spécialité

L'étiopathie veut s'adresser à tous les troubles fonctionnels, mais aussi à tous les dysfonctionnements articulaires, nerveux et même hormonaux.

Traitements

Avant tout traitement, l'étiopathe doit d'abord rechercher les causes par un interrogatoire très poussé, l'observation du malade, et surtout la palpation des organes, du crâne et des vertèbres. Il dressera ensuite ce que l'on appelle la « suite étiopathique », c'est-à-dire l'enchaînement par lequel, par exemple, une banale entorse de la cheville entraînera une douleur de la hanche ou une déformation infime de la tête qui sera cause d'otites à répétition.

L'étiopathe soigne ensuite par manipulations aussi bien organiques que crâniennes, vertébrales ou ligamentaires.

Force est bien de reconnaître malheureusement que les étiopathes — du moins ceux qu'avaient consultés mes malades avant moi — oublient généralement les théories dont ils se réclament pour ne garder que les exercices pratiques, c'est-à-dire les manipulations, faites à tort et à travers, sans prendre la peine de rechercher les causes du mal qu'ils ont à soigner ni même palper le corps de leurs patients.

Pour

Dans sa théorie, l'étiopathie tient compte de l'individu dans sa globalité et la recherche des causes, alliée à des techniques d'investigation, n'est pas éloignée de ce que pratique tout bon thérapeute. Par ailleurs, un véritable étiopathe ne cherchera jamais à soigner par manipulations une maladie organique et adressera alors son patient à un spécialiste.

Contre

S'il s'en tient à sa formation initiale, un étiopathe ne dispose pas du savoir nécessaire pour assurer la fiabilité de son diagnostic. Il prend donc le risque de se tromper ou, pis, de négliger par méconnaissance une pathologie importante.

Mon conseil

L'étiopathie est affaire d'homme. Certains, parce qu'ils ont su eux-mêmes compléter leur formation et s'entourer de toutes les précautions, auront un diagnostic sûr et apporteront une aide réelle à leurs patients. D'autres, plus soucieux de mettre sur leur papier à lettres un titre ronflant que de s'inquiéter de ce qu'il recouvre, sont dangereux par ignorance. Conclusion : pourquoi pas ? Mais en se renseignant sérieusement sur les méthodes et les résultats du thérapeute que l'on voudra consulter.

Le rebouteux

Il est impossible, lorsqu'on parle du dos, de ne pas évoquer cette figure traditionnelle et légendaire qu'est le rebouteux, dernier recours de ceux que médecins et thérapeutes n'ont pas su soigner. D'autant que les échecs répétés des praticiens classiques font que le nombre des rebouteux ne cesse d'augmenter. À la campagne, mais aussi en ville : j'en connais même dans le 16e arrondissement de Paris.

Nous connaissons tous des histoires de rebouteux, des cas miraculeux où une douleur tenace a disparu à tout jamais après une ou deux visites à la ferme du père machin.

Histoires vraies pour la plupart : rhumatologues et orthopédistes ont tous vu au moins un de leurs patients revenir guéri d'une manipulation primitive effectuée sans trop de précaution par un boucher ou un agriculteur qui avait « le don ».

Parce qu'il n'a pas la moindre connaissance anatomique et manipule sans avoir aucune idée des catastrophes qu'il peut provoquer, le rebouteux peut être dangereux. On ne compte plus les accidents dont les rebouteux sont responsables, en particulier des fragiles ligaments croisés du genou, des chevilles et des vertèbres cervicales. Mais, là encore, il ne faut pas généraliser et certains rebouteux dont on se repasse l'adresse ont acquis instinctivement un véritable art de soigner.

S'il existe parmi eux des fous dangereux, il est aussi de vrais thérapeutes, même si on ne leur accorde pas ce nom. J'ai connu un boucher parisien qui invariablement, quel que soit le cas qu'on lui présentait, allongeait le haut du corps du patient sur sa table, les pieds restant au sol, et lui assénait sans prévenir sur les fesses une gigantesque claque. Mais j'ai pu observer aussi des gens humbles, prudents, d'autant plus qu'ils savent qu'en cas de pépin aucune assurance ne les couvrira, et surtout infiniment respectueux des corps qu'ils ont à soigner. Ceux-là travaillent toujours en douceur, faisant plus de mobilisations que de manipulations, et auraient pu, s'ils avaient eu l'occasion de faire des études, devenir de bons kinésithérapeutes. S'il a une bonne main, s'il sait tirer les enseignements de tous les cas qu'il voit jour après jour et ne pas se montrer brutal, un bon rebouteux peut, sans vraiment connaître l'anatomie ni la physiologie, soulager ses malades mieux qu'un mauvais médecin ou un faux thérapeute.

Je pense qu'il serait peut-être plus utile à la société et aux patients de moins ignorer les rebouteux. D'offrir aux bons la possibilité de démontrer à une commission médicale ce dont ils sont capables et d'obtenir un certificat leur permettant de continuer à soulager les malades, et d'écarter ainsi les incompétents, les dangereux, en évitant qu'ils continuent à faire des victimes.

Mais quel médecin osera un jour admettre qu'un de ces rebouteux qu'il traite par le mépris peut guérir des malades qu'il a déclarés incurables ?

3

LE BON USAGE DES MÉDECINES PARALLÈLES

Par conviction personnelle ou par lassitude de continuer à souffrir malgré les consultations, les traitements et les multiples séances de rééducation, des patients de plus en plus nombreux se tournent vers ce qu'on appelle les médecines parallèles.

Certains mettent dans ce terme une note péjorative, je ne suis pas de ceux-là. Non agressives, élaborées et appliquées depuis des lustres, souvent pratiquées par des thérapeutes avertis et consciencieux, la plupart des médecines douces peuvent s'avérer une aide précieuse pour améliorer l'état général du patient ou soulager ses douleurs lorsqu'elles deviennent insupportables.

Si elles connaissent des échecs c'est souvent parce que mal connues, attaquées par les médecins allopathes, vilipendées par les corps constitués, les milieux hospitaliers et les pouvoirs publics, elles suscitent des passions. Ceux qui les exercent en font une religion, ceux qui y ont recours en attendent tout, ce qui est évidemment trop.

De plus, et comme on pouvait s'y attendre, le développement des thérapeutiques les plus connues et les plus anciennes comme l'acupuncture ou l'homéopathie, le succès grandissant d'autres moins connues comme la mésothérapie ou la naturopathie ont provoqué l'éclosion de méthodes plus ou moins orthodoxes, plus ou moins valables, fondées sur des théories plus ou moins fumeuses et exercées par de vrais philosophes, quelques thérapeutes, bon nombre de faux gourous et quelques vrais escrocs qui voient là l'occasion d'attirer des clients à 50 € ou plus la consultation. Il en est tant qu'il est impossible de les passer en revue. Mais il serait injuste d'oublier pour autant ce que peuvent apporter certaines méthodes si l'on sait au départ ce qu'il faut en attendre et comment les utiliser.

J'aimerais ici vous donner les moyens de profiter de ce qu'elles ont de meilleur sans tomber dans les pièges de cet autre marché du dos qu'est le marché des médecines parallèles.

L'homéopathie

Inventée et développée à la fin du XIXe siècle par l'Allemand Samuel Hahnemann, l'homéopathie se fonde sur une découverte totalement révolutionnaire et paradoxale : certaines plantes présentent une activité thérapeutique à des dilutions telles que, théoriquement, elles devraient être totalement inopérantes, puisqu'elles n'existent plus dans la préparation ou le médicament qu'à dose infinitésimale. Depuis plus de cent ans, partisans et adversaires de l'homéopathie se déchirent autour de ce débat de fond dans lequel je n'ai pas l'intention de m'immiscer. Le sujet de ce livre n'est pas de savoir si l'homéopathie obtient des résultats ou pas — car il est flagrant qu'elle en obtient dans certains cas — ni pourquoi ou comment elle marche, mais exclusivement de savoir en quoi elle peut être utile à ceux qui souffrent du dos.

L'homéopathie est ce qu'on appelle une médecine de terrain. Chacun de nous porte, inscrites dans son code génétique, des tendances, des prédispositions à certaines maladies (diabète, arthrite...) ou à certains troubles (rhumatismes, allergies...) et ce « patrimoine » s'exprimera, c'est-à-dire que ces pathologies se déclareront, ou pas, en fonction des circonstances, du mode de vie, de l'environnement du sujet. Le rôle de l'homéopathie est de s'adapter à chaque individu et de définir pour lui, et lui seul, le traitement le mieux adapté afin qu'il reste en bonne santé. C'est donc prioritairement une médecine préventive. Ce qui ne lui interdit pas d'être aussi, dans certains cas bien définis, une médecine de soins.

Ainsi définie, il est bien évident que l'homéopathie ne saurait traiter une hernie discale, ni aucune lésion vertébrale ou articulaire. Aucun homéopathe digne de ce nom n'oserait l'affirmer.

Certains médicaments homéopathiques, comme l'arnica, ont en revanche une action anti-inflammatoire qui peut s'avérer utile en cas de traumatisme, de choc ou d'accident si ceux-ci ne sont pas d'une grande gravité et si le traitement est appliqué presque immédiatement.

L'homéopathie ne peut donc en aucun cas remplacer une thérapie spécifique et un bon homéopathe dirigera sans hésiter vers un spécialiste manuel un patient atteint de troubles vertébraux, d'autant qu'un véritable homéopathe est aussi médecin, et donc tout à fait apte à juger des traitements les plus appropriés. De même, parce que ces techniques ne sont pas de sa compétence, l'homéopathe ne saura vous conseiller ni sur les sports et la gymnastique d'entretien à pratiquer, ni sur le régime alimentaire à suivre pour éliminer par exemple une colite qui a une incidence sur les douleurs du bas de votre dos.

Reste que l'homéopathie, parce qu'elle accroît les défenses de l'organisme contre le stress, les maladies, les troubles divers, le rend également plus résistant aux chocs, aux traumatismes et aux causes variées, et souvent banales, des maux de dos. Peu efficace après, l'homéopathie peut s'avérer fort utile avant. En disant cela je n'apprendrai rien, sans doute, aux adeptes de l'homéopathie. À ceux qui, suivis par un homéopathe sérieux, savent déjà ce qu'elle peut leur apporter et les limites de son champ d'application. Mais je m'adresse aux autres, à ceux qui, parce qu'ils souffrent du dos depuis des mois ou des années et qu'ils ont essayé déjà, sans résultat, tous les traitements classiques, pensent que l'homéopathie dont ils ne savent rien a une chance de les soulager.

S'ils ont de la chance, ils rencontreront un de ces médecins homéopathes consciencieux qui aura choisi d'ajouter à son arsenal thérapeutique classique une pharmacopée non agressive et particulièrement adaptée à certains individus, et qui les dirigera vers un bon thérapeute manuel tout en s'attachant pour sa part à définir un traitement de fond qui aidera à leur guérison.

S'ils ont moins de chance, ils se retrouveront chez un faux homéopathe qui leur expliquera que l'homéopathie peut tout et que quelques granules, trois gouttes et un peu de natation viendront à bout des crises les plus aiguës et des rhumatismes les mieux installés. Comme il insistera sur le fait qu'à une médecine douce correspondent obligatoirement des traitements très longs, il leur faudra des mois pour comprendre que les résultats ne sont pas à la hauteur de leurs espérances. Ils seront déçus, accuseront l'homéopathie d'être une médecine « bidon » et les homéopathes d'être des escrocs, et chercheront une nouvelle médecine et de nouveaux traitements, espérant que cette fois, enfin, ceux-là les guériront...

L'acupuncture

L'acupuncture est l'une des plus anciennes médecines au monde et il y a des siècles que les Chinois l'emploient. On connaît bien aujourd'hui sa technique qui consiste à rétablir les circuits énergétiques du corps en agissant sur des points très précis situés le long des méridiens. Il existe, sur le sujet, une littérature quasi exhaustive et facilement compréhensible à tout un chacun. Et là encore, il n'est pas dans mes intentions de me livrer à un cours théorique. En pratique, la liste de mes patients ayant fait appel à l'acupuncture pour les soulager est si longue que je crois bien connaître ses indications et ses impuissances dans le traitement des affections du dos.

Dans certains cas précis impliquant des phénomènes inflammatoires aigus comme les torticolis, lumbagos, sciatiques ou coxalgies par exemple, l'acupuncture a sans conteste des effets bénéfiques pour soulager une crise douloureuse. En quelques séances, un bon acupuncteur saura stopper l'inflammation et détendre les contractures musculaires. Mais quelque temps plus tard, les mêmes symptômes ou d'autres apparaîtront, car si elle a un bon effet analgésique immédiat, l'acupuncture ne traite ni la lésion secondaire d'adaptation à la douleur ni, *a fortiori*, la lésion primaire. À nouveau bloqué et souffrant, le patient retournera chez l'acupuncteur et, les mêmes causes produisant les mêmes effets, à nouveau il sera soulagé, pour un temps. L'acupuncture aura traité localement la lésion tertiaire où s'exprime la douleur, jamais la lésion primaire de fixation qui, elle, provoque très rarement des douleurs. De plus, elle n'offre aucun moyen de rééquilibrer un dos ou de réharmoniser la silhouette et ne peut être, à long terme, que vouée à l'échec dans le traitement des pathologies vertébrales puisqu'elle agit sur la douleur musculaire, mais évidemment pas sur le jeu articulaire.

Un bon thérapeute manuel, qu'il soit kinésithérapeute ou ostéopathe, peut obtenir, manuellement, le même résultat. S'il a le temps, la force et la patience de traiter en digitopuncture (qui est une acupuncture sans aiguille) tous les points douloureux et contractés, il parviendra à dénouer les muscles et à désenflammer les parties lésées, mettant ainsi son patient en condition de supporter les thérapies manuelles destinées à traiter les lésions. Les traitements de ce genre sont longs et le thérapeute ne prend pas toujours le temps nécessaire. Ils sont difficiles, et parfois il n'a pas le courage de les entreprendre. Alors, il pourra demander à son patient de faire quelques séances d'acupuncture. Et, de même que l'acupuncteur ne doit pas hésiter à faire appel aux thérapies manuelles en cas de blocage articulaire quel qu'il soit, de même un thérapeute manuel doit connaître les techniques susceptibles de l'aider à soulager ses malades, et l'acupuncture est de celles-ci. C'est par l'association des thérapies que se définissent les bonnes thérapeutiques et non par la guerre des techniques.

En médecine le chacun pour soi, comme tout aveuglement, est criminel.

L'acupuncture offre, aux thérapeutes que nous sommes, deux avantages non négligeables : on sait aujourd'hui qu'elle potentialise l'effet des médicaments, c'est-à-dire qu'elle accroît leurs effets, les rendant ainsi plus efficaces à plus faible dose, ce qui est particulièrement appréciable dans le cas des anti-inflammatoires. Elle est aussi, comme l'homéopathie, médecine de terrain et d'équilibre, développant les défenses naturelles de l'organisme et le rendant moins vulnérable à certains facteurs déclenchant des affections du dos.

Tout irait donc pour le mieux dans le meilleur des mondes, si...

Si l'on pouvait se fier à un titre qui parfois recouvre de vraies compétences, mais parfois ne veut hélas pas dire grand-chose.

Un bon acupuncteur est un médecin diplômé qui a ensuite fait trois ans d'études dans une école d'acupuncture et obtenu son diplôme. J'en connais d'excellents, et même de remarquables qui sont l'honneur de cette profession et dont les connaissances scientifiques poussées, alliées à des techniques millénaires, donnent de magnifiques résultats.

Mais il y a les autres et, au risque de me mettre à dos tous les acupuncteurs peu soucieux qu'on dénonce leurs moutons noirs, je dois bien constater qu'ils sont nombreux. Acupuncteurs de pacotille, installés souvent luxueusement, ils jouent avec leurs aiguilles comme avec le feu, inconscients des risques qu'ils font courir à leurs patients, indifférents à tout sauf au montant de leurs recettes journalières. Celles-ci peuvent atteindre des sommets : bien divisé, un appartement de taille normale peut abriter un nombre étonnant de cabines. Une de mes malades s'est retrouvée, un jour d'affluence, assise dans la propre chambre à coucher du praticien ! Quelques aiguilles vite plantées, vingt à trente minutes de patience (pour vous, pas pour lui), bonjour au revoir et à la prochaine fois, le cas est fréquent. Je dirai même, sans craindre de me tromper, qu'en l'occurrence les bons médecins sont rares et que les incapables sont légion.

Alors soyez prudent, et si vous avez confiance en l'acupuncture, méfiez-vous des acupuncteurs. Choisissez le vôtre avec soin, prenez des renseignements, demandez-lui ses antécédents et observez-le sans indulgence. Il doit vous questionner et vous écouter longuement, ses aiguilles doivent être stérilisées avant chaque séance et il ne doit pas vous laisser seul pendant le traitement car ses aiguilles demandent à être réactivées en fonction de vos réactions. Alors seulement, ayant trouvé un médecin acupuncteur compétent et ayant compris, grâce à lui, comment il peut vous aider et pourquoi d'autres techniques sont indispensables dans votre cas, vous trouverez le chemin de la guérison.

La phytothérapie

Je n'évoquerai que pour mémoire, dans ce livre consacré au dos, cette « médecine par les plantes » qui utilise également les oligoéléments, les métaux et les sels minéraux.

Non qu'elle soit sans effet sur le métabolisme ou le système nerveux lorsqu'elle est appliquée avec science et intelligence, après qu'ont été effectués de savants dosages sanguins pour détecter les carences et permettre de régler le traitement. Sans ces analyses, il est impossible de régler le traitement, de savoir quelles quantités précises administrer sans danger. Or non seulement elles coûtent très cher, mais très peu de laboratoires sont capables de les pratiquer.

Ce qui m'intrigue, et plus profondément m'inquiète, c'est que de nombreux patients m'avouent avoir été soignés pendant des années par de grands phytothérapeutes pour des maux de dos récidivants et qu'ils s'étonnent de n'avoir obtenu aucun résultat. Ce qui m'attriste, c'est que des thérapeutes osent prétendre que la phytothérapie peut en quoi que ce soit soigner ou même soulager un blocage vertébral ou une sciatique.

La mésothérapie

Inventée en 1950 par le docteur Pistor dont bien peu de gens savent qu'il exerce encore aujourd'hui à Paris, la mésothérapie est un traitement localisé par multi-injections intradermiques appliquées à l'endroit même de la douleur. Pratiquée avec des mini-aiguilles de 4 mm, l'injection est moins douloureuse et moins dangereuse que l'infiltration, car plus superficielle. Très ciblée, elle atteint rapidement son but et, une fois sur deux, le patient s'en trouve nettement soulagé.

Contrairement à la plupart des médecines parallèles,

la mésothérapie a assez vite acquis, en quelque sorte, ses lettres de noblesse. Elle est officiellement pratiquée dans près d'une cinquantaine d'hôpitaux français et enseignée à l'université.

La mésothérapie repose sur l'utilisation des propriétés physiologiques du derme. Cette couche de la peau est le siège d'une intense activité microcirculatoire (artérioles, veinules, capillaires sanguins et lymphatiques), on y trouve des terminaisons du système nerveux central et sympathique, et certaines cellules chargées d'informer le système de défense immunitaire sur les agressions extérieures. Il est rattaché au tissu conjonctif qui permet pour partie la circulation des médicaments injectés dans le derme, et pour partie leur stockage. Selon les mésothérapeutes, ces caractéristiques particulières font que les médicaments injectés dans le derme ont une double action : immédiate et prolongée dans le temps.

Les médicaments utilisés sont généralement la procaïne, qui est un puissant « antidouleur », mais aussi l'iode, le soufre et, éventuellement, certains extraits végétaux ou animaux, des vitamines et des sels minéraux.

Soyons clair : si la mésothérapie, telle qu'elle était pratiquée par le docteur Pistor, est une thérapeutique bien adaptée à la physiologie, particulièrement efficace dans le traitement de certaines pathologies (maladies infectieuses de la sphère ORL par exemple, troubles circulatoires ou maladies rhumatismales), elle exige un examen approfondi du sujet, de bonnes connaissances médicales et un instinct de diagnostic très sûr pour le choix et le dosage des produits.

Hélas, sous la bannière de la mésothérapie se trouvent, à côté de quelques grands praticiens, des escrocs patents et d'autres moins évidents. Les premiers ont trouvé une source inépuisable de revenus parmi les femmes crédules auxquelles ils font croire qu'en quelques séances (onéreuses), sans effort et sans aucun régime, les petites piqûres miracles feront fondre leur cellulite. Les seconds promettent à des malheureux à bout de souffrance que non seulement ils n'auront plus mal — ce qui est vrai un temps —, mais qu'ils seront guéris de tout et de n'importe quoi. Bien peu ont la sagesse d'adresser ces malades aux thérapeutes manuels capables de les traiter.

La mésothérapie a, nous l'avons dit, un bon effet analgésique, et ce n'est pas rien que d'obtenir une régression de la douleur, cause, dans les maux de dos, de positions antalgiques qui déclenchent elles-mêmes des lésions supplémentaires. Et il serait dommage de se priver d'un soulagement obtenu plus vite et avec moins d'effets secondaires que par les anti-inflammatoires.

À trois conditions expresses :

— après chaque séance de mésothérapie, le patient doit rester au repos, au chaud, bandé de préférence, pendant au moins deux heures.

— il doit ensuite, pour obtenir un résultat, se faire traiter manuellement pour détendre et décontracter l'ensemble de son dos : la mésothérapie n'est qu'un traitement ponctuel.

— il doit enfin suivre un programme sérieux de rééducation afin de dénouer les autres lésions et d'adapter le corps à sa guérison.

Or, en pratique, les choses se passent rarement ainsi. À peine soulagé, mal ou pas conseillé par un « médecin » qui ne sait rien des problèmes de dos, le patient repart sur ses pieds en criant au génie. À la deuxième séance, qui a lieu généralement le surlendemain, il s'en va travailler comme si de rien n'était.

Mais quinze jours ou un mois plus tard, les douleurs reviendront. Car là encore, à trop soigner le mal, on aura oublié les causes profondes, ancrées, les lésions secondaire et primaire, et négligé d'apprendre peu à peu au dos traumatisé à revivre normalement.

Pour conclure, je dirai que la mésothérapie est une bonne médecine d'urgence. Elle est, et c'est un compliment, l'aspirine du dos. Adjuvant efficace d'un traitement de fond, elle neutralise la douleur sans effet secondaire. Elle aide ainsi le thérapeute manuel à traiter plus vite et mieux un patient moins tendu et aux muscles moins contractés.

La naturopathie

La naturopathie n'est pas une médecine comme les autres. Méthode de traitement du corps par des moyens naturels, elle associe plusieurs disciplines ; hygiène de vie, diététique, sports, massages, phytothérapie, dans un seul but : trouver pour chaque patient le programme de soins qui lui conviendra le mieux.

Il n'existe pas de diplôme de naturopathie et n'importe qui peut devenir naturopathe : un kinésithérapeute, un infirmier, un ostéopathe, un homéopathe capables d'assez d'ouverture d'esprit pour apprendre, comprendre, suivre d'autres chemins de la connaissance, deviendront peut-être assez savants et assez philosophes, assez rationnels et assez sensibles pour chercher et trouver dans un ensemble de thérapeutiques possibles celles qui sauront améliorer ce patient-là et pas un autre. Au thérapeute manuel que je suis, la naturopathie apporte une aide incomparable pour mieux soulager mes malades, mais aussi renforcer leurs défenses immunitaires et détendre leur système nerveux.

Thérapie de l'individu, qui adapte l'homme à la nature en tenant compte de la nature humaine et cherche à lui donner tous les moyens de vivre au mieux dans son environnement, la naturopathie me semble indispensable pour que nos patients ressortent de nos mains non seulement techniquement guéris, mais réellement armés pour la vie. Encore nous faut-il convaincre nos patients que sans médicaments et sans manipulations, sans appareils ni infiltrations mais par des moyens uniquement naturels, nous pouvons leur rendre santé et équilibre.

La thalassothérapie

Au début était la vraie thalassothérapie qui utilisait les vertus de l'eau et du climat marins pour aider les grands accidentés à mieux se rééduquer. Installés au bord de la mer ou de l'océan, de préférence dans des régions à microclimat assez doux, quelques instituts, dirigés par des spécialistes et disposant d'un personnel compétent, dispensaient des soins étudiés à des polytraumatisés. Les bains d'eau de mer étaient réchauffés peu à peu pour que le patient bénéficie des oligoéléments qu'ils contenaient et de leurs vertus apaisantes sans que son système cardio-vasculaire se fatigue. Après le bain, le patient se reposait dans une pièce tiède pendant quarante-cinq minutes avant de rentrer à l'hôtel. Baignoires à jets ou à remous étaient soigneusement surveillées, les douches à jets étaient proscrites car elles traumatisent la colonne, et dans les piscines chauffées on nageait le dos crawlé, jamais la brasse. En tout état de cause, le programme de soins respectait le rythme lent des réadaptations fonctionnelles.

Et puis arriva Louison Bobet, qui était honnête mais célèbre, et les bien-portants du Tout-Paris envahirent Quiberon, attendant qu'on leur rende en huit jours la force et la santé qu'ils s'acharnaient à perdre le reste de l'année. Et comme il semblait bien y avoir là un marché juteux, les centres de thalassothérapie se sont mis à fleurir dans toutes les stations balnéaires. Santé, beauté, forme, minceur, peau douce et sommeil de rêve, ils promettent tout pour un minimum d'argent et un minimum d'efforts : le patient suit le programme, d'un soin à l'autre, sans poser de questions ; de toute façon, c'est pour son bien.

Dans l'inflation des indications le dos est d'autant moins oublié que la thalassothérapie a fait ses preuves dans le traitement des lésions articulaires et musculaires. Et, avec ou sans l'accord de la Sécurité sociale, la cohorte de ceux qui ont mal au dos prend le chemin de plages vivifiantes qu'ils auront peu l'occasion d'arpenter. Pour que l'affaire soit rentable, il faut faire du chiffre, et pour faire du chiffre il faut multiplier les soins. À peine arrivé, le patient passe une visite au cours de laquelle est établi son programme journalier qui le fera passer au bas mot par quatre ou cinq soins, entrecoupés de massages minutés et de séances de natation.

L'eau de mer peut remplacer, dans beaucoup de cas, la main du thérapeute. Surtout si vous nagez de 30 à 45 minutes par jour : la natation en piscine d'eau de mer chauffée est pour le dos une des meilleures médecines, préventive et curative avec en plus un effet harmonieux de musculation de tout le corps ; elle fortifie le cœur et détend tout le système nerveux.

Si je peux vous donner un conseil, c'est de choisir avec soin votre centre de thalassothérapie. Il en est quelques-uns, à Saint-Malo, Roscoff ou Granville, dirigés par des médecins qui mettront à votre service toutes leurs compétences et des conseils pour profiter à plein des bienfaits de l'eau de mer.

Les cures thermales

Les Grecs, les Romains et même les Gaulois connaissaient les bienfaits du thermalisme. Tombées en désuétude, les cures thermales sont redevenues à la mode au moment où l'on s'est aperçu que la nature pouvait avoir des bontés, et la science quelques inconvénients.

La valeur des cures n'est plus à démontrer. Elles mettent en œuvre des substances extrêmement complexes, dont il n'est pas possible de reproduire artificiellement les effets. En modifiant les habitudes de celui qui s'y soumet, elles provoquent en outre une réaction de l'ensemble de l'organisme qui se traduit sur le plan physiologique, mais aussi psychologique. Elles sont donc irremplaçables. À condition d'être à la fois bien acceptées et vécues par le patient, et bien conduites par l'équipe médicale. Il faut savoir enfin que si une cure procure généralement une nette amélioration, elle n'apporte cependant pas une guérison magique à la première tentative. Il faut souvent deux ou trois séjours pour que le résultat ait des chances de durer.

Pour qu'une cure thermale soit efficace, non seulement le patient doit en accepter les règles et la suivre complètement, mais surtout les médecins et thérapeutes qui en ont la charge doivent prendre le temps d'indiquer précisément les régimes, exercices, précautions à prendre, afin que l'effet n'en soit pas seulement passager. Sans un sérieux programme à suivre au retour, les bienfaits de la cure seront éphémères. Et le patient, croyant qu'il s'est fait avoir, refusera d'y retourner.

Certaines cures thermales ont pourtant une réelle incidence sur les maux de dos, notamment en atténuant les douleurs.

Les indications optimales du thermalisme sont :

— les traumatismes, en particulier lorsque le frottement de deux parties de l'os brisé finit par provoquer une usure,
— les blessures chez des sujets atteints de troubles statiques, et présentant un terrain arthrostique ou préarthrostique,
— les rhumatismes,
— les troubles fonctionnels.

Prenez, en tout état de cause, l'avis de votre médecin avant de décider de suivre une cure thermale.

Les fermes de santé

L'une des voies d'avenir des thérapies du dos est sans doute dans l'hydrothérapie d'une part, les fermes de santé d'autre part, très répandues dans certains pays européens mais encore peu connues en France. Généralement situées en pleine campagne, dans des lieux reposants et à l'abri de toute pollution, les fermes de santé sont peu médicalisées. Leur but : offrir à des citadins stressés quelques jours de détente et de relaxation, au cours desquels des spécialistes leur établiront un régime physique, psychologique et nutritionnel personnalisé les mettant à l'abri, s'ils le suivent, des ennuis inhérents à la vie qu'ils mènent, le moindre de ceux-ci n'étant pas le mal de dos.

On sait bien que, pour certains, le plus difficile est de déconnecter, de couper les ponts trois jours ou une semaine, de casser le rythme infernal du déjeuner ou du verre en trop, du manque de sommeil, des énervements continuels. Dans une ferme de santé on est d'abord loin de ses soucis quotidiens, du bureau, d'un environnement dont on est souvent le prisonnier plus que le maître. On y vit, mange, dort autrement. Et l'on y apprend comment vivre, manger, se conduire au retour, non pour changer de vie mais pour supporter sa vie en conservant sa santé, son énergie, sa forme — et ses formes — et son équilibre.

4

DES GYMNASTIQUES PAS SI DOUCES QUE ÇA

La multiplication des pathologies du dos qui aurait dû favoriser le développement d'une gymnastique intelligente, médicalement conçue, physiologiquement et anatomiquement élaborée pour que chaque mouvement conduise à installer, pérenniser une guérison, a provoqué très exactement l'inverse.

La mode étant au muscle, on avait déjà vu naître un peu partout des salles de gymnastique, classique parfois, mais le plus souvent importée des États-Unis ou d'ailleurs.

Ceux qui n'avaient pas de problèmes particuliers s'y précipitèrent pour « se muscler le dos », panacée, disait-on, contre les avanies vertébrales. Les autres, ceux qui avaient déjà des ennuis, en firent autant, croyant dur comme fer que les muscles « tiennent » la colonne vertébrale et que s'ils sont solides celle-ci ne craint plus rien. Or s'il est clair que des muscles atrophiés, mous, sans force, sont un facteur de fragilisation de la colonne vertébrale, les « faux » mouvements, les mauvaises positions, les exercices excessifs, brutaux ou traumatisants sont des causes bien plus importantes de lésions articulaires. Si bien que cette gymnastique, qu'on disait salvatrice, devint en quelques années une des premières causes de nos problèmes de dos.

Ces méthodes venues des quatre coins du monde, mises à la mode par les médias et en pratique par les clubs de gymnastique de toutes les villes de France, ne sont pas toutes dangereuses ou imbéciles. Mais imposées par des non-professionnels, de préférence des stars comme Jane Fonda et belles comme Raquel Welch, elles ont été largement suivies par des dizaines de milliers d'adeptes, sans être pour autant mieux connues. Les hommes et les femmes qui suivent assidûment leurs cours ne se demandent guère si les « professeurs » en collant rose et maillot américain ont reçu une quelconque formation leur permettant d'éviter les risques d'accident. À voir les résultats, je répondrais que non.

Et le temps me semble venu de faire sérieusement le tri dans ces gyms de toutes les couleurs qui font rarement une bonne gymnastique.

La gymnastique

À tout seigneur tout honneur, commençons par cette gymnastique dite classique tant elle fut pendant des générations la seule à être connue et pratiquée. Ennuyeuse et répétitive, enseignée sans imagination, elle poussait les enfants des écoles à se faire dispenser plutôt que de passer du temps — d'ailleurs peu, il faut le dire — à marcher sur une poutre ou à faire des battements. La gymnastique d'autrefois a un peu changé, pas beaucoup, mais enfants et parents continuent à ne pas l'aimer.

Je ne saurais, en tant que thérapeute, avoir exactement le même regard. Je sais que la gymnastique est utile et que le mouvement est une arme antistress indispensable dans les conditions de vie qui sont les nôtres. Mais quelle gymnastique ? Une gymnastique douce et gaie. Or ce qu'on désigne sous ce nom est le plus souvent une discipline dure et parfaitement ennuyeuse.

Elle est dure car elle est inadaptée à des organismes endormis. Lorsqu'elle fut mise au point, il y a quelques dizaines d'années, les hommes bougeaient encore, ils marchaient, montaient les escaliers, ne passaient pas leur temps assis derrière un bureau ou dans leur voiture, ou avachis dans des canapés trop profonds et des lits trop mous. Aujourd'hui on peut vivre normalement sans faire travailler ses muscles. Dès lors, le moindre mouvement est long et difficile à apprendre et il faut commencer doucement, sans forcer, en veillant attentivement aux torsions ou aux inclinaisons par exemple, normales et sans risque autrefois, mais infiniment traumatisantes pour des citadins du début du XXIe siècle.

À cela s'ajoute une méconnaissance, compréhensible à l'époque, de données essentielles sur notre anatomie : on voit encore pratiquer par exemple des séances d'abdominaux allongé sur le sol, les jambes à peine surélevées, position en tension traumatisante pour la région lombaire qui risque d'entraîner des hernies inguinales. Il semble incroyablement difficile de tordre définitivement le cou à l'idée stupide selon laquelle « plus ça fait mal, plus ça fait du bien », plus on souffre plus les muscles travaillent, et plus c'est dur plus c'est efficace. D'une discipline faite pour détendre, équilibrer, renforcer, on a fait un combat au forcing contre son propre corps, agressif, stressant, douloureux.

Les problèmes commencent à l'école où les enfants, groupés par classe, exécutent en chœur des mouvements compliqués qui leur font mal. Au bout de quelques années, pour eux, gymnastique est synonyme de travaux forcés. Sans compter que les mouvements susceptibles de convenir parfaitement et au même rythme à quarante enfants différents n'existent pas, du moins à ma connaissance. À tant détester la gymnastique ils finiront par se méfier du sport, ce qui est dommage et même grave.

Adultes, certains se diront qu'ils ont tort et ils s'inscriront à un cours. Ils y seront maladroits car ils n'auront jamais appris à se servir de leur corps, à le faire bouger, exister, obéir. Ils iront six mois, un an, deux ou trois fois par semaine, par devoir ou pour amortir l'inscription. Et ils arrêteront.

S'ils continuent à forcer sur leurs muscles et leurs articulations, sans aide ni correction dans des cours trop nombreux, ils souffriront un peu, puis de plus en plus, et ils arriveront dans nos cabinets fatigués, découragés au moment même où ils devraient au contraire se prendre en charge et aider leur corps à supporter les premières attaques du vieillissement (voir p. 80 Les exercices dangereux).

Beaucoup penseront qu'ils sont coupables, ils auront tort. J'ai soigné des champions et de grands danseurs qui, pendant des années, s'étaient littéralement usés en séances d'entraînement épuisantes et qui, à l'âge mûr, éprouvaient des douleurs dorsales épouvantables dont ni les manipulations ni l'acupuncture ne venaient à bout.

Pourtant je dis, sans hésiter, oui à la gymnastique, oui à la multiplication des salles qui permet à de plus en plus de gens d'en faire, car elle est à mes yeux une activité physique indispensable. Mais à quelques conditions expresses :

Ne forcez jamais : si un mouvement vous fait mal, arrêtez-vous immédiatement. Soit vous l'exécutez mal, soit votre organisme est fatigué et incapable de le supporter. Votre souci premier doit être de respecter votre corps et ses rythmes de progression.

Refusez l'ennui : une bonne gymnastique doit être synonyme de détente, de bien-être, de joie de vivre, de bonheur même. L'ennui et l'excès ne vous conduiront qu'au découragement et à la fatigue.

J'espère vous convaincre avec ma gymnastique de l'imagination (voir p. 188-191) que faire de la gymnastique peut, parfois, être un véritable bonheur.

Le yoga

La mode du yoga a déferlé sur l'Europe en même temps que celle des hippies, des gourous et des voyages à Goa. Et même si l'on en parle moins aujourd'hui, il a gardé son aura et des dizaines de milliers de gens en attendent à la fois le bonheur du corps et la paix de l'âme.

Le yoga est une admirable et forte discipline corporelle... pour les Indiens. Or nous n'avons pas la même morphologie que les Indiens, beaucoup plus longilignes que nous. Et nous n'avons ni la même culture, ni la même nourriture, ni la même philosophie, ni le même mode de vie.

La pratique du yoga exige une parfaite connaissance de son corps, une harmonie totale entre physique et psychisme, un rythme de vie ralenti, une maîtrise de la respiration et une nourriture comportant bien moins de graisses et de protéines que la nourriture occidentale. Il

Les exercices à ne pas faire :

Allongée sur le ventre, se redresser en arrière à bout de bras, tête en arrière.

Allongée sur le ventre, lever les jambes à plus de 20 cm du sol.

Allongée sur le ventre, se redresser trop loin en arrière.

Tous les exercices debout, dans une mauvaise position, reins trop cambrés, ventre en avant, tête en arrière.

Les flexions du tronc, jambes tendues (un exercice que tout le monde fait !).

Et la position du poirier (tête en bas) qui comprime les disques intervertébraux.

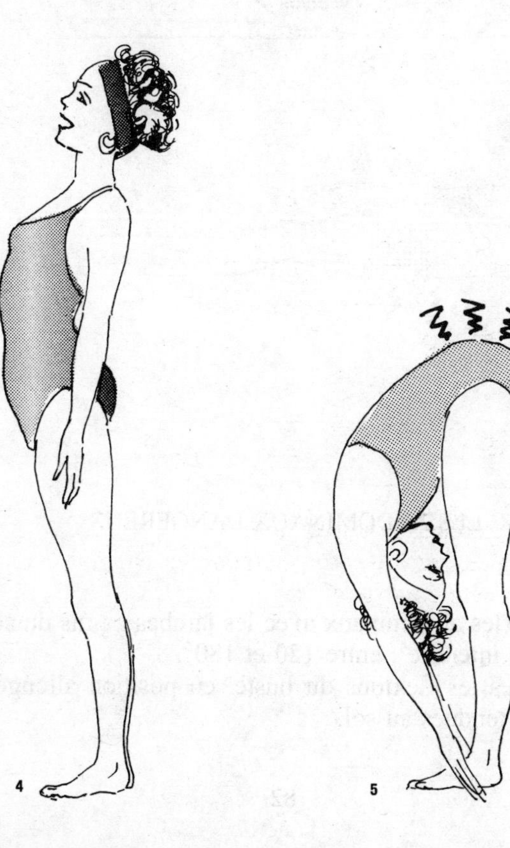

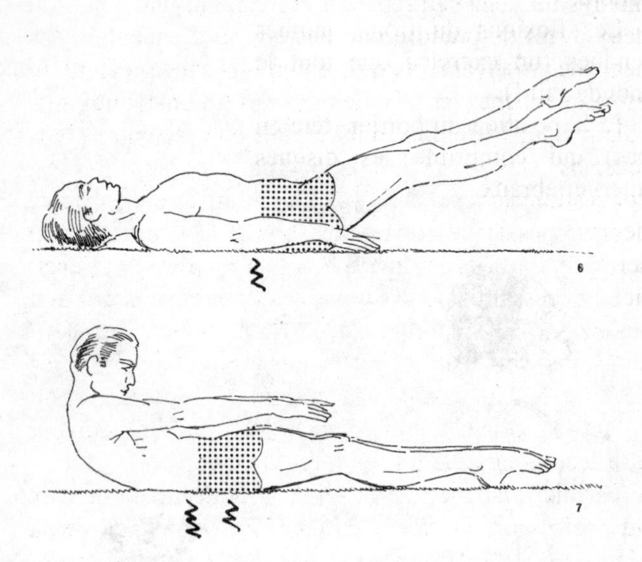

LES ABDOMINAUX DANGEREUX

Tous les abdominaux avec les jambes au ras du sol.

Zone interdite : entre 120 et 180°.

Toutes les flexions du buste, en position allongée, jambes tendues au sol.

y faut aussi une préparation, et alors que les Occidentaux se précipitent entre deux rendez-vous dans des salles mal aérées, espérant atteindre en une heure le nirvana, les maîtres du yoga se préparent et méditent une heure ou deux avant de prendre une posture ou d'exécuter sans heurt des mouvements qui, accomplis sans précaution, provoquent chez les Occidentaux des traumatismes articulaires, ligamentaires, musculaires ou vasculaires. Nos muscles, nos articulations, nos artères sont bridés, congestionnés, encrassés par une nourriture trop riche, des rythmes de vie trop rapides, le port de vêtements trop serrés, et tous ces organes n'ont ni la souplesse ni l'élasticité nécessaires pour supporter des exercices qui non seulement, en les forçant, accroîtront encore leurs tensions, mais imposeront aux articulations et aux muscles de tenir le plus longtemps possible des postures non naturelles, d'autant plus dangereuses qu'elles doivent être accomplies à la fois en force et en durée.

Parfois le silence de la salle, la douceur de la voix du professeur, le calme étrange qui se dégage de la séance auront une action apaisante. Le sujet sortira détendu et les exercices de respiration auront un effet bénéfique. Mais à peine dehors, il retrouvera les angoisses, la nervosité, le bruit, les soucis. Et de même qu'il n'a pas été préparé à entrer dans la séance de yoga, il ne sera pas préparé à réaffronter brutalement un monde extérieur agressif. Si bien qu'au stress de la non-préparation s'ajoutera la difficulté d'une mauvaise réadaptation.

J'ai soigné non seulement des élèves mais des professeurs de yoga.

Après des années de pratique régulière une ou deux fois par semaine, ils souffraient des articulations des genoux et des hanches, des vertèbres lombaires et cervicales. Mais aussi — et n'est-ce pas le contraire de ce qu'ils cherchaient ? — d'une grande fatigue musculaire et psychologique. Apparemment, des heures et des heures de yoga intensif ne leur avaient pas apporté la paix intérieure.

J'en déduis que, pour trouver dans le yoga l'harmonie du corps et de l'esprit qui en est la finalité, il faut être un Indien imprégné de la religion et de la culture de l'Inde, du mode de vie et du respect des rites qui caractérisent les Orientaux et sont intransportables sous les cieux d'Occident.

Hervé S., quarante-deux ans, moniteur d'auto-école dans la banlieue parisienne, souffre de troubles neurovégétatifs (colite) depuis son enfance et, depuis de longues années, de douleurs persistantes de la nuque et de névralgies cervico-brachiales. Pour s'en sortir, il décide un jour de faire du yoga.

Il se rend une fois par semaine chez un professeur qu'on lui a chaudement recommandé et fait en plus, seul chez lui, deux à trois fois par semaine pendant vingt minutes, des postures que celui-ci lui a enseignées.

Lorsque Hervé S. est arrivé chez moi, il pratiquait le yoga de cette façon depuis sept ans. Loin de diminuer, ses douleurs s'étaient aggravées. Les névralgies cervico-brachiales, accompagnées de lancements dans les bras et de fourmillements dans les mains, étaient de plus en plus fréquentes.

À la palpation, les muscles de son dos étaient durs, tétanisés. Je lui ai demandé de stopper immédiatement le yoga, en particulier les exercices qu'il faisait chez lui : poirier, posture du cobra et autres mouvements en hyperextension particulièrement traumatisants.

À la troisième séance, Hervé S. allait déjà mieux. Ses muscles étaient moins durs, ses maux de tête moins violents. Il est encore en traitement au moment où j'écris ce livre.
Je ne désespère pas de le guérir bientôt.

La méthode Françoise Mézières

Françoise Mézières était une grande thérapeute dont la méthode fut, il y a quelques années, adoptée par de nombreux kinésithérapeutes. Selon elle, toutes les lésions, tous les dérèglements ont pour origine des tensions des muscles postérieurs du corps. C'est donc en travaillant à assouplir et fortifier tous ces muscles postérieurs des jambes, des bras, du dos, que l'on parviendra à réapprendre à se tenir droit sans tension, condition indispensable pour que les organes et les articulations retrouvent leur intégrité.

Comme beaucoup de mes confrères, j'ai cru en cette méthode et je l'ai appliquée. Mais si elle a eu et conserve le mérite d'avoir signalé à l'attention des thérapeutes manuels l'importance des tensions postérieures, elle a le défaut d'avoir totalement négligé d'autres causes essentielles de lésions et de déséquilibre. Les plexus, par exemple, récepteurs directs de tous nos stress et de toutes nos émotions, responsables de tensions antérieures au moins aussi graves que les tensions postérieures. De plus, les plexus ont une influence capitale également sur notre psychisme, nos circuits énergétiques et l'ensemble du système neurovégétatif. Je me suis aperçu en traitant mes patients que je n'obtenais pas de résultats concrets et durables si je ne traitais pas leurs plexus en même temps que le reste de leur corps.

La méthode Françoise Mézières, dont il faut bien dire aussi qu'elle est lassante, contraignante, répétitive, comporte encore bien d'autres lacunes : la diététique, par exemple. Or comment guérir un patient sans rétablir les fonctions de l'assimilation et de l'élimination, ou vérifier qu'il n'existe pas de carence en calcium, sels minéraux et phosphore, si importants pour la constitution des os.

Ces manques ont fixé les limites de la méthode Françoise Mézières. Les tensions postérieures éliminées par des mouvements très élaborés revenaient car les tensions primaires qui en étaient la cause n'avaient pas été traitées.

La musculation ou body building

La musculation, rebaptisée de son nom américain body building, a ses héros comme Sylvester Stallone et Arnold Schwarzenegger. Méthode totale, elle se pratique avec des appareils et tend à modeler et développer un à un tous les muscles du corps. C'est elle qui fabrique Monsieur (ou Madame) Muscles dont les pectoraux, abdominaux et autres trapèzes sont comme sculptés en relief.

Sans vouloir leur ressembler, bien des gens préfèrent la musculation à la gymnastique et, d'une certaine manière, elle est la plus complète des méthodes et la plus sûre pour embellir et fortifier l'ensemble de la musculature.

Mais parce qu'elle est difficile et fait travailler en force tout l'organisme, elle doit être pratiquée par des individus sains, en pleine forme, et, même en ce cas, avec de grandes précautions.

Si l'on ne se place pas bien dans l'espace, tout mouvement de musculation détériorera et usera anormalement l'articulation, déclenchant des microtraumatismes, voire, pour le genou, un épanchement de synovie ailleurs une tendinite, un claquage, une lésion ligamentaire ou vasculaire, un tassement ou une déshydratation des disques vertébraux et, à la longue, une arthrose ou une arthrite généralisée.

Parce qu'elle exige un effort important du système cardio-vasculaire, la musculation comporte aussi un risque en cas d'atrophie du cœur. Enfin, la fatigue qu'elle génère pour des organismes non préparés peut conduire à des états dépressifs ou à l'augmentation de l'agressivité.

À une époque où l'on est le plus souvent stressé, tendu, contracté, où l'on a besoin d'assouplir, de dénouer, de détendre avant même de commencer tout traitement, la musculation, qui accroît les tensions, est à déconseiller formellement à la majorité des gens. En un mot, elle n'est pas faite pour les dilettantes, les amateurs à la petite semaine à la recherche de sensations fortes entre deux cocktails et trois repas trop copieux.

Certes, il existe aujourd'hui des machines harmonieuses, peu encombrantes, capables de mesurer vos performances et de vous permettre ainsi de progresser sans à-coups. Mais encore faut-il apprendre à s'en servir avec la conscience claire qu'entre Rambo et le commun des mortels, il y a quelques nuances de taille et de poids.

Le vrai piège du body building est l'euphorie qui saisit les fanas de l'entraînement, victimes d'une suroxygénation dont les symptômes sont en tout point semblables à ceux du mal des montagnes ou de l'ivresse des plongeurs sous-marins. À un certain degré, l'effort appelle l'effort, les craintes s'évanouissent, la passion de l'exploit annihile le jugement, la machine tourne sur elle-même, trop vite pour les muscles qui se crispent, le sang qui s'affole et le cœur qui se précipite. Si l'on s'arrête les organes s'atrophient et s'enrobent de graisse.

Si néanmoins vous vous sentez l'envie et le courage d'essayer, respectez ces quelques règles simples qui vous préserveront :

Avant de vous décider, prenez l'avis d'un bon thérapeute : il vous dira si, oui ou non, vous êtes en état de le supporter. Et si vous voulez en faire beaucoup et régulièrement, passez une visite médicale et un test d'effort.

Au début, travaillez avec un professeur. Il vous montrera ce qu'il faut faire et les bonnes positions à prendre sur les appareils. Il vous établira aussi un programme progressif, tenant compte de vos possibilités.

N'oubliez jamais, enfin, qu'une bonne séance de musculation comporte vingt minutes d'échauffement préliminaire, vingt minutes de travail sur les appareils, puis dix minutes d'assouplissement et de relaxation.

Pour moi, je préférerai toujours un corps souple à un corps aux muscles raidis.

Le stretching

Importé des États-Unis, baptisé d'un nom qui en anglais signifie s'allonger ou s'étirer, le stretching est une méthode qui fait appel aux techniques d'élongation. On fait naturellement du stretching en s'étirant dans son lit le matin ou en levant les bras pour se détendre lorsqu'on est fatigué.

Fondée sur des mouvements instinctifs que l'on apprend à décomposer et à réaliser consciemment, en les synchronisant avec une respiration profonde, cette méthode est absolument sans danger. Elle aide à renforcer le système cardio-vasculaire, à assouplir les artères et à gommer les mauvaises attitudes corporelles. C'est surtout une merveilleuse gymnastique, praticable à tous les âges, et source d'une grande détente psychologique.

Mais comme toute méthode, quelle qu'elle soit, elle demande à être faite progressivement, sans jamais forcer, en restant à l'écoute de son corps.

L'aérobic

L'aérobic n'est pas ce que l'on croit, et surtout pas cette gymnastique échevelée qui fit à la télévision des dimanches matin fort célèbres. Extraordinaire méthode de mise en forme mise au point aux États-Unis par le docteur Cooper, dont je vous conseille de lire le livre *Oxygène à la carte* (éditions Santé et Vie), elle fut créée pour l'armée qui cherchait un programme de gymnastique santé pour les Marines. Malgré ses débuts militaires, l'aérobic, tel qu'il fut conçu, pouvait convenir à tous. Fondé sur un travail d'endurance en plein air, il repose sur des parcours que l'on peut faire en marchant, en courant, en nageant ou en pédalant à bicyclette, pourvu que l'on garde tout au long le même rythme cardiaque, sans essoufflement ni fatigue. Au bout de deux ou trois mois, lorsqu'on est capable de tenir plus de quarante minutes à un bon rythme deux ou trois fois par semaine, on peut commencer la gymnastique aérobic faite de mouvements rapides et parfaitement synchronisés où la respiration, qui doit être parfaitement contrôlée, joue un rôle primordial. Les deux techniques sont alors alternées de façon à faire travailler le cœur en même temps en endurance et en résistance.

•

L'idée était excellente, les Marines américains en tirèrent le plus grand profit, mais la méthode a échoué à force d'être galvaudée, et encore partiellement : la moitié du programme avait été oubliée. Dans des salles sans air, sur des musiques effrénées, non préparés par les exercices d'endurance au dur travail de résistance qu'on leur proposait, placés sous la férule de névrosés de la forme et stimulés par la médiatisation du phénomène, les gens y sont allés de bon cœur, mais le corps de ballet en collant vert d'eau s'est écroulé. *Les accidents dus à l'aérobic furent — et sont, car si on en parle moins, on n'en continue pas moins à le pratiquer — non seulement innombrables, mais les plus graves qu'une méthode de gymnastique ait jamais provoqués*. Citons en vrac : fatigue, nervosité, surmenage, syncopes, crises cardiaques, usure anormale des disques vertébraux, tours de reins, lumbagos, destruction de la colonne vertébrale, vieillissement prématuré de l'organisme, prise de poids, augmentation de la cellulite, déshydratation, déminéralisation... Je n'exagère pas. Je regrette simplement que ces fous furieux de la forme qui se disent professeurs d'aérobic trouvent encore des clients... qui hélas deviendront les nôtres avant d'avoir pris le rythme.

5

LES CAUSES PRINCIPALES DU MAL AU DOS

Il est de multiples raisons pour avoir mal au dos, que nous allons détailler maintenant. Mais il en est trois qui font que d'un mal temporaire, guérissable, on passe à un mal récidivant, chronique, qu'on traînera toute sa vie comme une infirmité.

L'inconscience des patients

Il y a d'abord l'inconscience des patients, prêts à consulter autant de médecins qu'il le faudra pour trouver un moyen d'être guéris tout de suite, par la magie d'une technique ou d'un médicament, sans prendre aucune des précautions qui s'imposent. Les mêmes qui trouvent normal de s'aliter lorsqu'ils ont de la fièvre ou de s'astreindre à des traitements contre le diabète ou les rhumatismes refusent de perdre une minute de leur temps pour soigner leur colonne vertébrale dès lors qu'ils ont un peu moins mal. Qu'on leur demande de porter un corset, et ils poussent les hauts cris. Qu'on leur conseille une semaine de repos, et ils repartent travailler, se moquant totalement des conséquences de leur légèreté. Ou, au contraire, ils s'immobilisent à la plus petite douleur. Le mal au dos est une des principales causes d'absentéisme ou d'arrêt de travail prolongé.

Pour les kinésithérapeutes conventionnés, il représente 30 % des prescriptions de rééducation.

Un traumatisme vertébral s'accompagne toujours d'autres traumatismes, indécelables à la radio ou à tout autre examen : inflammation, œdème, rupture de veinules ou de vaisseaux capillaires, souffrance des ligaments, que seul un repos semi-actif permettra de résorber sans induire immédiatement d'autres lésions. Et nous verrons que des premiers jours, parfois même des premiers moments suivant un choc ou un accident, dépend toute la suite, c'est-à-dire une guérison obtenue sans difficulté majeure, ou au contraire l'aggravation, l'installation, la chronicisation d'une pathologie.

Le manque d'informations ou... de courage

Un dos se soigne, un dos se guérit, un dos s'entretient. Qu'ils aient été victimes d'un accident ou de microtraumatismes répétés, ceux qui ont mal au dos sont fragilisés.

Leur faire croire que lorsqu'ils sont sortis d'une crise tout est arrangé est un mensonge et une lâcheté de la part des thérapeutes. Imaginer qu'un dos récupère, se remet en place, en quelques séances de thérapie manuelle, sans aucune précaution ni mouvements de gymnastique pratiqués régulièrement, relève d'une inconscience source de problèmes ultérieurs bien plus graves que ceux dont on pensait être guéri.

Malheureusement, de trop nombreux thérapeutes négligent d'enseigner à leurs patients le programme minimum qui garderait leur dos en bon état pendant de longues années. Et de trop nombreux patients préfèrent s'en tirer à bon compte, du moins le croient-ils, en retombant dans leurs erreurs passées et en ne faisant surtout aucun effort. À l'hôpital, pourtant, de gros efforts sont faits depuis peu pour informer le patient (conférences, distribution de documents, etc.) des moyens de prévenir les affections du dos et des articulations en général.

Les mauvais traitements

Enfin, et c'est je crois la conclusion à tirer de ce premier chapitre, une très large part des pathologies du dos sont créées de toutes pièces, provoquées, et aggravées lorsqu'elles préexistent, par les mauvais traitements que l'on fait subir à votre colonne vertébrale.

Certes, à notre époque, on ne bouge pas assez, on se tient mal, on fait peu d'exercice, et ces facteurs de fragilisation de la structure vertébrale et de l'appareil musculaire touchent une forte proportion de nos contemporains. Mais il reste aussi, réellement, des bourreaux du dos, patentés, connus, des techniques dangereuses, des gymnastiques assassines et des docteurs Jekyll de la vertébrothérapie responsables à des degrés divers de ce qu'on appelle un peu trop facilement le mal du siècle.

Quels que soient le traitement ou la méthode, les causes sont toujours les mêmes. La brutalité d'abord, la précipitation, le forcing, la violence, l'excès générateur de lésions infimes ou plus importantes qui, de réaction en chaîne en réaction en chaîne, amèneront à des blocages handicapants. Un mouvement trop fort, une manipulation brutale, une gymnastique excessive en sont les illustrations frappantes.

J'y ajouterai les thérapies à but lucratif, les soins conçus comme des voyages au long cours destinés à faire rentrer avec régularité l'argent dans les caisses d'instituts plus commerciaux que médicaux.

Si vous avez appris à éviter les pièges, vous aurez parcouru la moitié du chemin qui vous sépare de la guérison.

L'autre est le choix du bon thérapeute et du traitement juste. C'est moins difficile qu'il n'y paraît. Votre médecin traitant est le plus compétent pour vous diriger vers un bon thérapeute manuel.

Recherchez la ou les causes de votre mal au dos

Ces tableaux vous aident à déterminer tous les risques qui pèsent sur la statique ou la dynamique de votre dos. Ce travail personnel indispensable de recherche de la cause de votre mal de dos accroît considérablement les chances de guérison. Les facteurs mis en relief peuvent être uniques ou combinés. Entourez les causes qui vous concernent et qui reviennent régulièrement.

POSTURES	
Assis	• Positions : longtemps maintenue, avachie, courbée, en porte-à-faux, avec torsion sur le côté, jambes croisées.
Debout	• Position : longtemps maintenue • Hyperlordose (ventre en avant) • Hypercyphose (dos rond)
À genoux	• Position longtemps maintenue
Allongé	• Position sur le ventre
Incapacité de visualiser son corps dans l'espace	

GESTES	
Au travail	• Attitudes forcées fatigantes, courbées, en extension ou hypertension, en torsion, en porte-à-faux
À la maison	• Attitudes maintenues trop longtemps
En exécutant des travaux : bricolage, ménage, hobby, etc.	• Gestes excessifs ou brutaux, faux mouvements, efforts pour porter, tirer ou pousser un objet, un meuble, une valise, etc., un enfant, une personne âgée ou handicapée, etc.
En pratiquant de la gymnastique, du yoga, de la danse, de la musculation, etc.	• Mauvaise pratique d'une activité
Mauvaise appréciation des limites d'utilisation de son corps	

FACTEURS PHYSIQUES	
Affections articulaires	• Voûte plantaire, chevilles, genoux, hanches, épaules, etc.
Affections du corps	• Positions hors normes : jambe plus courte, épaule plus haute, etc.
Affections musculaires	• Courbatures, élongation, claquage, insuffisance des abdominaux, etc.
Troubles ou modifications du corps	• Prise ou perte de poids • Maigreur, obésité • Grossesse • Ostéoporose • Rhumatismes : arthrose, arthrite
Charge de travail	• Modification du rythme de travail (trop rapide, trop lent) • Changement d'intensité • Absence de pause ou d'entraînement • Répétition d'un geste • Surmenage • Sédentarité, etc.

FACTEURS PSYCHOLOGIQUES	
Vie affective	• Timidité • Nervosité • État dépressif • État conflictuel • Deuil • Anorexie mentale
Activité professionnelle	• Excès de stress • Surmenage • Malaise conflictuel • Cessation d'activité (chômage ou retraite)

Activité sportive	• Désir exacerbé de performance • Hyperactivité sportive (Tarzan du dimanche)

FACTEURS EXTÉRIEURS	
À la maison	• Évier, table à repasser, bureau mal adaptés • Canapé hors d'usage • Lit trop mou, oreillers trop volumineux, changement de literie • Mauvais équipement de salle de bains, sortie de bain glissante • Escalier raide et dangereux • Mauvais éclairage, etc.
Au travail	• Poste de travail mal adapté : hauteur, inclinaison, éclairage insuffisant • Siège pivotant, siège trop dur ou trop mou • Modification de la disposition du poste de travail • Outils mal adaptés • Charges trop lourdes • Manipulations dangereuses, etc.
En voiture	• Mauvais réglage du siège conducteur : dossier, appui-tête • Amortisseurs défectueux • Vibrations du véhicule • Courants d'air : toit ouvrant, vitre ouverte, etc.
En faisant les courses	• Paniers trop lourds portés à bout de bras • Station debout pour faire la queue, piétinement sur place, etc.

En bricolant	• Escabeau ou échelle mal réglée ou en mauvais état • Outils mal adaptés • Manipulations dangereuses
En faisant du sport	• Mauvais réglage du matériel : vélo, appareil de musculation... • Raquette trop lourde • Habillement mal adapté : casque lourd, vêtements serrés, etc.

II

GUÉRIR SON DOS

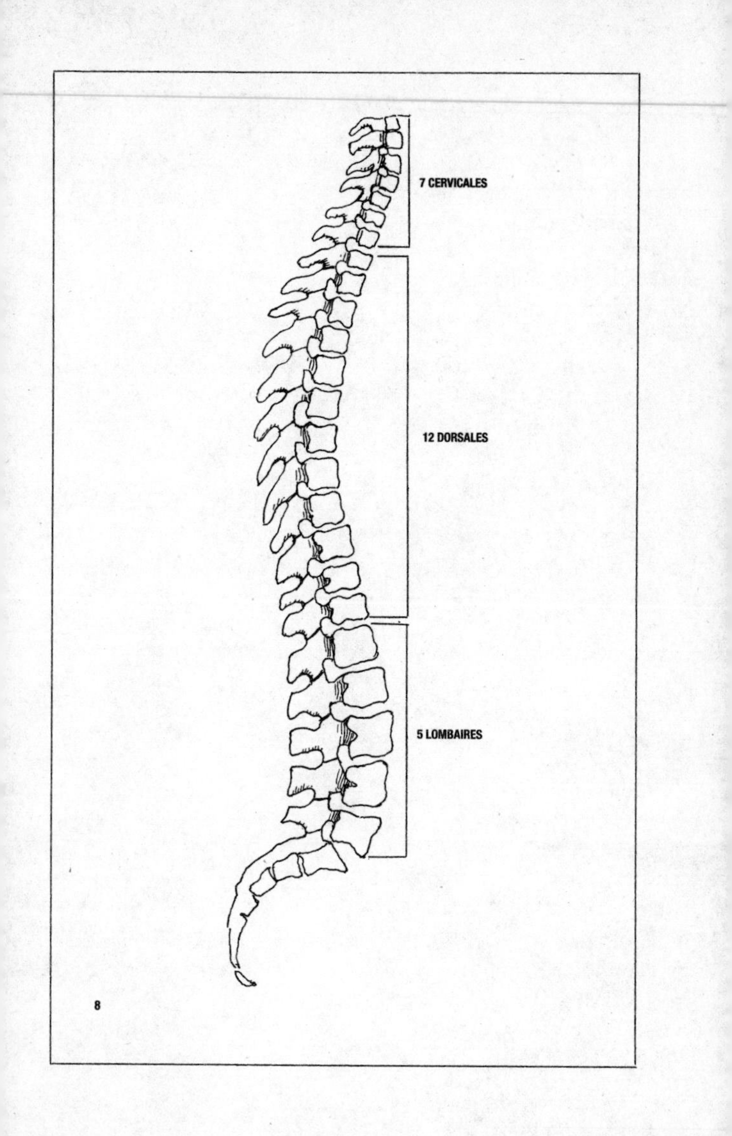
7 CERVICALES
12 DORSALES
5 LOMBAIRES

1

POURQUOI ON A MAL AU DOS

Charpente du corps humain, pièce maîtresse du squelette, la colonne vertébrale est une extraordinaire mécanique, à la fois forte et souple, solide et flexible, dont chaque élément est en même temps autonome et solidaire, investi de fonctions propres et indispensable à la bonne marche de l'ensemble.

Composée de petits éléments osseux juxtaposés entre eux, elle soutient l'ensemble du corps et subit donc en permanence des tensions nécessitant des efforts importants. De la base du crâne jusqu'au bassin, les vingt-quatre vertèbres – sept cervicales, douze dorsales, cinq lombaires – plus le sacrum et le coccyx forment une architecture complexe dont l'extrême fragilité de certains éléments explique la fréquence des pathologies du dos.

Le corps des vertèbres, formé d'un noyau de tissu spongieux, protège la moelle épinière, point de passage des nerfs qui relient le cerveau au reste du corps. Dans ce tissu très vascularisé sont fabriqués plus de la moitié des globules du sang. Les vertèbres sont unies les unes aux autres à la fois par les apophyses articulaires et par les corps vertébraux articulés entre eux par les disques intervertébraux, à la fois amortisseurs et distributeurs de pressions. Plus le disque est épais, plus grande est l'amplitude des mouvements.

Théoriquement, le disque permet des mouvements des corps vertébraux dans tous les plans et le rôle des articulaires est de sélectionner les mouvements les plus utiles. Ainsi par exemple, le rachis cervical est spécialisé dans la flexion-extension (100°) et la rotation axiale (90° de chaque côté), le rachis dorsal peut effectuer une importante rotation (90° de chaque côté), et le rachis lombaire atteint un angle de 70° de flexion-extension.

Bien évidemment la colonne vertébrale est elle-même prise dans un réseau serré de muscles, ligaments et vaisseaux dont l'intégrité est elle aussi indispensable pour lui garantir une amplitude normale.

Sans entrer dans des détails anatomiques compliqués, il est clair qu'une mécanique aussi sophistiquée peut être sujette à de multiples contraintes dont chacune, ayant une incidence traumatisante sur un ou plusieurs des éléments de la colonne vertébrale, risque de faire souffrir ou de déstabiliser l'ensemble.

De lourdes pathologies organiques peuvent affecter la colonne vertébrale. Elles relèvent des spécialistes et de thérapeutiques appropriées et scientifiquement codifiées.

D'innombrables autres affections peuvent induire une souffrance au niveau de la colonne. On les regroupe généralement, faute de mieux, sous le terme générique de maux de dos, exprimant ainsi plus leurs effets que leurs causes, dont nous verrons pourtant qu'il faut les connaître, et bien les distinguer, pour éviter de devenir un de ces handicapés du dos comme il y en a de plus en plus.

Parmi ces sources de pathologies vertébrales, certaines sont évidentes, d'autres sournoises. Il en est de violentes, et d'autres minimes mais répétitives.

On peut en tout cas les classer en dix grandes familles causales, dix principaux responsables, par effet direct ou indirect, les troubles le plus couramment observés :

— les chocs physiques ou traumatismes majeurs,
— les microtraumatismes répétés,
— les troubles psychologiques,
— les mauvaises positions,
— les manipulations,
— les surcharges pondérales,
— la maigreur,
— le dos des femmes enceintes,
— les rhumatismes,
— l'ostéoporose.

LES CHOCS PHYSIQUES OU TRAUMATISMES MAJEURS

Le traumatisme, violent, brutal, est la cause la plus évidente, et apparemment la plus simple, d'un problème vertébral, quelle que soit sa localisation.

Les exemples sont nombreux : accident (de voiture, de moto, de sport...), chute, choc, coup ; il ébranle la colonne et, au-delà, les muscles, ligaments, tissus, vaisseaux avoisinants. Tout choc physique est un traumatisme brutal que l'on ressent violemment sur le moment et que l'on ne peut donc ignorer. Ce qui est à la fois un avantage et un inconvénient. Avantage, car une peur salutaire nous pousse sur le coup à nous soigner et à ne pas négliger ses conséquences éventuelles. Inconvénient, car la rudesse du coup fait oublier les lésions annexes, moins douloureuses et peu évidentes, qui, elles, seront la source de difficultés qu'on aura d'autant plus de mal à vaincre qu'on ne saura plus quel en fut le véritable point de départ.

Le plus banal des chocs est, dans son apparente insignifiance même, le meilleur exemple possible des réactions en chaîne qui se produisent, sans qu'on en ait conscience, dans un organisme soumis à un choc physique.

Prenons donc l'exemple le plus bête qui soit : au moment où vous allez vous asseoir, quelqu'un retire la chaise et vous tombez sur le derrière. Vous avez très mal, car vous souffrez de compressions articulaires, ligamentaires, musculaires et vasculaires tout à la fois. En somme vous avez pris un bon coup, et ce coup et son cortège de traumatismes, inflammations et stress physiques de tous ordres constituent ce que l'on appelle une *lésion primaire*, et que l'on pourrait traduire par ce qui fait mal là où on a mal.

Le choc étant somme toute supportable et n'ayant causé aucune fracture, vous vous relevez. Or pour vous permettre ce simple geste, d'autres articulations entrent en jeu immédiatement, outrepassant leur rôle naturel. Des systèmes de résistance à la douleur se mettent en place, des ligaments, dont ce n'est pas la fonction, travaillent pour soulager ceux qui ont été lésés, bref votre corps s'adapte au choc, et toutes ces adaptations à une situation anormale créent ce que l'on appelle une *lésion secondaire*.

La nature faisant bien les choses, la lésion primaire guérit souvent seule. D'autant que, la souffrance étant en la matière la meilleure conseillère, on a tendance à se ménager aussi longtemps que l'on subit les effets du traumatisme. Peu à peu l'inflammation diminue, les œdèmes se résorbent, la circulation se rétablit, les articulations se remettent en place, et tout rentre dans l'ordre. Si vous continuez à souffrir, ou si le choc a été particulièrement important, vous consulterez un thérapeute manuel qui vous soignera et vous guérirez sans séquelles.

Mais il arrive souvent, surtout lorsqu'on est jeune, de négliger un accident qui paraît banal. De se dire : « Ce n'est rien, ça passera », et de ne prendre aucune précaution, quitte à serrer les dents jusqu'à ce que la douleur s'estompe. Dans ce cas, fréquent, la lésion primaire, pas ou mal soignée, s'installe et demeure. Une articulation (ou plusieurs) reste bloquée dans son mouvement physiologique normal, des ligaments sont freinés dans leur fonction et il y a perturbation du mouvement, raideurs, tétanisations. Pour vous permettre de marcher et de vous mouvoir à nouveau, des articulations, des muscles, des vaisseaux, des ligaments ou des tendons travaillent plus, ou autrement, et ainsi se crée et s'installe une lésion secondaire d'adaptation.

Malheureusement, cette adaptation est toujours approximative. Aucune partie du corps ne peut en remplacer une autre sans dommage. Et cette « adaptation » constitue en elle-même une suite d'autres traumatismes qui entraîneront d'autres adaptations formant à la longue une *lésion tertiaire* d'adaptation définitive.

Dans notre exemple, une chute sur le coccyx (lésion primaire) se répercutera au niveau du dos (lésion secondaire), puis des vertèbres cervicales (lésion tertiaire), engendrant par exemple des maux de tête dont il faudra longtemps à un thérapeute pour retrouver l'origine.

Or il est indispensable, quoique généralement très difficile lorsqu'elle est installée et oubliée depuis dix ou vingt ans, de retrouver cette lésion primaire pour guérir un patient dont la souffrance ne traduit que la lésion tertiaire d'adaptation.

Les échecs des traitements des pathologies du dos s'expliquent à 90 % par le manque de conscience et de patience qui conduit les thérapeutes à soigner la douleur évidente, qui n'est qu'un signe, sans rechercher les causes originelles, sources de lésions actuelles. Pourtant, faute de traiter le traumatisme premier, la douleur reviendra indéfiniment.

Encore faut-il savoir, lorsqu'on l'aura enfin détectée, que plus la lésion primaire est ancienne et ancrée, plus longue à obtenir sera la guérison. Car l'organisme devra s'adapter à cette guérison elle-même au prix d'une grande fatigue et, parfois, d'une aggravation de la douleur pendant les trois ou quatre premières séances de soins. De trop nombreux malades, par manque d'information ou simple négligence, ne s'accordent pas le temps nécessaire à leur convalescence, refusent de rester allongés, de se reposer ou, simplement, de se ménager. Alors se créent de nouvelles lésions d'adaptation aux soins thérapeutiques, qui, à leur tour, provoqueront des douleurs.

Aucune guérison définitive ne peut être obtenue sans

la conscience claire, de la part du thérapeute, qu'un symptôme n'est que le premier maillon d'une chaîne inscrite dans l'histoire du patient, et qu'il lui faudra remonter pas à pas pour retrouver le choc premier, le traumatisme initial, afin de soigner une à une toutes les lésions. De même aucun malade ne peut espérer le retour à une vie tout à fait normale s'il ne respecte pas les rythmes et les modes d'adaptation de son organisme à toute situation nouvelle.

LES MICROTRAUMATISMES RÉPÉTÉS

Certaines attitudes, mauvaises postures prises par habitude ou gestes antinaturels liés à une activité professionnelle, dévient l'axe d'une articulation, provoquant des lésions, minimes mais permanentes, articulaires, discales, ligamentaires, musculaires, vasculaires.

Les exemples sont nombreux de positions qui insidieusement, jour après jour, brutalisent une vertèbre ou une articulation, et perturbent donc son environnement.

Le syndrome de la secrétaire

Assise des heures entières devant sa machine ou son clavier d'ordinateur, elle ne sait pas toujours quelles sont la hauteur et la position exactes de la table et du clavier convenant parfaitement à sa morphologie. Que l'une soit un peu trop basse ou l'autre à peine trop éloigné et elle se penchera instinctivement, le dos légèrement courbé en avant. Il s'ensuivra une tension permanente et une fatigue anormale de tout le dos. Les petites secousses provoquées par le tapotement des doigts sur le clavier de la machine, l'inclinaison de la tête pour maintenir le combiné du téléphone ou du portable dans le creux du cou et de l'épaule auront pour conséquence des crampes au niveau des muscles de la nuque ou du cou et des problèmes vasculaires générateurs de cervicalgies très difficiles à soigner. La mauvaise vascularisation est un facteur déclenchant de l'arthrose. Si la situation se prolonge, les conséquences d'une simple position inadaptée seront sensibles au niveau des dorsales et des cervicales et se traduiront en torticolis, nuque enflammée et douloureuse, maux de tête, engourdissement des bras ou fourmillement dans les doigts.

La crampe de l'écrivain

Le symptôme qu'on nomme ainsi s'applique aussi bien à tous ceux qui, de par leur métier, écrivent beaucoup et souvent, penchés sur leur feuille, les doigts serrés sur le stylo. Les comptables, les employés aux écritures, certains enseignants en font partie. La tétanisation des muscles de la main entraîne celle des muscles de l'avant-bras, puis du bras, de l'épaule, de la nuque et, finalement, une fatigue des dorsales et des lombaires qui se traduit en points douloureux.

Le lumbago des conducteurs et des ménagères

Agriculteur au volant de son tracteur, chauffeur, représentant ou camionneur sans cesse au volant de son véhicule et encaissant à longueur de journée les secousses de la route, tous les conducteurs d'engins subissent une tétanisation de tous les muscles du dos.

L'inflammation entraîne une mauvaise vascularisation, une déshydratation et un tassement des disques intervertébraux, sources de violentes douleurs lombaires se transformant en lumbagos et sciatiques à répétition, souvent accompagnés de maux de tête.

Les ménagères, femmes au foyer ou femmes de ménage sans cesse penchées pour nettoyer ou repasser, penchées encore sur un évier ou un plan de cuisson, ressentiront les mêmes symptômes dus cette fois non à de multiples secousses mais à des positions trop longtemps maintenues mettant constamment tous leurs muscles en étirement forcé.

L'usure et la déshydratation des disques vertébraux des travailleurs manuels

Il existe toutes sortes de travailleurs manuels, mais qu'ils soient ouvriers, jardiniers, dentistes, coiffeurs, musiciens, électriciens, kinésithérapeutes ou menuisiers, ils ont en commun de travailler dans des positions qui les mettent très souvent en porte-à-faux, inclinés, en torsion, en élongation, et toujours dans des attitudes forcées qui entraînent une usure anormale du disque intervertébral qui perd peu à peu son rôle d'amortisseur. Parfois, en vieillissant ou à force d'agressions, l'anneau fibreux du disque se déchire, laissant s'échapper un peu de la gelée qui est en son centre. Au pis se crée une hernie discale, pathologie extrêmement douloureuse et invalidante.

Le dos vieilli des sportifs

Contrairement à ce que l'on croit, le sport n'est pas une panacée. Pratiqué sans excès, avec plaisir, un sport qu'on aime n'a que des effets bénéfiques. Mais un entraînement outrancier, des séances trop longues où l'on cherche en permanence à forcer sa nature pour accomplir un exploit, la pratique intensive d'activités qui usent le corps et les muscles, et fatiguent le système cardio-vasculaire, obligent le sportif de haut niveau à puiser dans ses réserves. Il se crée des carences, notamment en vitamines et sels minéraux. Les tissus s'abîment. Et j'ai vu des champions de vingt-cinq ans dont l'organisme prématurément vieilli aurait pu appartenir à un homme de quarante ans.

Bien évidemment leur dos, constamment sollicité, était aussi atteint, sinon plus. Et leurs os et leurs articulations, fragilisés par des années d'efforts intensifs, cédaient en plein effort au beau milieu des compétitions qu'ils avaient crues si bien préparées. Fêlures des os du tibia et du péroné pour les coureurs, muscles postérieurs tétanisés diminuant la mobilité de la colonne vertébrale, disques fissurés, hernies discales... autant d'accidents fréquents qu'une préparation harmonieuse permettrait facilement d'éviter.

Le sportif occasionnel (du week-end ou des vacances) est tout aussi exposé. Il fournit un effort souvent sans échauffement ou entraînement préalables. Son manque d'expérience rend ses gestes maladroits, raides, trop forcés ou violents et l'expose à des microtraumatismes répétés de la colonne vertébrale et des articulations (genoux, coudes, épaules...) et à une fatigue musculaire et ligamentaire invalidante, un surmenage de tout son organisme. C'est très souvent le blocage, les courbatures du lundi matin, le torticolis, la sciatique ou le lumbago survenant le deuxième jour des vacances.

Une cause fréquente des douleurs du dos : la déshydratation du disque intervertébral

Pour conserver à l'articulation vertébrale sa souplesse, il est essentiel de préserver l'hydratation du nucleus pulposus composé, comme nous l'avons vu, en majeure partie d'eau. Or de nombreux facteurs peuvent intervenir ou se conjuguer, aboutissant à une déshydratation plus ou moins importante du disque, dont la conséquence sera toujours des lésions et des douleurs importantes.

Sous le seul poids du corps en position debout, par exemple, l'eau de la substance gélatineuse du noyau fuit vers le centre des corps vertébraux. Après une longue station debout, et généralement en fin de journée, le disque a perdu de son épaisseur. Un sujet normal perd ainsi jusqu'à 2 cm de hauteur entre le matin et le soir.

Inversement, la nuit, lorsque le corps et les muscles sont au repos, l'eau repasse des corps vertébraux dans le noyau du disque qui retrouve son épaisseur normale. C'est pourquoi on est plus grand le matin que le soir.

C'est pourquoi aussi il vaut mieux faire le soir, à partir de dix-sept heures, des mouvements d'élongation et éviter les exercices de musculation, le port de charges lourdes, toutes gymnastiques et postures de yoga pratiquées en force et, de façon générale, tout effort excessif.

Si des charges, des pressions importantes sur le disque sont répétées trop souvent, le disque n'a pas le temps de « récupérer » son épaisseur normale. Il s'atrophie, vieillit prématurément par déshydratation, et des lésions, souvent très douloureuses, s'installent (lumbago, sciatique, dorsalgie, cervicalgie).

Ma méthode de l'imagination n'a pas d'autre but que de favoriser l'hydratation du disque et, ainsi, de prévenir son vieillissement.

UN DISQUE INTERVERTÉBRAL

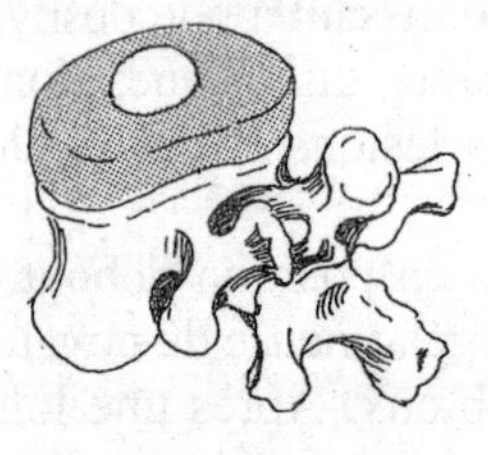

9

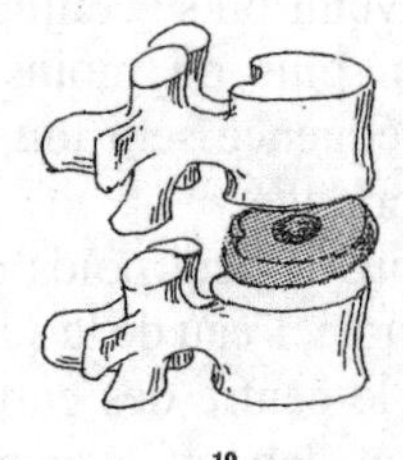

10

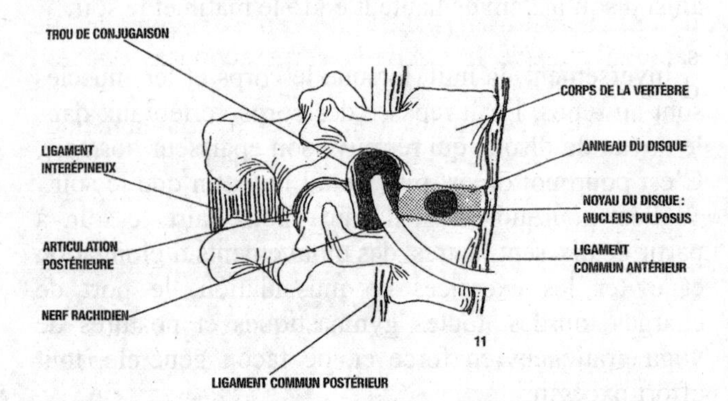

11

Le disque intertébral, situé entre les deux plateaux de vertèbres adjacents, est formé de deux parties :

— **une partie centrale** : le nucleus pulposus, gelée transparente composée à 88 % d'eau ;

une partie périphérique : l'annulus fibrosus ou

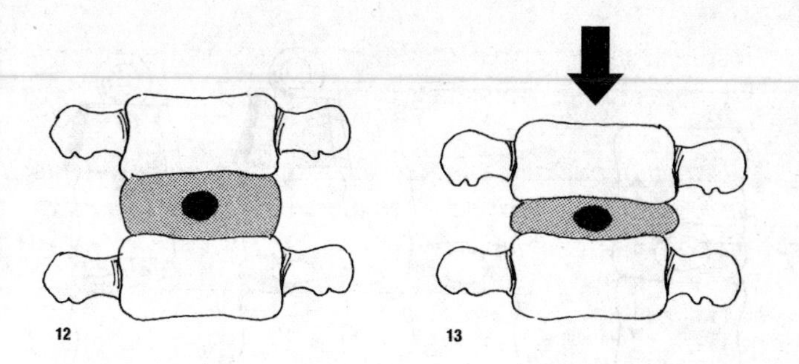

anneau fibreux, constitué d'une succession de couches fibreuses concentriques.

Cet anneau forme un véritable tissage de fibres qui, chez le sujet jeune, empêche la substance du nucleus de s'échapper (9, 10, 11).

1. Les réactions du disque intervertébral aux pressions exercées sur lui verticalement. Les effets sont d'autant plus importants que l'on se rapproche du sacrum, puisque le poids du corps supporté s'accroît de haut en bas (12 et 13).

2. L'épaisseur du disque n'est pas partout la même ; de 9 mm au niveau du rachis lombaire, elle est de 5 mm au niveau dorsal et de 3 mm entre les cervicales. Plus la hauteur du disque est importante par rapport à celle du corps vertébral, plus la mobilité du segment considéré est grande.

3. Le disque n'a pas le même comportement selon l'axe des mouvements auxquels on le soumet. Lorsqu'on lui imprime un effort *d'élongation* verticale vers le haut et le bas à la fois, la pression à l'intérieur du nucleus diminue, les plateaux des vertèbres s'écartent, et s'il y a hernie, celle-ci peut parfois réintégrer le nucleus. Ma méthode de l'imagination est fondée sur ce principe (14).

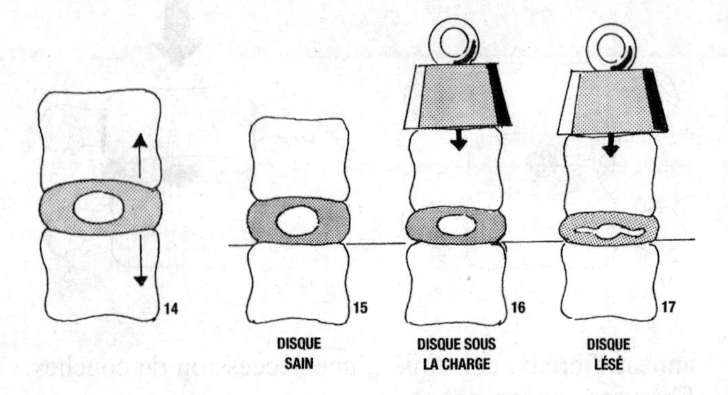

4. Lorsqu'on lui imprime un effort de *compression*, de bas en haut et de haut en bas, le disque s'écarte et s'élargit et la tension des fibres de l'anneau augmente (15, 16, 17).

5. Lors des mouvements *d'extension*, la vertèbre supérieure se porte en arrière, et le nucleus est chassé vers l'avant. Il s'appuie ainsi sur les fibres antérieures de l'anneau dont il augmente la tension, ce qui tend à ramener la vertèbre supérieure dans sa position initiale (18 et 19).

6. Lors d'une *flexion*, la vertèbre supérieure glisse vers l'avant et l'espace intervertébral diminue près du bord antérieur. Le nucleus se trouve ainsi chassé vers l'arrière, appuyant sur les fibres postérieures de l'anneau dont il augmente la tension (20 et 21).

7. Lors des mouvements de *rotation*, on voit se tendre les fibres obliques de l'anneau opposées au sens du mouvement. Le noyau se trouve fortement comprimé et sa pression interne augmente proportionnellement avec le degré de rotation.

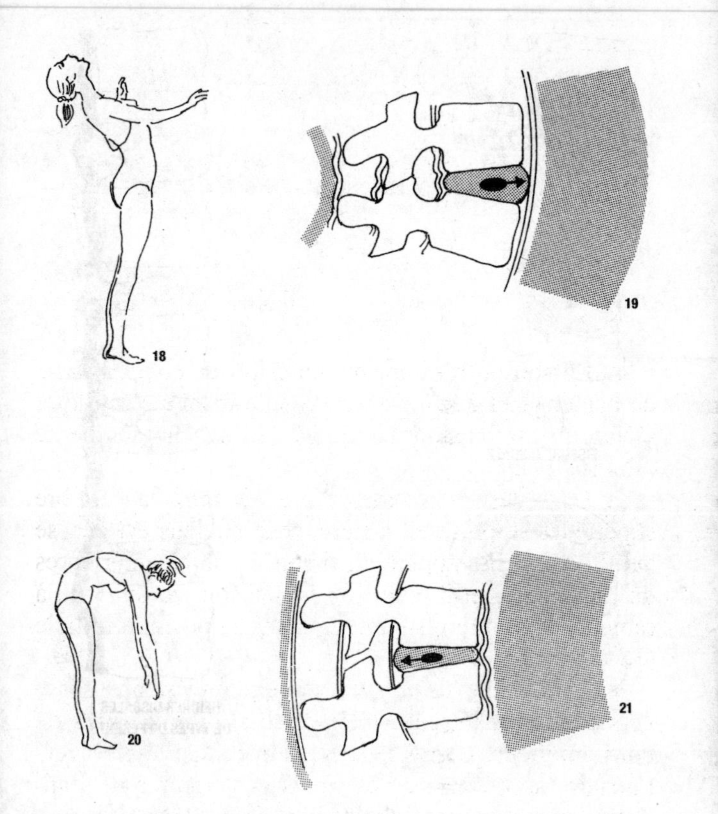

8. On comprend dès lors qu'un mouvement qui associe flexion et rotation a tendance à déchirer l'anneau fibreux et en même temps, en augmentant sa pression, à chasser le noyau vers l'arrière jusqu'à provoquer parfois une hernie discale.

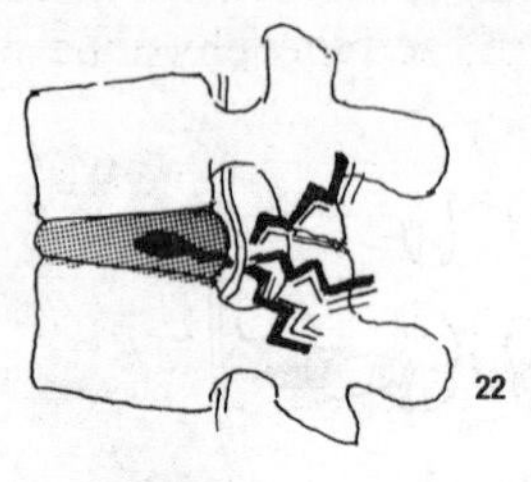

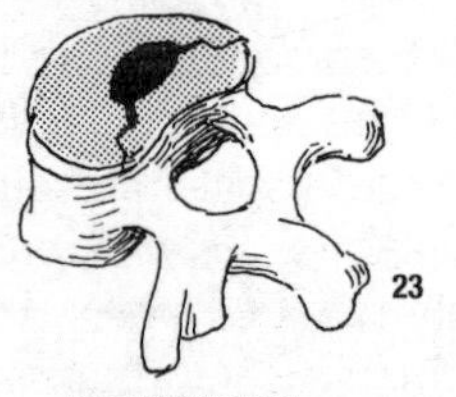

FISSURE DISCALE

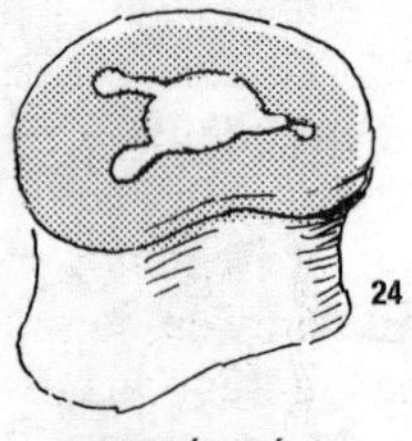

NUCLEUS ÉCRASÉ

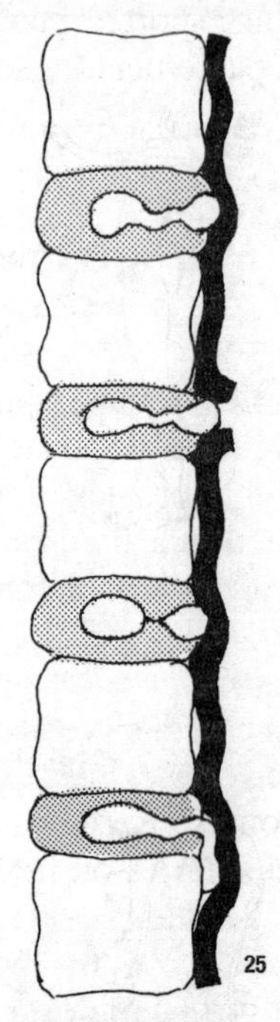

HERNIES DISCALES
DE TYPES DIFFÉRENTS

Les gymnastiques forcées comme l'aérobic, certaines postures de yoga, la danse classique ou moderne, les sports violents arrivent hélas au même résultat (22, 23, 24, 25).

On me répondra sans doute que les champions sont des êtres à part, ce qui, à mes yeux, n'excuse ni leurs souffrances ni les échecs. Mais les amateurs ne sont pas à l'abri quand ils confondent entraînement et forcing, sport et jusqu'au-boutisme, activité physique et dépassement de ses possibilités.

LES TROUBLES PSYCHOLOGIQUES

Les douleurs physiques ne sont bien souvent que le paravent de nos douleurs morales et les sentiments, les émotions, les drames d'une vie se lisent, presque comme à livre ouvert, dans les raideurs, les tensions, les blocages musculaires et articulaires. Les stress, les difficultés, les soucis, la nervosité, tous les traumatismes psychologiques petits ou grands aggravent un symptôme, perturbent les systèmes neurovégétatif, nerveux, glandulaire, et ainsi installent et accroissent des troubles qui, sans ce révélateur, seraient peut-être restés ignorés ou très anodins.

Pourtant les « spécialistes » du dos, et j'entends par là tous les thérapeutes qui font profession de soigner le dos, semblent l'ignorer. Ils parlent, en évoquant la colonne vertébrale ou le squelette, de charpente, de structure, de mécanique, comme si toute une part de l'individu n'était qu'une machine complexe certes, vivante, mais soumise à des mouvements et à des lois physiques rigides et, comme une machinerie, insensible à tout ce qui n'est pas de l'ordre de la matière. Médecine classique et médecines douces ont au moins ce point commun d'ignorer dédaigneusement les relations, pourtant prouvées et largement connues et utilisées dans d'autres domaines que le dos, entre physique et psychisme.

Pourtant c'est dès l'enfance que cette influence se fait sentir, avec une très nette intensification au moment difficile de l'adolescence.

Il existe chez toute personne, quel que soit son âge, une relation directe entre le système nerveux central et la morphologie musculaire. Si, pendant la période pubertaire, qui s'accompagne toujours d'une très grande fragilité émotionnelle, l'enfant subit un choc psychologique important, ou vit dans un état permanent d'angoisse, de stress, de timidité et d'instabilité, son système neurovégétatif d'une part, son système musculaire d'autre part souffriront.

Beaucoup, incapables de surmonter leurs stress psychiques, deviendront boulimiques, ou au contraire anorexiques, déréglant gravement toutes leurs fonctions d'assimilation et d'élimination, ce qui provoquera des troubles fonctionnels importants. Ce déséquilibre se traduira, entre autres, par des perturbations de l'assimilation du calcium, du phosphore et du magnésium, elles-mêmes responsables de fatigue, de dépression et d'atrophie musculaire.

Si l'enfant perturbé a tendance, comme tous les enfants en pleine croissance, à se tenir mal, inconsciemment il accentuera encore ses mauvaises postures. Un adolescent timide fuyant le regard des autres aura tendance à se voûter. Une jeune fille voulant cacher ses seins naissants arrondira ses épaules. Un enfant déprimé penchera la tête et se tiendra mal dans toutes les positions. Ainsi se déclenchent des pathologies à évolution rapide et très difficiles à soigner si elles ne sont pas immédiatement détectées, comme les scolioses.

Il arrive bien souvent aussi qu'à cet âge où le corps change vite se produisent des accidents physiques sans grande importance, apparemment, comme des chutes de ski, vélo, skate, patins à roulettes, des coups échangés au judo ou au foot, des entorses, des fractures. Un « ne sois pas douillet » lapidaire tient lieu bien souvent à la fois de diagnostic et de thérapeutique, alors que des vertèbres ont souffert et que des lésions bénignes sont là, prêtes à se transformer en scoliose ou n'importe laquelle de ces déformations éprouvantes dont on ne viendra à bout que par des traitements difficiles à supporter comme le port, pendant de longs mois, d'un corset rigide.

Entre dix et quinze ans, il est indispensable de surveiller attentivement le dos de vos enfants. Surveillez leurs mauvaises attitudes, évitez-leur les cartables trop lourds, ne négligez pas les heurts, les coups, les bobos, faites-leur subir des examens de dépistage, mais dites-vous que même cela ne suffira pas. Il leur faut aussi de l'amour, de la tendresse et la certitude que vous les écoutez et les comprenez. Chez l'enfant et l'adolescent malheureusement les problèmes restent le plus souvent cachés par timidité, par négligence ou manque d'information. On ne peut pas compter sur la prévention médicale scolaire quand on sait qu'un médecin scolaire contrôle, en moyenne, vingt-cinq établissements, soit cinq à sept mille élèves.

L'adulte recueillera les retombées négatives sous forme de blocages, déviations et anomalies de la statique vertébrale.

J'ai soigné une petite fille de quatorze ans atteinte d'une scoliose importante qu'aucune des thérapies qu'elle avait suivies – kinésithérapie, port d'un corset,

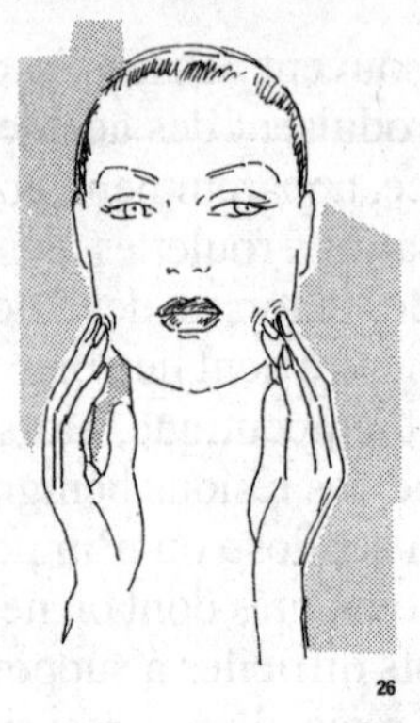

méthode Françoise Mézières, rééducation en piscine d'eau chaude – n'avait réussi à guérir. La scoliose continuait à s'aggraver, malgré des efforts et des contraintes que l'enfant supportait de plus en plus mal. Je me suis vite aperçu que, fille unique de parents qui ne s'entendaient plus, elle vivait constamment dans les cris et les conflits où chacun tentait de la prendre à témoin. À l'occasion des séances de soins, j'ai fait venir son père, puis sa mère, entamé avec eux une thérapie, et peu à peu rétabli un dialogue dépourvu d'agressivité. C'est alors seulement que l'évolution de la scoliose a stoppé et que j'ai pu commencer le traitement destiné à la faire régresser.

C'est en retrouvant une harmonie familiale et affective que l'enfant, emprisonnée dans ses stress, avait pu retrouver une harmonie physique. En même temps que son esprit et son cœur, son corps, enfin, s'était détendu. Juste avant qu'elle ne vienne me voir, deux éminents chirurgiens consultés avaient préconisé une opération et l'insertion d'une tige métallique pour soutenir la colonne vertébrale.

Les adultes, à leur manière plus lente, moins violente, expriment aussi avec leur corps leurs désarrois et leurs troubles psychiques. Leur colonne vertébrale se tasse, leurs épaules s'affaissent, leur dos se voûte, leur cou se penche. Ils disent « j'en ai plein le dos », et c'est vrai.

Le stress est, au sens propre du terme, un coup, un choc que l'on prend de plein fouet, en plein dans la mâchoire inférieure, comme une claque. Il existe à ce niveau deux points précis qu'il suffit de toucher pour connaître presque exactement l'état de tension intérieure du sujet (26).

Des maxillaires, le stress descend le long du cou, qui se tend, jusqu'aux muscles antérieurs qui se contractent et durcissent dans un réflexe d'autodéfense. Les plexus – cardiaque, pulmonaire, solaire – un à un se congestionnent. Les tensions accumulées tout autour du sternum gênent le fonctionnement des organes, des viscères, des glandes. L'énergie passe mal à l'intérieur du corps (27).

Par osmose, parce que tous les éléments d'un organisme sont solidaires, si le stress est excessif ou s'il se prolonge, les muscles du dos eux aussi se durcissent : d'abord ceux de la nuque, puis les trapèzes, les muscles dorsaux, et enfin les lombaires.

Il faut savoir et comprendre qu'en ce cas aucune méthode, aucune manipulation, aucune thérapeutique ne pourra rien pour vous si le thérapeute ne s'applique pas d'abord à vous détendre, à dénouer un à un vos plexus, à apaiser vos muscles. Aucun thérapeute n'est digne de ce nom s'il n'est pas en même temps psychothérapeute et je récuse toute thérapeutique et tout praticien

PRINCIPAUX POINTS RÉFLEXES DES PLEXUS

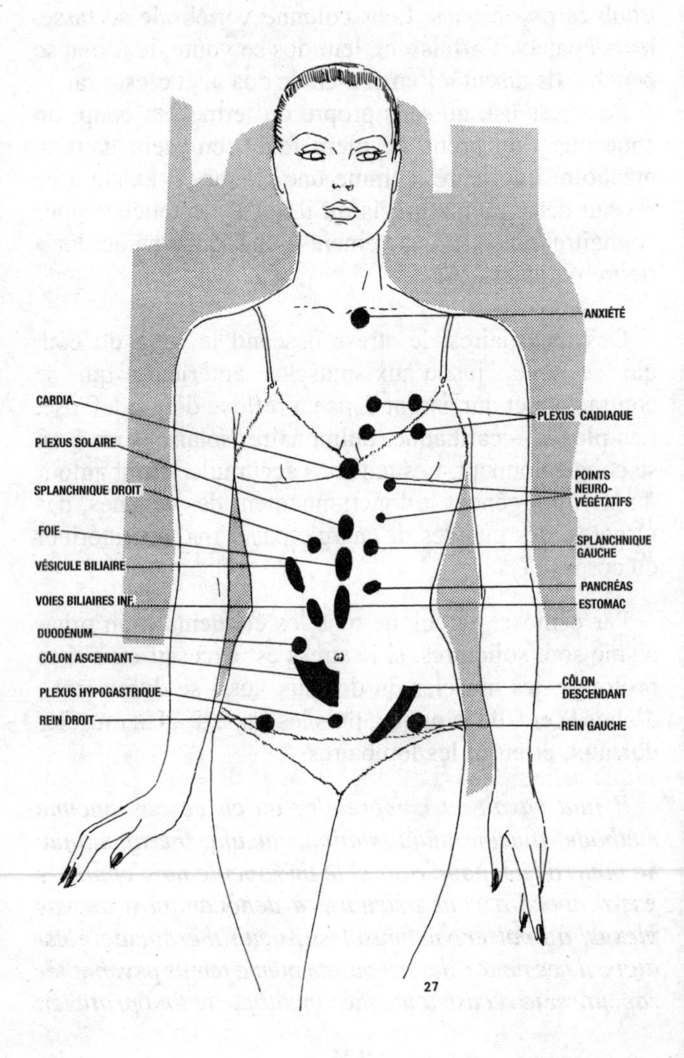

qui n'inscrit pas au premier rang de ses préoccupations la santé morale de ses malades. De la méthode Françoise Mézières à l'acupuncture, des manipulations à la mésothérapie, aucune méthode de soins localisée et mécanique, ne prenant en compte ni les stress, ni les troubles fonctionnels, ni les rythmes biologiques, ni l'équilibre alimentaire, ni le mode de vie, en un mot l'ensemble de la personnalité du patient, ne saura le réadapter ni le guérir définitivement.

Pourtant le thérapeute manuel dispose contre la douleur de l'arme la plus efficace : ses mains. Les mains soulagent, apaisent, réconfortent. À la fois conséquence des stress et agressions de toutes sortes, invisibles à la radio mais corollaires inévitables des pathologies vertébrales, les symptômes d'irritabilité, de fatigue, d'angoisse, de dépression cèdent sous les doigts du thérapeute. Il trouve infailliblement ces points extrêmement précis et incroyablement douloureux où se cristallisent nos tensions et qu'on appelle les « points exquis ». À la simple palpation, il identifie les zones sensibles, nouées, les muscles tétanisés. Et c'est seulement lorsque les raideurs se seront estompées, que les muscles et les ligaments auront retrouvé leur souplesse, que le corps aura cessé de se rétracter et ne se défendra plus, qu'il pourra entreprendre avec succès de rééquilibrer, redresser, débloquer la mécanique articulaire.

Ces douleurs dorsales dont l'origine est essentiellement psychique arrivent rarement d'un coup. On éprouve d'abord des douleurs passagères qui peuvent être de différentes natures : douleurs de la nuque, lombaires, intercostales, ou encore points douloureux entre les omoplates. Comme elles durent peu, on les oublie dès qu'elles disparaissent, et c'est pourtant dès cet instant qu'il faudrait agir (voir *Guérissez votre dos vous-même*). Mais le plus souvent on ne s'inquiète pas, même si on a mal de plus en plus longtemps et de plus en plus souvent, jusqu'à ce que s'installent une tendinite ou une névralgie, un torticolis, une sciatique, voire une arthrose ou une arthrite, toutes pathologies qui seront devenues chroniques lorsqu'on prendra enfin la décision de se faire traiter.

Deux sur quatre de mes patients souffrent de douleurs du dos dont la seule origine est un trouble psychologique. J'ai, en quelque trente-cinq ans de pratique, classé par ordre décroissant les grandes raisons d'inadaptation et de souffrance des hommes d'aujourd'hui. Elles sont quatre :

— le manque de confiance en soi, l'étouffement de la personnalité, la timidité jouent un rôle important dans les problèmes de dos. En affectant le système neuromusculaire, il se produit un ralentissement de la fonction de tous les muscles et particulièrement ceux de la cage thoracique et du dos.

— les conflits familiaux ou professionnels générateurs de stress continus ou intermittents sont à l'origine de douleurs du dos par la création de contractures anormales allant jusqu'à la tétanisation.

— l'ennui, le manque de passion ou d'activité, l'état mélancolique ou dépressif, la détresse émotionnelle affaiblissent le tonus neuromusculaire et tout particulièrement les articulations du dos.

— les problèmes d'une sexualité non épanouie, soit que le sujet masque un manque d'amour ou de tendresse en créant inconsciemment une douleur lombaire, soit qu'il dissimule par une douleur du dos-alibi une incapacité ou un refus de l'acte sexuel. Combien de douleur du dos ont disparu après que le sujet a repris confiance en son corps pour s'ouvrir à l'amour.

Comme beaucoup de confrères, j'ai souvent constaté qu'un patient guéri de sa douleur (lumbago ou sciatique) remplace cette souffrance par une autre localisée ailleurs (genoux, épaule, cheville, etc.).

Cette situation peut être contrariante pour le thérapeute au début, mais devient instructive lorsque celui-ci fait preuve de vigilance et de patience car elle permet d'accéder dans beaucoup de cas à l'origine profonde du mal de dos. Le thérapeute ne doit jamais oublier qu'il soigne non pas un lumbago ou une sciatique mais une personne dans sa totalité. La personne exprime une souffrance réelle et profonde souvent plus psychique que physique. Il importe d'écouter son patient. C'est aussi le rôle du thérapeute, selon ma conception, d'être un psychothérapeute manuel. Le patient se raconte, il parle de ses douleurs physiques et psychologiques passées et présentes. Il refait le chemin de sa vie (ses refoulements, ses échecs, ses douleurs...) pour pouvoir ensuite la vivre différemment. Il est très important dans ce cas de l'accompagner pour lui donner la possibilité de prolonger le traitement, la relation maternante avec le thérapeute. C'est pourquoi chez certaines personnes, quand les douleurs cessent, l'annonce de la guérison ne doit pas être brutale, mais progressive, accompagnée et acceptée par le patient sous forme de séances d'entretien, de relaxation pour qu'il se ressource, retrouve sa force intérieure pour se dégager du thérapeute et s'en passer à l'avenir. N'oublions pas qu'au début de sa pratique, Freud établissait un contact manuel avec ses malades et que, dans certains cas, Jung imposait ses mains. Aujourd'hui, certains psychiatres se posent la question et associent ou proposent des soins manuels coordonnés à leurs séances.

En libérant l'inconscient du malade par la parole associée aux bienfaits des traitements manuels, on accélère la guérison des maux de dos récidivants. On arrive à un épanouissement de la personne complet et plus durable.

LES MAUVAISES POSITIONS

Toute mauvaise attitude, ou trouble statique, n'est pas seulement un défi à l'esthétique, c'est aussi une torture sans répit pour l'organisme, et en particulier pour le dos. Toute posture anormale et soutenue met en tension excessive un groupe musculaire et articulaire d'un côté du corps, ce qui fait que le même groupe musculaire et articulaire de l'autre côté se relâche. À la longue, le premier groupe musculaire subira un durcissement, donc un raccourcissement, tandis que l'autre se relâchera et s'atrophiera.

Le groupe musculaire en tension mettra une ou plusieurs vertèbres en rotation, flexion ou inclinaison, et cette déviation demeurera aussi longtemps que les muscles ne retrouveront pas leur élasticité normale. Et la mauvaise position sera devenue déformation.

Sièges trop bas, lits trop mous, charges lourdes et déséquilibrées, talons hauts... Les occasions de prendre des positions anormales sont innombrables.

Leurs conséquences sont bien connues des spécialistes qui sont amenés à les traiter (28 et 29).

La cyphose dorsale

C'est le dos rond, autrement dit une courbure exagérée du dos. Elle peut provoquer :

— une usure anormale des disques intervertébraux, accompagnée de déshydratation,
— une hypertension des muscles de la nuque et du dos, avec des conséquences vasculaires et respiratoires,
— une déperdition d'énergie,
— une arthrose, cervicale et dorsale,
— un ralentissement de la circulation sanguine, provoquant céphalées, vertiges, bourdonnements d'oreilles,
— et aussi de l'asthme, de l'aérophagie, des gastrites et des troubles psychologiques (état dépressif, agressivité, anxiété, fatigue).

L'hyperlordose lombaire

C'est le ventre en avant, position de tous ceux qui présentent une cambrure exagérée de la région lombaire. Elle peut provoquer :

— une usure anormale et une déshydratation des disques,
— des troubles intestinaux,
— une congestion des organes génitaux, une inflammation de la vessie ou une irritation de la prostate,

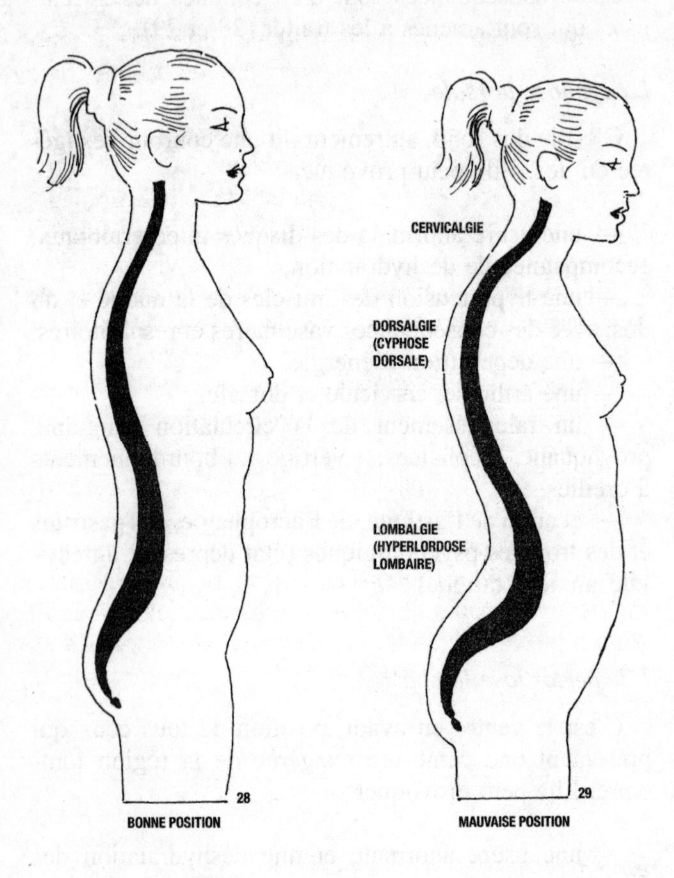

— des troubles circulatoires,
— une fatigue générale,
— de la cellulite.

La scoliose

C'est une déviation de la colonne vertébrale accompagnée d'une rotation des corps vertébraux en forme de S.

Elle entraîne, en les aggravant, les mêmes troubles que la cyphose et l'hyperlordose réunies.

Elle s'accompagne de contractures et de douleurs musculaires importantes, et très souvent de difficultés psychologiques.

Elle touche principalement les filles au moment de la puberté et évolue jusqu'à la fin de la croissance.

Conséquences extrêmes de positions souvent prises dans l'enfance, accentuées par nos modes de vie et prolongées à l'âge adulte par inadvertance, comme toutes ces mauvaises habitudes que l'on finit par trouver normales simplement parce qu'on n'y prend plus garde, ces « maladies du dos », soigneusement étiquetées par la médecine et officialisées par la Sécurité sociale, mériteraient moins de soins et plus de prévention. Et surtout plus d'attention et de désir de faire, lorsqu'il en est temps, l'effort nécessaire pour retrouver l'art et la manière de se tenir bien.

Ce qui ne veut pas, du moins je le crois, dire forcément droit comme un I, comme nos mamans nous l'ont appris.

Ne vous tenez pas trop droit

Nos ancêtres, bien avant les Gaulois, se tenaient complètement penchés en avant, le dos presque parallèle au sol. Depuis, l'homme s'est redressé et sa nouvelle position semble ne lui avoir procuré que des avantages et bien des satisfactions. Signe distinctif de l'humanité, la verticalité est considérée comme un signe extérieur de supériorité de l'homme sur l'animal. Une colonne vertébrale rectiligne est à la fois esthétique et symbolique : il s'y attache des idées de fierté, de dignité et d'autorité. Les soldats et les chefs se tiennent droits, le menton légèrement relevé, le regard lointain. Se tenir mal est le triste privilège des mous, et « tiens-toi droit » est sans doute l'une des phrases les plus souvent prononcées par les mères de famille.

Les Africaines au corps libre qui portent haut sur leur tête leurs paniers ont un port de reine et, c'est vrai, peu de problèmes. Le cadre moyen français et la jeune mère de deux enfants en bas âge qui travaille, pressés, fatigués, privés de sport et de grand air, ont tendance à cambrer un peu trop le dos et à pousser le ventre en avant. Il se produit un glissement de la cinquième vertèbre lombaire, à la charnière lombo-sacrée. Celle-ci compresse les nerfs, ce qui provoque des douleurs et une usure anormale des articulations et des disques intervertébraux, comme chaque fois qu'on se trouve en position d'hyperlordose. La lordose lombaire entraîne, par compensation, une cyphose dorsale et les conditions sont créées pour de pénibles problèmes de dos.

Or il est facile à tout un chacun de constater que s'il se penche alors un peu en avant, les jambes légèrement fléchies, il s'en trouve immédiatement soulagé.

Lorsque je souffrais d'une hernie discale, je me suis vite aperçu que me tenir droit m'était intolérable. Et que plus je tentais de me redresser, comme on m'avait toujours appris à le faire, plus je souffrais. Je ne voulais pas me faire opérer et continuai, tant bien que mal, de travailler. Instinctivement, je penchais mon buste en avant, ce qui me permettait de tenir debout, mais tout juste.

Cherchant un moyen d'apaiser la souffrance, et naturellement incapable de faire le moindre mouvement de gymnastique, j'essayai, en même temps que je m'inclinais légèrement en avant, de fléchir les jambes et de contracter les muscles fessiers. Et je m'aperçus que mes douleurs, enfin, s'estompaient.

Chaque fois que je reprenais cette position, je me sentais mieux. Chaque fois que je relâchais les fessiers et tentais de me tenir droit, la douleur revenait, aussi vive qu'avant.

J'ai dû tenir cette position des heures entières, pendant plusieurs mois, mais à la fin la hernie s'est sclérosée et je m'en suis guéri seul, sans opération.

Lorsqu'on se penche en avant, la compression vertébrale diminue, les deux derniers disques lombaires s'écartent légèrement, et la pression du poids du corps sur cette région se fait moins forte. De semaine en semaine, le nucleus pulposus, noyau central gélatineux du disque vertébral dont une partie s'était échappée, formant la hernie, s'est reformé et remis en place. La paroi discale s'est cicatrisée. La douleur a disparu.

De cette expérience personnelle est née ma méthode de gymnastique de l'imagination. Elle m'a permis de guérir sans séquelles : je n'ai plus jamais souffert de ma hernie, malgré un travail physiquement difficile et la pratique régulière de plusieurs sports : tennis, équitation, moto, pourtant réputés comme dangereux pour le dos. Mes amis médecins m'avaient d'ailleurs prévenu, à l'époque, que sans opération je ne guérirais jamais et que, de toute façon, il me faudrait renoncer à tout jamais à ce genre d'exercices.

Elle m'a permis, depuis, de guérir la plupart de mes patients, que je dois d'abord convaincre qu'il faut parfois, dans la vie, savoir ne pas se tenir droit.

Le professeur de Sèze, célèbre rhumatologue français, a été le premier à montrer l'importance du rôle de la cinquième vertèbre lombaire. Il en tira la conclusion que, contrairement aux apparences, l'homme n'était pas fait pour être un bipède.

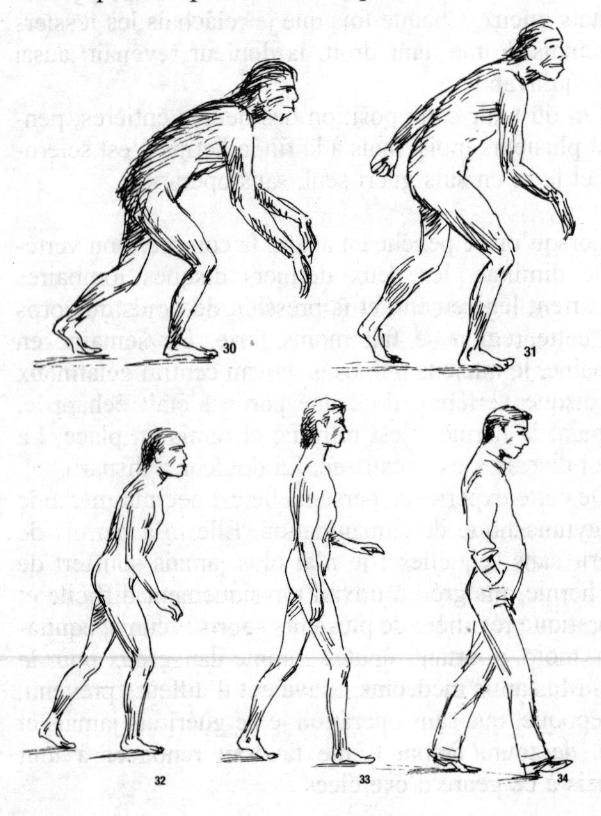

Aujourd'hui, non seulement l'homme se tient droit, mais il a tendance à cambrer les reins, à porter le ventre en avant et à se voûter, créant ainsi des pressions anormales qui s'exercent sur la cinquième lombaire. Celle-ci glisse en avant et entraîne une perturbation de la statique vertébrale, cause de multiples douleurs aussi bien lombaires que dorsales ou cervicales pour tous ceux qui souffrent du dos.

La bonne position, pour tous ceux qui souffrent du dos, est celle du « juste milieu » (33).

LES MANIPULATIONS : PARFOIS LE MEILLEUR, SOUVENT LE PIRE

« La manipulation est un mouvement forcé appliqué directement ou indirectement sur une articulation ou un ensemble d'articulations, qui porte brusquement les éléments articulaires au-delà de leur jeu physiologique normal, sans dépasser la limite qu'impose à leur mouvement l'anatomie. C'est une impulsion brève, sèche, unique, qui doit être exécutée à partir de la fin du jeu passif normal. Ce mouvement s'accompagne en général d'un bruit de craquement. »

Cette définition scientifique de la manipulation donnée par le professeur R. Maigne[1] indique clairement à elle seule le danger inhérent à toute manipulation, quelle que soit la formation de celui qui la pratique.

1. *Douleurs d'origine vertébrale et traitement par manipulations*, Expansion scientifique française, 1986.

En forçant brutalement le mouvement de l'articulation, la manipulation crée un choc violent, mais exécuté de manière extrêmement précise, le patient étant préalablement mis en tension dans un axe bien défini.

Un blocage articulaire est généralement le fait non d'un déplacement, comme on le dit souvent – une vertèbre ne se déplace jamais –, mais de la tension excessive d'un ou de plusieurs muscles. Raidi, celui-ci gêne le jeu normal de l'articulation. La tétanisation implique également un ralentissement localisé de la circulation sanguine, une inflammation des tissus, et des souffrances telles qu'instinctivement, le sujet adopte une position antalgique.

Parfois, c'est une partie du corps central gélatineux qui se déplace ou s'échappe par une fissure de l'anneau fibreux du disque, formant une excroissance qui bloque l'articulation, ou fait saillie dans le canal rachidien : c'est la hernie discale.

Correctement réalisée, la manipulation crée un choc thérapeutique visant à faire lâcher d'un coup les muscles en tension et à augmenter l'écartement articulaire, ce qui ramènera par réflexe l'articulation à sa position normale.

Toutes proportions gardées, on pourrait dire que la manipulation est aux vertèbres ce que l'électrochoc est au cerveau. Comme celui-ci elle peut réussir, mais elle ne va pas sans inconvénients.

Le plus important est que, si la manipulation est mal faite, soit que le diagnostic de départ soit faux, soit que la position du patient soit mal calculée ou la manœuvre trop violente, ses conséquences seront catastrophiques. Douleurs exacerbées, pathologies nouvelles se surajoutant à celle que l'on n'aura non seulement pas traitée mais aggravée, les accidents dus à des manipulations sont nombreux, souvent graves, parfois irréversibles.

En France, seuls des médecins ont légalement le droit de pratiquer des manipulations. Ce qui ne signifie pas qu'ils sont à l'abri de tout accident mais qu'en ce cas, eux seuls sont couverts par les assurances et la solidarité professionnelle et sociale du corps médical.

Je crois personnellement qu'il n'est pas tout à fait suffisant d'être médecin pour être un champion de la manipulation. Il faut en plus, pour garantir à son patient un maximum de sécurité, de solides connaissances en pathologie ostéo-articulaire ainsi qu'en techniques manipulatives, mais aussi ce quelque chose qui ne s'apprend pas et qui est le don de comprendre et de soigner les corps avec ses mains.

À ce titre, certains ostéopathes et autres thérapeutes manuels, quelle que soit leur spécialité, sont aussi aptes à pratiquer des manipulations.

S'il me fallait porter un jugement, je dirais que force est de reconnaître que le nombre des accidents est plutôt plus important chez les non-médecins que chez les médecins, mais que chez les uns comme chez les autres, leur gravité est la même et que la plus grande prudence s'impose.

Tous les jours, je reçois des malades qui présentent des séquelles de manipulations mal faites. Hernies discales, céphalées récidivantes, crises d'arthrose, vertiges, périarthrites, douleurs intercostales, névralgies cervico-brachiales, nausées, paralysies, les symptômes sont multiples et importants. Dans le meilleur des cas, il faudra dix fois plus de temps, d'énergie, de douceur, de patience pour rééduquer ces patients-là que tout autre présentant les mêmes lésions mais n'ayant pas subi de manipulation.

Étrangement d'ailleurs, lorsqu'une manipulation réussit, le patient, ébloui, crie au miracle et le fait savoir. Ceux qui ont été abîmés, parfois à vie, ont rarement l'énergie de crier au scandale et de dénoncer les responsables.

Le seul, le vrai scandale est que certains médecins et certains thérapeutes oublient, parce que ça les arrange, qu'une manipulation vertébrale n'est jamais un acte anodin mais une thérapie agressive qui ne doit être pratiquée qu'en cas d'absolue nécessité, en respectant un certain nombre de règles bien précises et en s'entourant d'un maximum de précautions.

Mobilisations et manipulations

« La mobilisation est un mouvement passif, qui est généralement répété. Elle ne dépasse pas le jeu passif normal d'une articulation, ou d'un ensemble d'articulations. Elle ne comporte aucun mouvement brusque ou forcé » (professeur R. Maigne). Sur l'ambiguïté entre mobilisations et manipulations repose aussi l'une des grandes ambiguïtés des traitements des pathologies vertébrales, et une bonne partie des querelles qui les entourent.

A priori, les choses sont simples : l'une des manœuvres force le mouvement, donc la nature, l'autre non. Mais en pratique, tout change. Parfois par hasard : au cours d'une mobilisation on entend un craquement, il y a donc eu manipulation involontaire. Celle-ci ne sera pas dangereuse car elle n'aura que très légèrement exagéré un test de mobilité normal. Mais elle ne résoudra pas non plus un problème précis, comme une luxation par exemple. Parfois par volonté délibérée mais inavouée : certains thérapeutes non-médecins pratiquent à la chaîne et en toute illégalité des manipulations qu'ils baptisent pudiquement du nom de mobilisations, pensant ainsi se mettre à l'abri des ennuis.

En réalité, la mobilisation doit être pratiquée dans le but très précis d'assouplir le dos. Elle est indispensable dans tout traitement, et en tout cas nécessaire avant une manipulation. Pourtant bien peu de praticiens, qu'ils soient médecins ou non, pratiquent les tests de mobilité, sans doute parce qu'ils demandent beaucoup de temps : il faut trente à quarante minutes pour mobiliser toutes les articulations : colonne vertébrale, épaules, hanches, genoux, chevilles, pour détecter, sans en négliger aucune, toutes les anomalies articulaires, et beaucoup d'énergie. Il n'en reste pas moins que seuls ces tests permettent de diagnostiquer les blocages articulaires, les tensions, durcissements et raideurs musculaires qu'il faut impérativement dénouer avant de pratiquer la moindre manipulation, sous peine de faire courir à son patient un risque important.

Pas de manipulation sans préparation

Parce qu'elle est traumatisante, toute manipulation doit être précédée d'une longue préparation. Cette règle semble avoir été pratiquement oubliée, elle n'en était pas moins le fondement de l'enseignement dispensé par les écoles de médecine physique et d'ostéopathie. Lorsque, déjà diplômé de kinésithérapie, j'ai entrepris des études à l'European School of Osteopathy, les trois premières années ont été consacrées aux techniques de soins pour traiter le malade dans sa totalité, et aux méthodes de préparation à la manipulation. Aujourd'hui, médecins et non-médecins manipulent à froid, sans préparation, sans examen approfondi, des patients dont la colonne vertébrale est déjà lésée, douloureuse, fragilisée. Et 90 % des accidents dus à ces manipulations pourraient être évités si les médecins avaient un petit peu de temps pour réfléchir avant d'agir.

La première garantie à prendre est d'ordre médical : lorsqu'un patient souffre beaucoup, et depuis longtemps, on doit s'assurer par des examens appropriés, et en particulier des clichés radiologiques, qu'il n'existe aucune pathologie organique : arthrose importante, spondylolisthésis, rétrolisthésis, hernie discale ou intraspongieuse, cancer des os. La moindre manœuvre manipulative aurait en ce cas des conséquences incalculables.

Il faut ensuite évaluer l'état psychologique du patient, ce qui, bien sûr, ne peut se faire en quelques minutes, ni même en une ou deux séances. Lorsqu'on a mal au dos on est irritable, angoissé, tendu. Aux stress de la vie quotidienne s'ajoutent les tensions musculaires dues aux lésions physiologiques et à des douleurs difficiles à supporter. Or ces raideurs, ces tensions, l'ensemble des manifestations physiques et morales du stress, gêneront la manipulation, multipliant les risques d'erreur et d'accident.

C'est en interrogeant son patient, en lui parlant, en l'écoutant surtout, en même temps que par la thérapie manuelle, que le thérapeute parviendra à le détendre et à le mettre en confiance, condition indispensable à la réussite du traitement en général, et plus encore d'une manipulation.

Il faut enfin, par des manœuvres très douces, dénouer les tensions physiques en travaillant au niveau de toutes les articulations et de tous les groupes musculaires, en mobilisations et massages.

Il existe différentes techniques destinées globalement

à détendre les muscles, apaiser le malade et restaurer le jeu des articulations. Selon le cas, cette phase de préparation peut prendre le temps d'une à plusieurs séances de trente à quarante-cinq minutes chacune.

Elle me permet d'éviter à neuf sur dix de mes malades le traumatisme d'une manipulation. Et souvent de guérir ceux de mes patients venus consulter après avoir été aggravés ou abîmés par une manœuvre violente pratiquée sans même savoir de quoi ils souffraient vraiment.

Avant de manipuler un patient il faut encore – et ce traitement est aussi important que les tests de mobilité – décoller et faire disparaître les amas cellulitiques. Agglutinés en plaques épaisses à la surface du corps, ils indiquent que les organes ou les articulations qu'ils recouvrent fonctionnent mal ou au ralenti. Lorsqu'ils sont situés au pourtour d'une articulation, ils la brident en permanence.

Souvent ces plaques de cellulite sont apparues à la suite d'un choc, physique ou psychologique. Elles ont grandi, étouffant en profondeur le tissu conjonctif et affaiblissant la circulation des veinules et des capillaires. Plus la lésion originelle est ancienne, plus l'amas cellulitique est épais, ancré, difficile à dissoudre. Mais aussi plus il empêche toute souplesse musculaire, gêne toute amplitude du jeu articulaire, et aucune mobilisation, aucune manipulation n'aura d'effet tant qu'il coiffera, comme un couvercle, toute vie physiologique interne en dessous de lui.

Cette cellulite ne ressemble pas aux rondeurs qui entourent les genoux des jeunes filles. Elle n'est même pas réservée aux ronds ou aux gros. Elle s'agrippe aussi bien aux maigres, et aux hommes qu'aux femmes. Elle ne sera dissoute ni par la mésothérapie, ni par l'acupuncture, ni par le laser, et encore moins par frottage. Pour faire disparaître ces plaques de cellulite, il faut les traiter à la main par des manœuvres de pétrissage, de pincé-roulé, et des malaxages en profondeur destinés à rétablir la microcirculation locale.

Ces manœuvres sur un tissu conjonctif enflammé sont souvent très douloureuses, et c'est le seul moment de mes traitements où j'entends mes patients crier. Il faut pourtant avoir le courage de les supporter car lorsque l'amas cellulitique aura disparu, lorsque l'articulation ne sera plus bridée, il sera très facile de continuer le traitement et d'obtenir, souvent sans manipulation, une guérison rapide.

J'ai vu des patients, manipulés dix, vingt ou trente fois sans aucun résultat, guérir en quelques séances après que j'eus manuellement fait disparaître les placards graisseux et inflammatoires installés sur leur dos, leurs épaules, leurs plexus, souvent depuis des années. Mais que leurs médecins ou thérapeutes successifs n'avaient pas pu, ou pas voulu traiter.

Lorsqu'on a interrogé, écouté, palpé, mobilisé le patient, lorsqu'on a détecté les lésions et employé tous les moyens possibles pour rendre souplesse et mobilité aux muscles et aux articulations, alors, mais alors seulement, on peut dire, sans crainte de se tromper, s'il est bon ou pas de pratiquer une manipulation. Et si la réponse est oui, on est pratiquement sûr que détendu, préparé, le patient le supportera sans dommages.

Manipulation : un acte parfaitement calculé

Ainsi, parfois, il arrive qu'en son âme et conscience, un thérapeute estime qu'il doit pratiquer une manipulation.

Les quelques principes que je veux brièvement rappeler ici ne sont évidemment pas destinés aux médecins ni à mes confrères ostéopathes : ils les connaissent aussi bien que moi.

Ils s'adressent plutôt aux victimes, actuelles et futures, des stakhanovistes de la manipulation. Aux malheureux qui ne savent pas, croient ce qu'on leur dit, souffrent en silence et s'imaginent que ce n'est la faute de personne. Ils doivent savoir que c'est justement la faute de quelqu'un, qu'ils peuvent poser des questions, s'étonner, s'indigner, et surtout dire non quand, à l'évidence, quelque chose ne semble pas normal.

Certains ne me croiront pas, et pourtant...

Des patients m'ont avoué avoir été manipulés tout habillés, sans autre forme de procès, avec juste un bonjour à l'arrivée et une main serrée à la hâte au départ. Si le thérapeute ne vous parle pas, ne vous fait pas déshabiller, ne vous touche pas, ne vous examine pas, refusez d'être manipulé. Demandez-lui de vous expliquer ce qu'il va vous faire, il doit en être capable clairement et précisément.

Car une manipulation ne s'improvise pas. Elle exige du praticien une grande concentration et une parfaite maîtrise de son geste. Il doit à la fois amplifier le jeu articulaire et freiner la manœuvre au bon moment pour limiter le mieux possible les effets du traumatisme, de l'inflammation et du choc vasculaire inévitables.

Après la manipulation

Après toute manipulation, le sujet doit se reposer pendant au moins dix minutes, allongé si possible, afin que tous les circuits énergétiques se reconstituent, que le système vasculaire se rétablisse et que la circulation reprenne son cours normal. Aucun effort important ne doit être fait pendant les quarante-huit heures suivantes.

Les effets de la manipulation

Toute manipulation, même réussie, crée un phénomène inflammatoire. On a donc souvent mal après une manipulation, mais cette douleur ne doit guère durer plus de deux ou trois jours.

Lorsqu'il existe depuis plusieurs mois ou plusieurs années un ou des bridages articulaires, la circulation sanguine s'est ralentie et l'apport en calcium et en sels minéraux aux muscles et aux tissus a diminué. La manipulation, par sa nature même, provoque un traumatisme au niveau des parois artérielles, déclenchant une inflammation violente, et d'ailleurs douloureuse, dans une région déjà en état de souffrance et de moindre résistance. Si le bridage est récent, les conséquences seront infiniment moins graves. Mais s'il est ancien, elles peuvent être néfastes, allant de violents maux de tête à des sciatiques paralysantes.

Le résultat d'une manipulation dépend donc en grande partie de l'état général, physique et psychologique, du patient. Certains ressentiront peu d'effets secondaires alors que d'autres en seront profondément ébranlés.

Les uns comme les autres en resteront fragilisés pour un certain temps.

Après ce délai, le patient pourra reprendre une vie à peu près normale, mais il ne sera pas encore guéri pour autant, car si la manipulation a réussi, son organisme devra s'adapter à son nouvel état.

Dans le cas d'une manipulation vertébrale, par exemple, lorsque la vertèbre ou le disque lésés auront retrouvé leur souplesse et leur mobilité, les autres vertèbres elles aussi, par réaction en chaîne, devront se repositionner les unes par rapport aux autres. Cette adaptation entraîne une fatigue générale de l'organisme, en demandant un surcroît d'effort aux différents systèmes mis en cause. Il est donc normal d'être fatigué pendant trois semaines ou un mois après une manipulation, et important de ne pas forcer.

Pendant cette période, il faut renoncer complètement au sport, ne pas porter de charges lourdes, éviter au maximum les tensions psychologiques. Les seules activités autorisées, et même conseillées, sont quelques mouvements personnalisés de gymnastique douce et le dos crawlé.

Lorsqu'un cheval de course est manipulé – pratique de plus en plus répandue dans les haras et chez les entraîneurs – on interdit qu'il soit monté pendant trois semaines ou un mois. La sagesse voudrait peut-être que l'on fasse aux hommes, pour leur bien, ce que l'on fait aux chevaux pour être sûr qu'ils continueront à gagner des courses.

Au bout de deux mois, si le patient ne souffre plus, on pourra se dire qu'il est vraiment guéri. Mais il devra encore, pendant un an, faire deux fois par jour, pendant cinq minutes, quelques mouvements spécifiques de gymnastique.

Ces quelques remarques sont si simples qu'elles en paraissent banales. Comment ne pas comprendre, en effet, qu'un corps doit s'adapter à la guérison comme il s'est adapté, bon gré mal gré, à la maladie, et qu'il faut lui laisser le temps de réapprendre à vivre et à bouger comme avant.

Aucun médecin, aucun thérapeute ne peut affirmer à l'avance qu'il guérira un dos en une manipulation ou deux séances de thérapie manuelle. Seule l'expérience du traitement au jour le jour peut en décider le cours et ce sont les réactions du corps de nos patients qui nous guident. Prudence et patience sont les règles d'un bon traitement.

J'en ajouterai une autre : ici, comme ailleurs, évitons soigneusement l'acharnement thérapeutique. Un patient ne devrait pas subir plus d'une ou deux manipulations par mois. Le professeur Maigne fixe la limite entre cinq et sept manipulations par an. Si certains médecins ne la respectent pas, rien ne vous empêche d'être le gardien de votre propre sécurité.

Il est un débat autour des manipulations au sein duquel je ne souhaite pas entrer. Débat de techniciens, sur leurs avantages et leurs inconvénients, qui oppose, et continuera à opposer, sur la place publique et dans les chapelles médicales, ceux qui sont pour et ceux qui sont contre.

Je crois avoir montré qu'une technique ne vaut que par ceux qui s'en servent et la manière dont ils l'appliquent. Mais les manipulations vertébrales ont quelque chose de particulier qui empêche qu'on les compare avec aucune autre méthode, et c'est cette capacité de guérir, parfois en quelques minutes, des malades souffrant depuis des mois ou des années. Parfois... mais cela suffit pour que ces « miraculés » entretiennent le rêve des autres patients, qui voudraient bien, eux aussi, que « ça marche » et cherchent désespérément à obtenir les mêmes résultats. De la même manière, le gagnant de la cagnotte du gros lot du Loto fait se précipiter le lundi dans les bureaux de tabac des milliers de gogos qui oublient qu'ils n'ont qu'une chance sur deux ou trois milliards de cocher par hasard les six bons numéros. Quant aux médecins et thérapeutes, hélas, cette approche subjective de la manipulation est aussi souvent la leur, et cette attitude antiscientifique n'est pas pardonnable. J'y ai succombé, comme d'autres, lorsque j'étais plus jeune et je peux comprendre les raisons de cette déviation du raisonnement, de cette sorte de folie qui vous saisit lorsque vous parvenez, en quelques minutes, à guérir un malade qui, soudain, vous prend pour un génie. Il vous prend alors l'envie d'y croire, et de recommencer. Au mépris de tout ce que vous avez appris et de toute logique.

Aujourd'hui, je sais que je possède un don que bien peu de médecins possèdent. Mais aussi que mes connaissances du corps humain sont bien moins complètes. Certes, je demande tous les examens nécessaires pour m'assurer qu'il n'existe aucune maladie organique, infectieuse, traumatique, cancéreuse. Mais certaines affections, neurologiques par exemple, sont indétectables à la radio ou à tout autre examen. D'autres que moi ont eu la lucidité de reconnaître que l'enseignement des écoles de kinésithérapie et d'ostéopathie est insuffisant sur le plan médical.

Parallèlement, des médecins, spécialistes en médecine physique ou rhumatologie, bardés de diplômes et de connaissances, provoquent chez leurs patients des accidents, faute de savoir appliquer avec dextérité les méthodes des thérapies manuelles, pourtant efficaces dans les cas qu'ils ont à traiter.

Plutôt que de s'affronter et de polémiquer, les écoles de médecine et de thérapies manuelles ne devraient-elles pas travailler ensemble, échanger informations et formations pour obtenir à chaque fois le meilleur résultat ?

LES SURCHARGES PONDÉRALES

Les problèmes de poids sont, disons-le haut et fort, bien moins importants que les causes de pathologies vertébrales que nous venons de voir. Mais il est vrai que toute personne ayant un excédent de poids de plus de dix ou douze kilos souffre non seulement du dos mais des articulations des genoux et des chevilles. Elle est aussi bien plus exposée qu'une autre aux coccarthroses de la hanche, aux troubles neurovégétatifs (ballonnements, colite, constipation), à la fatigue et aux maladies organiques comme le diabète, l'excès de cholestérol ou les maladies cardio-vasculaires, dont j'ai parlé dans *Maigrir sans regrossir* (Édition° 1).

Chez les personnes très fortes, l'excès de tension et de fatigue imposé à la colonne vertébrale se traduit généralement par :

— des lombalgies chroniques, accompagnées ou non de crises de sciatique, mais toujours de lourdeur

Un excès de poids fait souffrir toutes les articulations (voûte plantaire, chevilles, genoux, bassin, dos) et favorise l'apparition d'arthrose (genoux, hanches)

et de douleurs dans les jambes qui ne disparaîtront qu'avec les kilos superflus ;

— des douleurs dorsales hautes ou cervicales basses dues à une mauvaise attitude : le ventre, trop gros, se porte en avant, le dos se voûte, et on est en état d'hyperlordose lombaire. La charnière L5-S1 entre la dernière lombaire et la première sacrée glisse vers l'avant, déséquilibrant l'ensemble de la colonne vertébrale. Une résistance s'établit par compensation dans la région cervico-dorsale dont les muscles durcissent. La circulation se raréfie, et apparaissent rougeurs, congestion, maux de tête, troubles de la vue, vertiges. On voit aussi souvent s'installer des névralgies cervico-brachiales, douleurs lancinantes du bras, ou des sensations de fourmillements ou de picotements dans les mains et les doigts.

Il est clair que les travailleurs manuels et tous ceux qui doivent faire des efforts importants sont plus exposés que les autres. Ils soumettent surtout leur cœur à une fatigue constante et importante qui peut conduire à des maladies cardio-vasculaires pouvant aller jusqu'à l'infarctus.

La facilité consiste à manipuler, soigner, rééduquer, par dizaines de séances inutiles, des patients qui trouveront dans ces soins passifs un exutoire à leur manque de volonté. Car aucun traitement ne les soulagera s'ils n'acceptent, guidés et conseillés, d'observer une discipline alimentaire, de perdre leurs kilos en trop, de rééquilibrer leur alimentation pour éviter de reprendre du poids, et de pratiquer une gymnastique d'entretien.

Des seins trop lourds (hypertrophie mammaire), en déséquilibrant le dos vers l'avant, en le voûtant, mettent la région dorsale et cervicale à rude épreuve.

L'hypertrophie mammaire crée des douleurs physiques mais aussi des problèmes psychologiques. La solution peut être alors une intervention esthétique.

LA MAIGREUR

Quelles que soient ses causes : stress, fatigue, surmenage, anxiété, régimes alimentaires anarchiques et à répétition, anorexie, etc., la maigreur s'accompagne presque toujours de troubles neuromusculaires. Les articulations ne sont plus soutenues, d'où cervicalgies, dorsalgies et lombalgies récidivantes.

La femme maigre est plus qu'une autre menacée d'ostéoporose.

Pour le thérapeute, le problème est souvent très délicat. Il s'agit de convaincre le patient de reprendre du poids et une masse musculaire non pas par la musculation, mais par des exercices d'assouplissement et de relaxation. Il faut attendre que le muscle ait retrouvé sa tonicité pour le renforcer.

Le thérapeute doit compléter son traitement manuel très doux par un travail psychologique et des conseils d'hygiène de vie : alimentation équilibrée sans excitant (thé, café), sans sucres rapides (miel, confiture, sodas, jus de fruit, etc.) aggravant un terrain acide (voir p. 213-214), sport approprié à la personne, séances de relaxation. Le but est de renforcer la personnalité pour mieux s'assumer, se respecter, retrouver une bonne communication avec le monde et ne plus souffrir du dos.

LE DOS DES FEMMES ENCEINTES

Il est un cas particulier d'hyperlordose lombaire circonstancielle et momentanée : c'est celui des femmes enceintes.

Si elle est peu sportive et mal préparée, la femme enceinte aura, au bout de quelques mois de grossesse, tendance à se laisser basculer en avant. Le poids du bébé dans le ventre de sa mère déplace le centre de gravité du corps, aggravant la cambrure naturelle des reins. Et pour naturelle que soit l'attente d'un bébé, elle n'en aura pas moins de douloureuses lombalgies, des douleurs sciatiques, mal au dos et à la nuque et les jambes lourdes. Souffrances inutiles, qui sont le reflet d'un état de fatigue générale et de laxisme musculaire auxquels la grossesse sert de révélateur.

Si, dans les tout premiers mois de la grossesse, une femme prend la précaution de se faire suivre par un bon thérapeute manuel, une séance tous les quinze jours lui suffira pour éviter tous ces inconvénients, et elle n'aura ni problèmes de poids ni problèmes de dos. Pendant la grossesse, il est fortement déconseillé de prendre plus d'un kilo par mois. Prendre plus fragilise toutes les articulations du corps et en particulier du dos. De plus, elle récupérera beaucoup plus vite après son accouchement, évitant l'angoisse de se voir déformée pendant de longues semaines au moment même où elle risque d'être un peu déprimée et en tout cas bien occupée. Elle aura droit à des séances de rééducation post-grossesse que je lui conseille vivement pour détendre son dos, le renforcer et muscler son ventre.

Ensuite, il lui faudra apprendre les bons gestes pour langer, nourrir ou porter son enfant.

Un accouchement réussi, c'est sûrement un beau bébé. Mais aussi une maman heureuse, détendue et bien dans sa peau.

Sous le terme de rhumatismes se regroupent des maladies très variées qui touchent 50 % des adultes et plus encore dans les tranches d'âge supérieures. C'est pourquoi il est primordial de se protéger par une prévention le plus rapidement possible. Je pense pour ma part qu'on doit agir dès l'enfance. Malheureusement on agit souvent trop tard.

Les rhumatismes ne doivent pas empêcher de rester actif. Bien au contraire les articulations ont besoin de bouger.

L'arthrose est la forme la plus répandue. C'est une usure anormale du cartilage. Une douleur articulaire apparaît pendant les mouvements. Les articulations se raidissent et peuvent dans les cas les plus lourds se déformer.

L'arthrose évolue lentement avec parfois des poussées de douleurs qui peuvent devenir permanentes dans les cas aigus.

L'arthrite est différente ; c'est une inflammation qui se manifeste au repos le plus souvent la nuit. L'arthrite, si elle est importante, peut endommager l'articulation, ce qui aboutit à l'arthrose.

Quand plusieurs articulations sont atteintes, on parle de polyarthrite.

Le traitement des rhumatismes s'inscrit dans une démarche globale incluant un soulagement de la douleur par un traitement médical, une rééducation, une cure thermale spécifique (bains chauds, cataplasmes d'argile, etc.). Personnellement, je contre-indique les massages qui enflamment au profit de traitements très doux, de mobilisations et d'élongations.

En cas de crise, le repos s'impose mais le plus bref possible, car, contrairement aux idées reçues, la meilleure thérapie est le mouvement doux approprié à la personne. Choisissez des activités sportives qui allègent la charge pesant sur les articulations tout en favorisant le mouvement : natation, vélo (sauf pour l'arthrose du genou), marche sans forcer, course à pied sur des terrains réguliers, avec de bonnes chaussures absorbant les chocs, gymnastique douce ou aquatique (dans de l'eau chaude).

— Pratiquez toujours, avant chaque activité physique, un échauffement (voir p. 190)

— Évitez les sports brutaux et ceux sollicitant des mouvements de torsion du corps ou des déplacements latéraux brusques (football, basket, etc.)

— Portez une genouillère pour bricoler ou jardiner

— Évitez de rester debout trop longtemps et de porter des charges lourdes.

La personne devra revoir son hygiène de vie, son cadre professionnel et son alimentation. Rares sont les gens qui établissent une relation entre rhumatismes et santé du ventre. En traitant le ventre de ses troubles fonctionnels (fermentation intestinale, spasmes, ballonnement, etc.), j'ai obtenu des guérisons spectaculaires.

— Choisissez une alimentation équilibrée faisant la chasse à l'acidité

— Si vous présentez une surcharge pondérale, il faudra maigrir.

Monsieur S.R., chirurgien célèbre, vient me consulter pour une périarthrite de l'épaule et une cervicalgie qu'aucun confrère n'a réussi à supprimer. Passionné de golf, il est à la veille de devoir arrêter son sport favori. Il a essayé les méthodes classiques : infiltrations, mésothérapie, acupuncture, manipulations et massages — sans résultat.

À l'examen je lui trouve le ventre gonflé, spasmé, douloureux. Je lui explique à sa grande surprise que, pour guérir son rhumatisme, il doit d'abord baisser son taux d'acidité trop élevé, et pour y arriver, supprimer ses huit à douze cafés quotidiens, manger à des heures régulières et doucement. Il a l'habitude d'avaler ses repas en quelques minutes.

Je commence par des mobilisations et des élongations très douces, sans manœuvre de massage, ce qui l'étonne encore.

Après cinq séances, ayant appliqué à la lettre ma méthode d'hygiène de vie et supprimé les sources d'acidité, ses douleurs ont totalement disparu. Il a pu reprendre le golf et il continue aujourd'hui.

L'OSTÉOPOROSE

L'ostéoporose est une fragilité des os avec diminution de la masse osseuse. Elle touche principalement la femme ménopausée. Elle est à l'origine de douleurs lombaires et dorsales dues au tassement des vertèbres fragilisées.

On constate une diminution de la taille, une déformation de la cyphose dorsale ou de la scoliose. Une fragilisation des os avec risques de fractures (col du fémur, poignet, cheville, vertèbres, etc.).

Le stress, la fatigue, les efforts physiques, le mode de vie sédentaire, le tabagisme, l'alcoolisme et une mauvaise alimentation sont des facteurs aggravants.

Votre médecin peut faire pratiquer un examen de densité osseuse et vous prescrire un traitement : calcium + vitamine D.

Pour les femmes, il conseillera un traitement hormonal substitutif ou de phyto-œstrogènes pour compenser la carence en œstrogènes.

Aujourd'hui on a tendance à intervenir dès les premiers symptômes de la ménopause et de poursuivre le traitement au moins sept ans.

Quel que soit votre choix, vous devez être très vigilant(e).

— Mangez équilibré, varié, avec un apport suffisant de calcium, de magnésium, de vitamine B et E
— Combattez les effets nocifs de l'acidité
— Pratiquez une activité physique douce et régulière en choisissant des exercices de gymnastique dans ma méthode de l'imagination.

2

MA MÉTHODE POUR GUÉRIR VOTRE DOS

Quand on a mal au dos, on n'a pas seulement mal au dos. On est un organisme, un corps, un être qui souffre. Et pour soigner un malade qui a mal au dos, et en tout cas pour le guérir, il faut s'intéresser à lui totalement. Il faut comprendre pourquoi il souffre, découvrir les raisons de ce mal qui est aussi un mal de vivre, un malaise du corps, une difficulté d'être, dont les traces se lisent dans les blocages, les tensions, les raideurs, les symptômes évidents et les lésions cachées.

Une fois encore, je voudrais redire que je ne parle pas ici de maladies : ostéoporose, cancer des os, hernie discale sont au même titre, mais pour d'autres raisons que des fractures multiples ou tout traumatisme majeur, des pathologies lourdes, souvent d'urgence, qui relèvent des spécialistes et de thérapeutiques appropriées. Heureusement, ces cas difficiles ne sont qu'une minorité.

La plupart de nos contemporains expriment, à travers les multiples facettes de ce qu'on appelle généralement, et pour simplifier, « le » mal de dos, une infinité de difficultés quotidiennes, banales, et pourtant si insurmontables et si indicibles qu'ils ne peuvent les exorciser autrement qu'en appelant au secours avec leur corps. Il est rare que les gens très heureux aient mal au dos, ou que ceux qui ont mal au dos ne se sentent pas mieux lorsque, soudain, un grand bonheur leur arrive.

Le rôle du thérapeute dépasse donc largement l'administration de soins mécaniques appliqués à un petit morceau de corps ou une charnière de squelette. Toute thérapie focalisée sur le point précis de la douleur ressentie ou du blocage évident est vouée à l'échec, car ni les effets moins visibles ni les raisons soigneusement occultées n'auront été détectés ni soignés.

Soigner un dos, c'est donc d'abord soigner un être humain, diagnostiquer ses problèmes, ses manques, ses lésions, ses difficultés, mener à bien la seule thérapie qui lui convienne à lui qui ne ressemble à aucun autre, puis le conduire vers sa guérison dont il devra ensuite être le gardien en se prenant en charge.

Il est clair que la tâche n'est ni aisée, ni même possible si on ne s'y implique pas tout entier. Être un bon thérapeute nécessite d'abord d'avoir la volonté, l'énergie mais aussi l'équilibre nécessaires pour assumer l'intensité d'une relation sans laquelle tout traitement restera superficiel, donc, à long terme, inutile. Il y faut aussi une grande capacité d'écoute et une force non moins grande de persuasion, car les patients portent leur part de responsabilité dans la vaste inanité des traitements actuels.

Habitués à faire le moins d'efforts possible et satisfaits de cet état de choses, ils s'adressent trop souvent aux médecins ou aux thérapeutes comme l'enfant à sa mère ; en attendant tout sans rien faire, passivement, sans même vouloir comprendre.

Prenons, par exemple, une articulation. Elle est maintenue par des groupes musculaires et ligamentaires, eux-mêmes sièges de multiples terminaisons nerveuses qui les relient au système nerveux central, et d'un réseau de vaisseaux capillaires et veineux, dépendant du système cardio-vasculaire, par lesquels ils se nourrissent de calcium, de phosphore... de tous les éléments indispensables à leur constitution et à leur fonctionnement. Si on se nourrit mal, les muscles et les os, sous-alimentés en éléments nutritionnels nobles, s'appauvrissent et s'abîment. Si on dort mal, si on fume trop, si on est stressé, si on fait des excès, le dos souffre, mais aussi les organes, les glandes, les viscères, l'ensemble de l'organisme. À quoi bon débloquer l'articulation d'un alcoolique qui dort deux heures par nuit ou d'un noctambule qui n'aère jamais ni son corps ni ses poumons ?

Soigner c'est savoir comprendre, diagnostiquer. Mais c'est aussi convaincre, éduquer, responsabiliser. *Un bon thérapeute a besoin de patients lucides et adultes*. Il lui faut aussi avoir un don. Celui de deviner, de mettre en confiance et de persuader, mais surtout celui de guérir avec ses seules mains. Il doit donc avoir une bonne main, ce qui est un don comme les autres, inné plus qu'acquis.

Une bonne main est chaude, douce, apaisante, relaxante. On dit des mains en or, des mains magiques, des mains du miracle, et on ne se trompe pas : il est des mains qui calment et d'autres qui agressent, des mains qui savent et des mains ignorantes, des mains subtiles et des mains grossières.

Mais comment savoir si on a un don ? Comment ne pas être torturé par cette question : fais-je partie des bons, de ceux qui peuvent sauver les corps avec leurs mains, ou ne suis-je qu'un tâcheron de la thérapie manuelle ? Suis-je un ouvrier consciencieux ou un artisan de génie ? Alors que je n'exerçais encore mon métier que depuis quelques années, cette interrogation, souvent, m'empêchait de dormir. Certes, j'obtenais des résultats, mes patients s'amélioraient, mais comment savoir si je possédais ce petit quelque chose qui sépare le bien du meilleur, comment mesurer ce qui n'est pas quantifiable : un contact, une chaleur, une façon d'inspirer confiance, d'endormir la douleur, d'apaiser les corps et les esprits qui ne s'apprend pas dans les écoles ?

J'avais lu et relu un livre qui m'avait à la fois bouleversé et fasciné. Dans *Les mains du miracle*, Joseph Kessel racontait la vie de Kersten, médecin d'Himmler et thérapeute exceptionnel. Je rêvais et redoutais à la fois de rencontrer l'écrivain, d'essayer à travers lui de comprendre ce qu'étaient des mains miraculeuses et à quoi on pouvait les reconnaître.

Je soignais alors Hervé Mille, rédacteur en chef de *Paris Match* et grand ami de Kessel. J'étais jeune, timide, mais je ne résistai pas – peut-être parce que je savais confusément qu'une partie de ma vie en dépendait – à la chance qui m'était offerte, et je lui demandai s'il accepterait de me faire rencontrer l'écrivain. Il accepta et prit même le rendez-vous pour moi, si bien qu'un matin je me retrouvai rue Quentin-Bauchard, si anxieux que je dus bien attendre cinq minutes avant d'oser sonner à la porte.

C'est Kessel lui-même qui vint m'ouvrir. En pyjama, cheveux ébouriffés, encore endormi. Je me lavai les mains, les bras, enfilai ma blouse, et commençai à soigner ce corps massif, marqué par une vie d'excès de tous ordres. L'écrivain souffrait de troubles digestifs et d'une importante arthrose cervicale. J'éprouvais une angoisse qu'aucun malade, jamais, ne m'avait inspirée, mais dès que mes mains se posèrent sur lui et commencèrent à travailler, je me sentis calme et sûr de moi. Mes mains palpaient, cherchaient, et je sentais sous mes doigts les nodules graisseux qui recouvraient les plexus neurovégétatifs, restes de gueuletons mémorables et de gigantesques cuites. Je commençai à malaxer, à pétrir un à un ces amas graisseux accrochés au-dessus du foie, de la vésicule, du pancréas et du côlon. Joseph Kessel grognait, se tordait de douleur, mais ne disait rien. Je traitai sa nuque, elle aussi infiltrée de cellulite et de toxines, symptôme des drames, des tensions et des angoisses du grand Jeff.

Le traitement dura longtemps, puis je lui demandai de se reposer une vingtaine de minutes et je l'attendis seul dans la pièce à côté, vidé, incapable même d'envisager ce que j'allais lui dire. Lorsqu'il revint, les cheveux en bataille, l'air bougon, il s'assit en face de moi et me regarda une ou deux minutes avec cet air de malice et de gentillesse qu'il prenait quand il voulait charmer et finit par lancer : « Vous m'avez fait un mal de chien, vos doigts sont pires que des tisons, mais vous n'avez rien à envier à Kersten. Vous aussi vous cherchez les maux profonds, les plexus, les trajets nerveux. Bon sang, ces massages sont incroyablement douloureux... mais je me sens bien. »

Pendant plus d'une heure nous avons bavardé. De lui, de Kersten qui venait de mourir en Suède sans laisser de disciple. J'étais obsédé par l'idée que cet homme hors du commun qui l'avait connu pouvait me dire, enfin, si oui ou non j'étais capable, moi aussi, de soigner et de guérir. Il le sentit sans doute, et me proposa de rencontrer un de ses amis, prêtre tibétain qui enseignait là-bas les thérapies manuelles.

Je continuai à soigner régulièrement Kessel du mieux que je pouvais, sans jamais bien sûr avoir aucune emprise sur sa vie et ses comportements d'ogre de chère et de plaisirs. Un jour où j'arrivais, comme d'habitude, le prêtre tibétain était là, silencieux. Il assista à toute la séance. Lorsque je m'arrêtai, il sourit et dit seulement : « Continuez, ne changez rien. Vos mains travaillent toutes seules, instinctivement, elles sont faites pour soigner. Pour vous, cherchez le calme et la sérénité, eux seuls vous aideront à mieux guérir les corps qui se confient à vous. Ce que vous ne savez pas encore, vous le trouverez en vous-même. »

Comme Joseph Kessel, ce prêtre tibétain est mort, sans doute, depuis bien longtemps. En quelques mots, il avait donné un sens à ma vie professionnelle.

LE PREMIER EXAMEN

Prise de contact avec le patient, le premier examen est essentiel. Parce que je suis, d'abord, un thérapeute manuel, avant même de parler de son passé médical et d'interroger mon malade, je l'observe. Vêtu, puis dévêtu, immobile, debout, assis, couché, penché. Je regarde sa stature, ses attitudes, sa façon d'être, d'occuper l'espace, de bouger.

Puis je l'allonge sur ma table de soins, et je palpe son ventre, puis son dos. Une à une, je fais jouer toutes ses articulations pour mesurer l'aisance et l'amplitude des mouvements physiologiques. Il a, puisqu'il est là, mal à un endroit bien précis, mais je sais que je ne peux me contenter de cette indication sous peine d'oublier ce qu'il ne sait pas lui-même et les lésions secondaire et primaire inscrites au fond de lui depuis des mois ou des années.

Dans ce travail d'approche, mes mains me servent d'éclaireurs. Sensible, exercée par des années de pratique, la pulpe de mes doigts devine avant que mon esprit ne comprenne. La peau elle-même est une source inépuisable de renseignements : son état est le reflet de notre santé intérieure. Dans son grain, dans sa finesse ou son épaisseur, je lis, comme sur une radio, l'état de l'organe qu'elle recouvre.

Je vérifie le pli cutané par des tests de pincé-roulé au niveau des plexus, de la nuque, du dos, des jambes. Les plaques épaisses de cellulite, les points douloureux des plexus, les raideurs d'un groupe musculaire sont les premiers indices des traumatismes de toute une vie et les révélateurs des marques qu'ils ont imprimées sous forme de lésions dans ce corps que je découvre. Mes mains sont aussi le meilleur et le seul moyen dont je dispose pour exprimer, autrement qu'avec des mots, la douceur et l'apaisement que je veux apporter par mes traitements, la confiance et la coopération que j'attends en retour.

Les tests de mobilité

La seconde phase de ce premier examen, non moins essentielle, consiste en des tests de mobilité destinés à tester la souplesse et à détecter les blocages des différentes parties de la colonne vertébrale.

Doucement, sans jamais forcer et en prenant grand soin de ne pas faire souffrir mon patient, j'examine les possibilités de flexion, extension, latéroflexion, rotation de ses rachis cervical, dorsal et lombaire, ainsi que la mobilité de la charnière sacro-iliaque à la base du dos. Cet examen long, minutieux, doit me permettre de situer les zones traumatisées, hypo ou hypertoniques, et les lésions éventuelles.

Au niveau de la nuque, par exemple, la flexion normale du cou doit permettre au menton de toucher le sternum, en extension le patient doit pouvoir regarder à la verticale, en flexion latérale l'oreille doit pouvoir toucher l'épaule, en rotation le menton doit pouvoir toucher l'articulation claviculaire. Pour les niveaux dorsal et lombaire, les mêmes mouvements sont exécutés allongé, debout puis assis.

Après avoir découvert son corps avec mes mains, je lis ainsi dans le dos du patient, comme dans un livre déjà entrouvert, une partie de son histoire. Alors seulement je lui demande de se rhabiller et, un long moment, je l'écoute répondre ou se taire aux questions que je lui pose et parler parfois sur ce que je ne demande pas (35 à 47).

Un entretien à corps ouvert

Lorsqu'il est arrivé, serré dans ses vêtements de ville, agacé par les mille problèmes journaliers, stressé par les souffrances accumulées, angoissé par l'ignorance de ce qui l'attendait, ce nouveau patient était mal dans sa peau. Trente ou quarante minutes plus tard il se sent encore seul face au thérapeute que je suis, mais il n'a plus peur.

Nous parlons d'abord de son corps, car c'est lui qui le préoccupe, le gêne, le handicape. Il ne sait pas encore que ce morceau de muscles, de chair et d'os est

TEST DE MOBILITÉ DES CERVICALES

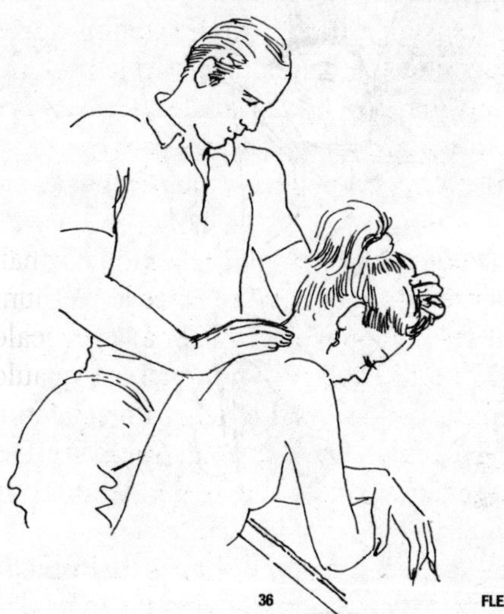

36 FLEXION

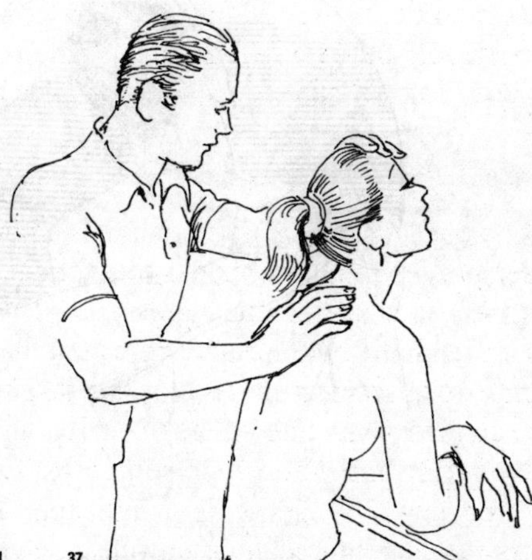

EXTENSION 37

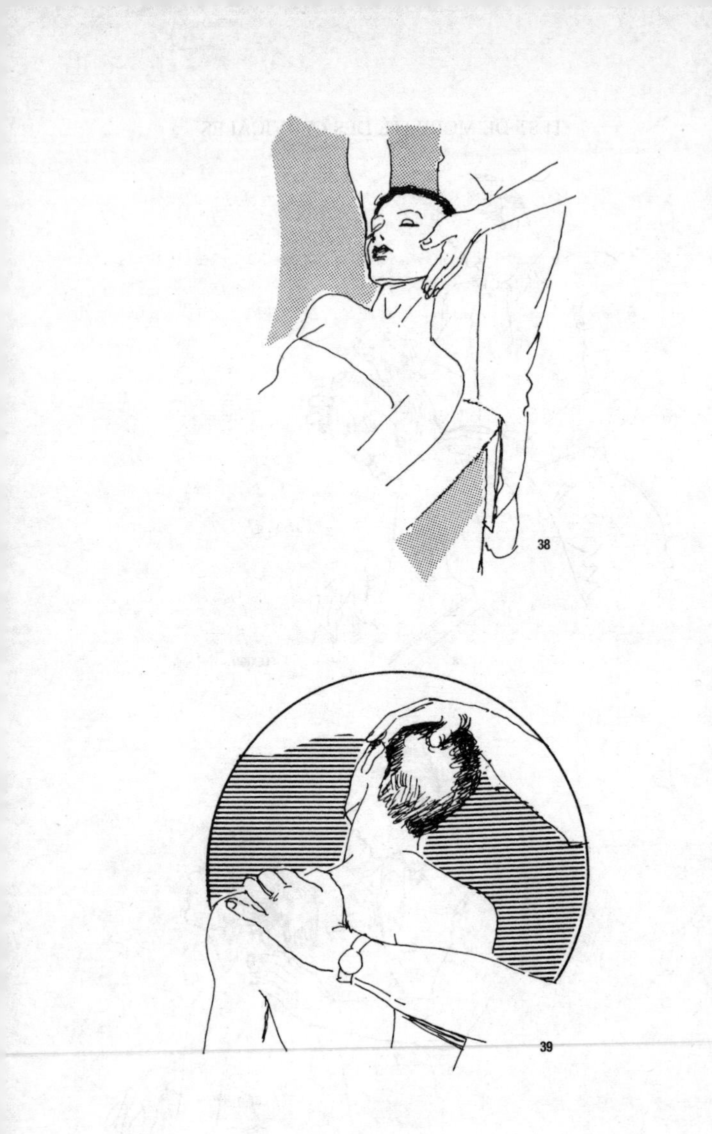

FLEXIONS LATÉRALES

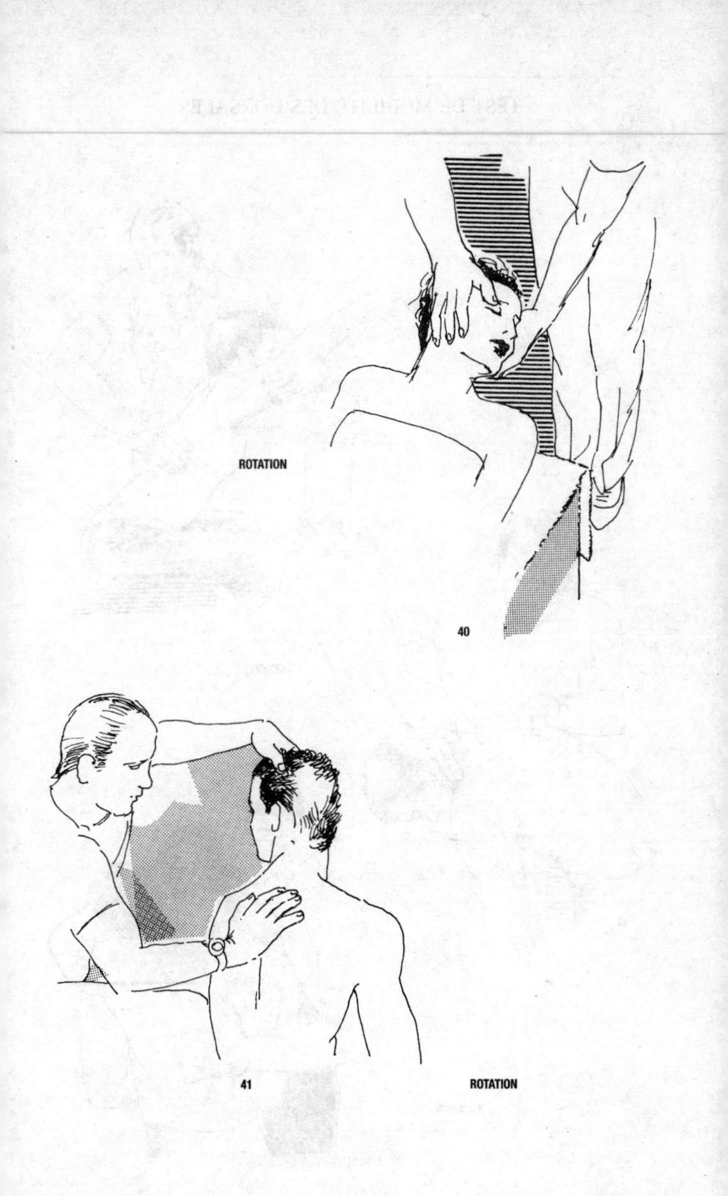
ROTATION
40
41
ROTATION

TEST DE MOBILITÉ DES DORSALES

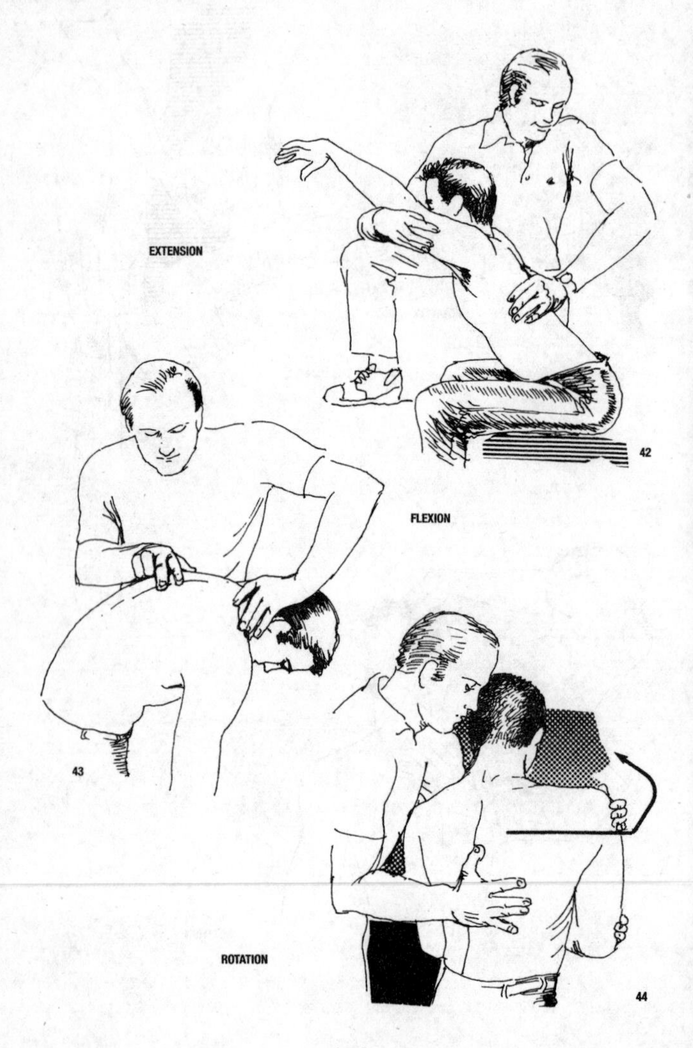

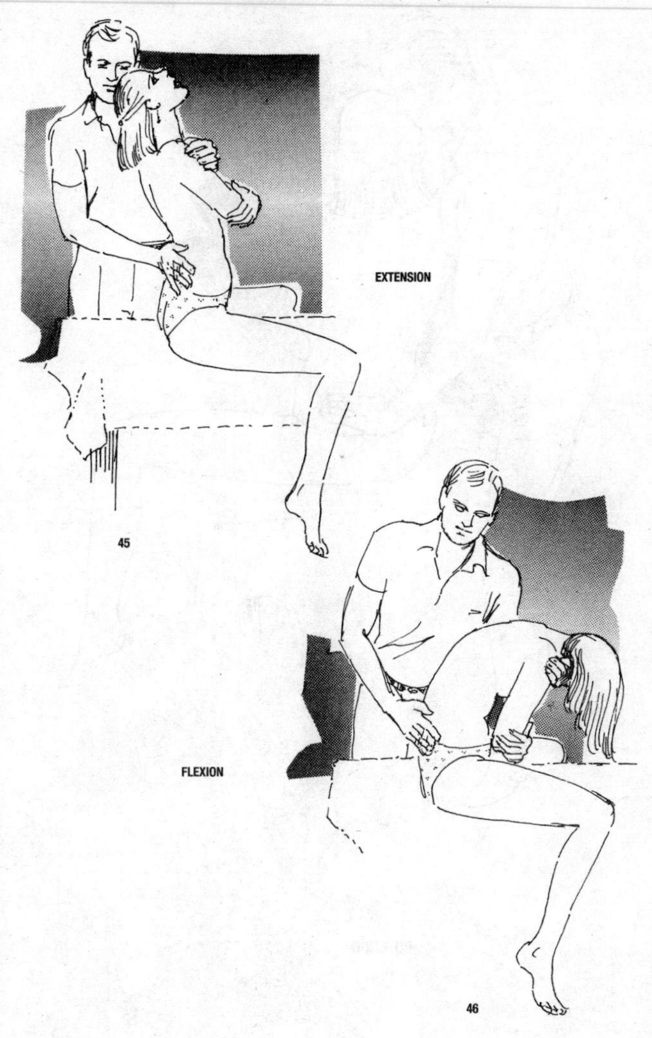
EXTENSION
45
FLEXION
46

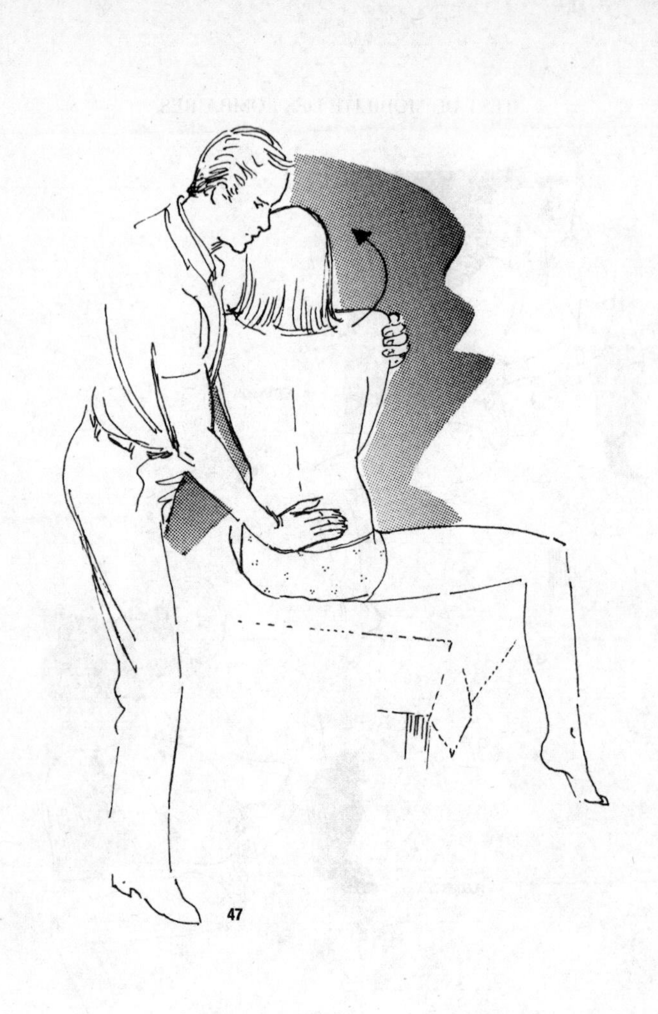

ROTATION

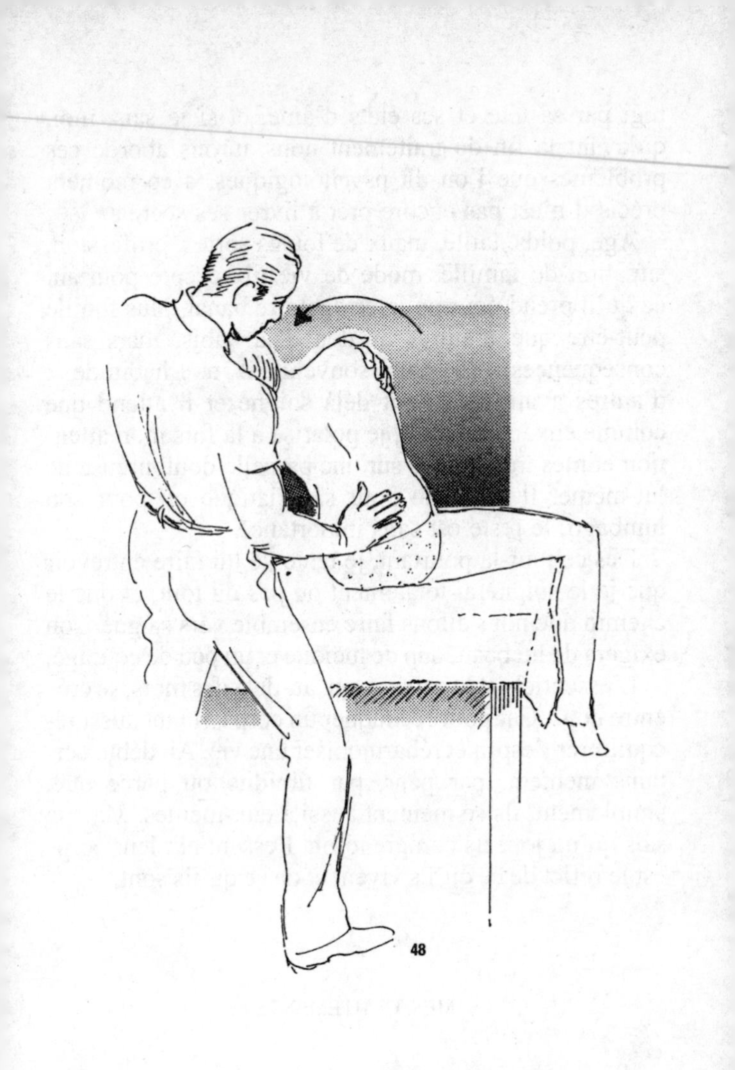

FLEXION LATÉRALE

régi par sa tête et ses états d'âme, et si je sais, moi, qu'avant la fin du traitement nous aurons abordé ces problèmes que l'on dit psychologiques, à ce moment précis il n'est pas encore prêt à livrer ses secrets.

Âge, poids, taille, maux de toutes sortes, profession, situation de famille, mode de vie, il accepte pourtant ce qu'il prend pour un interrogatoire banal, plus fouillé peut-être que d'autres qu'il a déjà subis, mais sans conséquences. Le plus souvent, il a l'habitude : d'autres avant moi l'ont déjà soigné et il attend que comme eux, comme lui, je polarise à la fois mon attention et mes traitements sur une parcelle douloureuse de lui-même. Il est venu pour sa sciatique ou pour son lumbago, le reste est sans importance.

Dès ce jour-là pourtant, je tente de lui faire entrevoir que je le soignerai totalement ou pas du tout, et que le chemin que nous allons faire ensemble vers sa guérison exigera de lui beaucoup de lucidité et un peu de courage.

L'essentiel est le contact qui, au-delà des mots, se crée entre nous. Car pour rééduquer un corps, il faut aussi rééquilibrer l'esprit et réharmoniser une vie. Au début certains mentent, par peur, par timidité ou parce que, simplement, ils se mentent aussi à eux-mêmes. Mais je sais qu'un jour ils comprendront l'essentiel : leur corps est le reflet de ce qu'ils vivent et de ce qu'ils sont.

MES TRAITEMENTS

Tous mes traitements sont tendus vers un seul but ; la guérison non pas momentanée ni partielle, mais totale et définitive de mon patient.

Tous obéissent aux mêmes règles : prudence, douceur et progressivité.

Un traitement ne doit jamais agresser. Une manœuvre ne doit jamais faire mal, sauf dans un cas : lorsqu'il s'agira de faire disparaître les amas cellulitiques sur les plexus. Lorsqu'un patient souffre, le thérapeute doit s'arrêter immédiatement : il va trop vite ou il se trompe. En thérapeutique, aucun risque inconsidéré ne doit être pris et notre souci permanent doit être de n'infliger aucun traumatisme à nos patients. Il faut donc refuser toute manœuvre thérapeutique violente, voire simplement énergique.

De même, inutile d'espérer qu'un cas ressemble à un autre. Il n'est pas deux sciatiques semblables ni deux torticolis similaires, parce qu'il n'existe pas deux patients identiques. Chaque malade est unique et son approche demande au thérapeute qu'il s'identifie à lui. Ainsi mes traitements varient-ils selon que je soigne un homme ou une femme, un rond ou une maigre, un nerveux ou une calme. Ils varient aussi selon le temps qu'il fait. Par temps humide le patient fatigué, déprimé, aura besoin de manœuvres relaxantes. Par temps sec et froid, elles seront plus profondes et plus stimulantes. Et elles ne sont pas les mêmes selon qu'on est le matin ou qu'on atteint la fin de la journée. Le matin, je choisis des manœuvres inhibitrices qui stimulent l'organisme, activent la circulation sanguine, régularisent la tension artérielle. Après dix-sept heures, je travaille en manœuvres douces, peu profondes, qui calment et préparent au sommeil.

Si je devais résumer leur objectif, je dirais que tous mes traitements sont faits pour détendre, assouplir et dénouer. Assouplir les muscles pour leur rendre leur élasticité et leur courbe externe normale. Détendre le système nerveux central. Dénouer les plexus qui gouvernent le système neurovégétatif. Résoudre peu à peu les tensions de toutes sortes. Débrider une à une les articulations.

Pour cela, je dispose de manœuvres connues, enseignées dans toutes les écoles de thérapies manuelles, mais rarement utilisées au mieux de leurs possibilités. Elles suffisent pourtant à traiter et guérir neuf patients sur dix. À condition de vouloir les utiliser et de savoir les marier ou les alterner en fonction du patient que l'on a à soigner. Comme certains jouent de toutes les notes du clavier d'un piano et d'autres seulement de quelques-unes, certains utilisent tour à tour toutes ces manœuvres, chacune ayant ses vertus et ses indications. D'autres n'en utilisent qu'une partie, parfois même aucune, par manque de temps ou d'énergie.

Ce sont ces manœuvres, que l'on regroupe sous le nom générique de massages, que je veux vous décrire maintenant. Pour qu'elles soient bien exécutées, patient et thérapeute doivent être correctement placés l'un par rapport à l'autre, le patient couché sur une table de soins située à bonne hauteur (plutôt que par terre ou sur un lit) afin que le thérapeute accède facilement à toutes les parties de son corps. Tous deux doivent être également détendus, le praticien parce qu'il doit transmettre à son patient des ondes de force et de sérénité, le patient parce qu'un soin ne peut profiter à un corps tendu et contracté.

L'imposition des mains

Les mains sont simplement posées sur une partie du corps, puis une autre. Immobiles, chaudes, elles calment, relaxent, apaisent par simple contact (49).

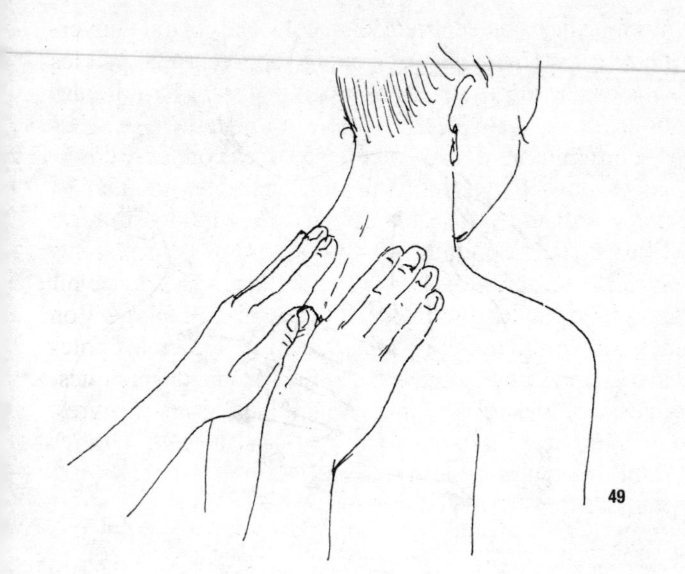
49

Effleurage

C'est la manœuvre par laquelle, souvent, commence le traitement.

Les paumes de la main, largement ouvertes, glissent doucement sur la surface de la peau, sans appuyer, comme une caresse.

L'effleurage va souvent des extrémités des membres vers le centre du corps mais il peut aussi être circulaire. Il crée une vasodilatation, procure une sensation de chaleur, apaise la douleur en diminuant la sensibilité de la région concernée, et prépare aux manœuvres suivantes (50).

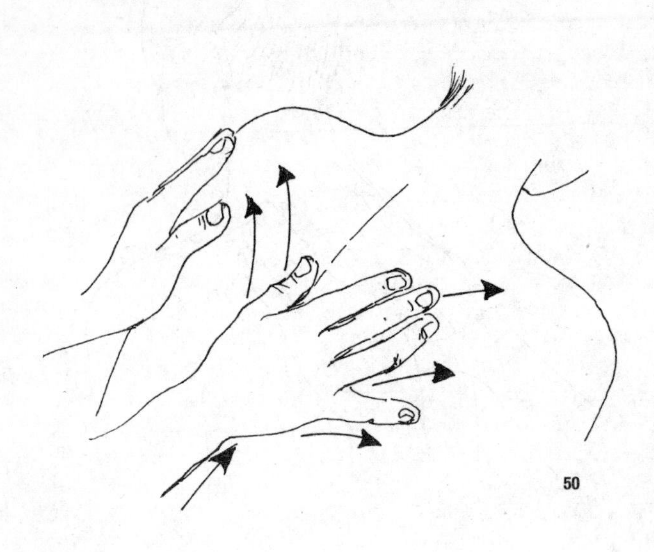

Pétrissage

Massage du plan profond, le pétrissage est classiquement utilisé pour dénouer les tensions musculaires. Il peut se faire avec une seule main ou les deux.

Dans le premier cas, la main s'adapte autant que possible à la masse musculaire. La paume effleure, tandis que les doigts soulèvent et déplacent le muscle. Dans le second, les deux mains enserrent les muscles entre les deux pouces qui font face aux autres doigts. La manœuvre commence à l'extrémité du muscle et s'effectue en un mouvement de torsion dans le sens des fibres musculaires.

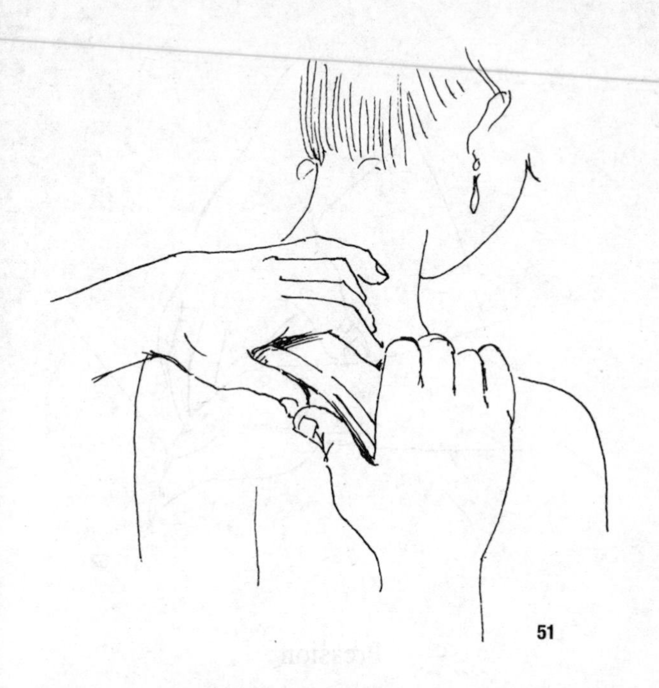
51

Lent et profond, le pétrissage a une action mécanique. Il améliore la circulation veineuse et lymphatique, permettant une meilleure nutrition du muscle, qu'il aide ainsi à retrouver sa souplesse (51).

Malaxage

C'est une variante du pétrissage qui s'adresse plus particulièrement aux tissus mous comme la paroi abdominale. Le tissu est saisi à pleines mains, par larges plis que l'on malaxe fermement pour activer la circulation et réveiller la tonicité (52).

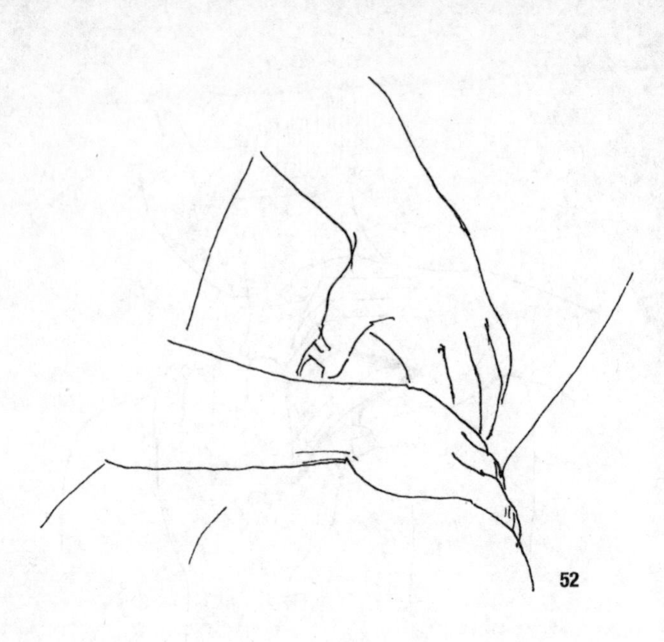

Pression

La pression peut se faire avec la pulpe de plusieurs doigts sur des régions très précises ou avec la paume de la main sur des régions très étendues. La pression s'effectue en appuyant d'abord soit le talon de la main puis la pulpe des doigts, soit le bord externe de la main puis la paume.

Cette manœuvre de drainage décontracte les muscles, assouplit les articulations, calme et tonifie les organes (53).

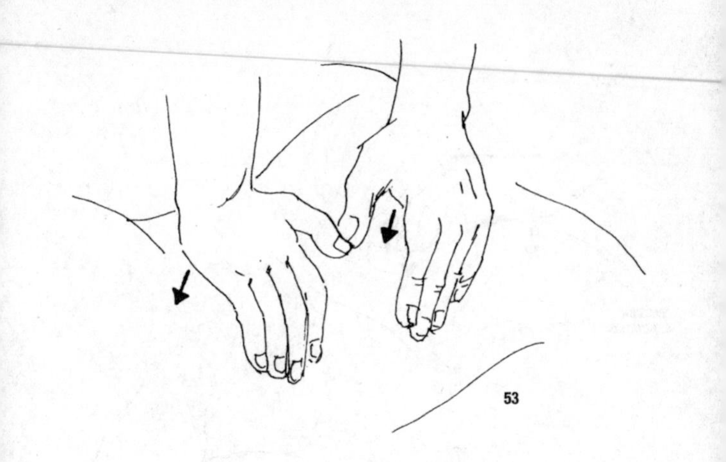

Pression et rotation

La pression peut s'accompagner, pour des manœuvres plus profondes, d'un mouvement de rotation (54).

Vibration

Avec la pulpe d'un ou plusieurs doigts, ou avec la paume de la main, le thérapeute, qui a bloqué toutes les articulations de son avant-bras, imprime des vibrations de dix à douze secondes sur la partie à traiter, puis déplace sa main de quelques centimètres et recommence à nouveau.

Les vibrations ont une action calmante sur l'hyperexcitabilité des nerfs lorsqu'elles sont douces et progressives. Lorsqu'elles sont fortes, elles sont en revanche stimulantes (55).

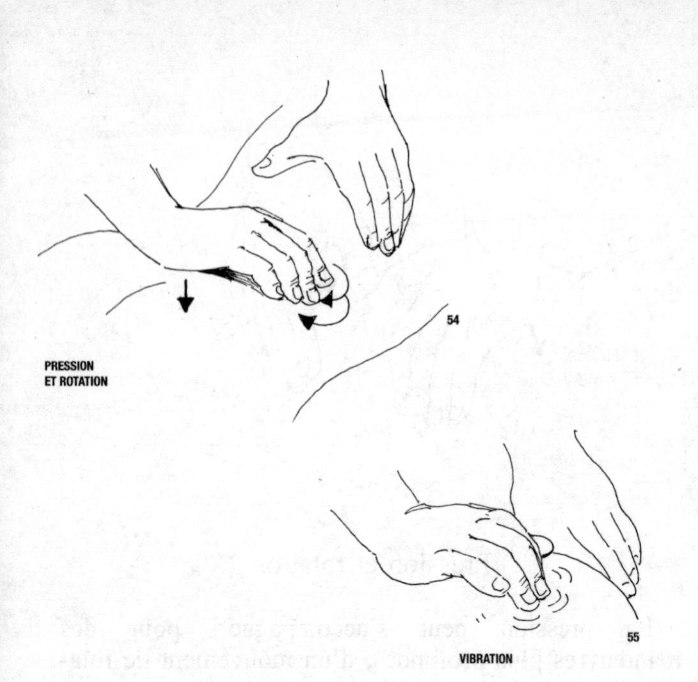

Pression et vibration

Les mouvements de pression et de vibration peuvent être enchaînés sur un endroit très précis et très tétanisé pour obtenir un résultat plus rapide (56).

Digitopuncture

Les manœuvres exécutées avec un seul doigt, deux doigts ou le pouce sont dites manœuvres de digitopuncture. Pratiquées avec le pouce, l'index et le médium en manœuvres répétées de quinze à vingt secondes chacune, elles permettent un traitement fin et

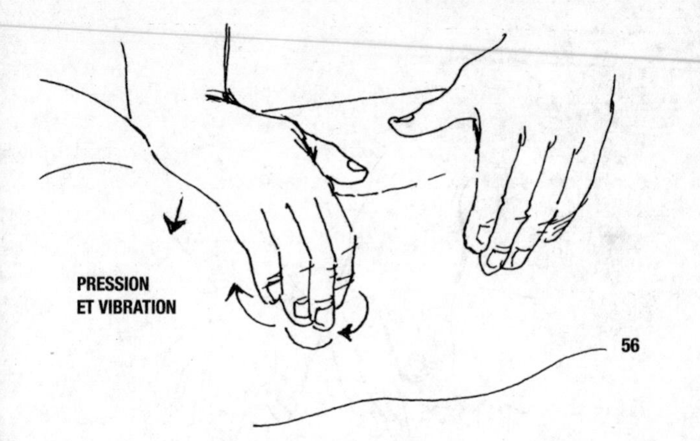

localisé sur une partie lésée. Elles permettent par exemple de dénouer les nodules qui se fixent le long des fibres musculaires et nuisent à leur élasticité. Elles sont aussi efficaces, sinon plus, que celles pratiquées avec leurs aiguilles par des acupuncteurs. Elles sont aussi sans danger et particulièrement efficaces pour traiter toute région enflammée (torticolis, périarthrite, névralgies, sciatique) (57).

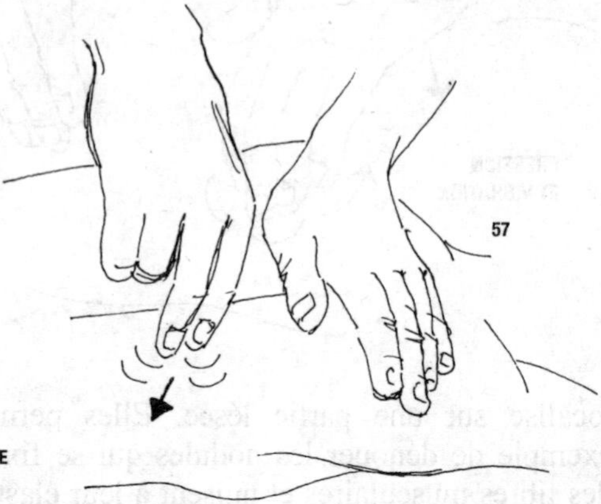

57

DIGITOPUNCTURE

Pincé-roulé

On prend la peau entre le pouce, l'index et le majeur, on la décolle légèrement, et on la roule doucement entre ses doigts, comme on roulerait un crayon.

Lorsque l'articulation ou l'organe sous-jacent n'est pas atteint, la peau se décolle facilement et le pli qu'elle forme n'excède pas un centimètre d'épaisseur. En cas contraire, une plaque cellulitique envahit et enflamme les tissus profonds et le pincé-roulé, justement destiné à faire disparaître ces amas graisseux, peut être très douloureux.

Le pincé-roulé est d'ailleurs utilisé pour détecter et traiter les infiltrations cellulitiques du tissu conjonctif, notamment au niveau des différents plexus (58).

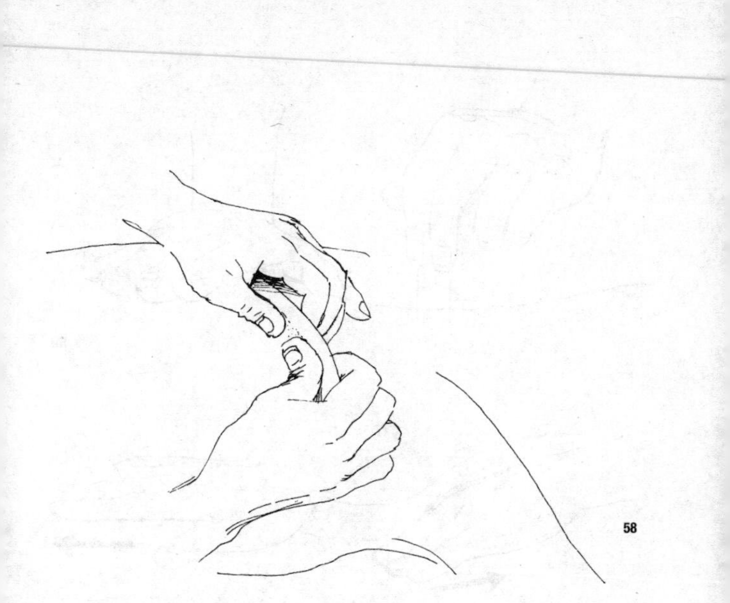

Percussion

Elle se fait en tapotant régulièrement la peau, soit avec la pulpe des doigts à demi fléchis, soit avec toute la paume, comme une claque, soit encore avec le poing fermé. On la pratique généralement au pourtour d'une articulation ou d'un muscle tétanisé.

Action de surface, la percussion peut, par réflexe, agir à distance. Elle peut, par exemple, provoquer la contraction d'un muscle atrophié. Elle permet aussi, dans certains cas, de traiter un blocage sans manipulation (59).

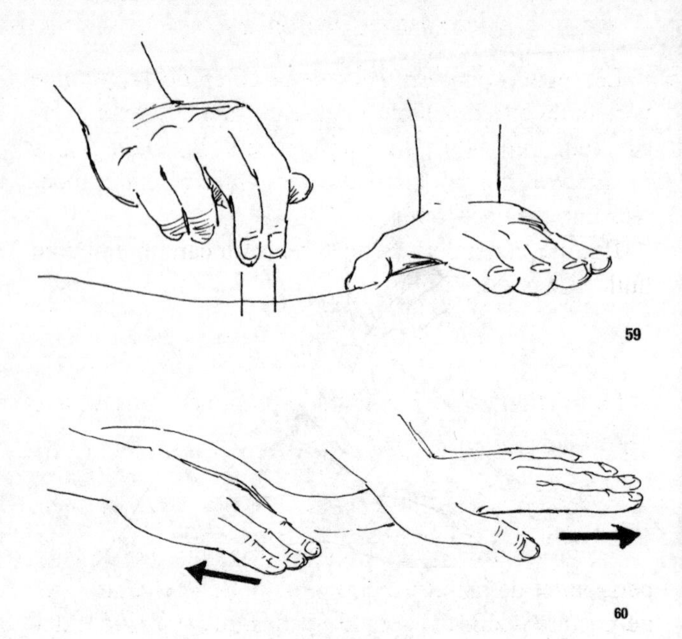

Élongation

Naturelle, cette manœuvre rythmée et non soutenue étire un ou plusieurs groupes musculaires, une articulation, tout ou partie de la colonne vertébrale.

Elle permet notamment, et sans aucun danger, d'assouplir les muscles du dos, de « détasser » les vertèbres les unes par rapport aux autres et de favoriser la réhydratation des disques intervertébraux.

En détendant le patient, elle exerce une action directe sur le système neurovégétatif (60).

Glissées profondes

Les pouces appuient des deux côtés de la colonne vertébrale et remontent, en glissant sans cesser d'exercer leur pression, du sacrum vers la nuque. Ces manœuvres doivent être exécutées entièrement et répétées une dizaine de fois.

J'utilise généralement une crème au camphre ou une huile essentielle (61).

Traction

La traction est une élongation pratiquée dans un axe très précis et maintenue (62).

Manœuvres de posture

Tractions et élongations sont les techniques de base permettant de réaliser ce qu'on appelle les manœuvres de posture. Celles-ci sont souvent faites à l'aide d'appareils, mais il est évident qu'en thérapie manuelle, on a plus de souplesse et surtout la possibilité de suivre à la seconde près les réactions du patient.

La durée d'une posture ne peut être définie de façon standard. Elle est généralement maintenue quelques minutes, mais parfois un temps de relâchement (impossible avec un appareil) soulage le patient.

Cette méthode est très utile pour combattre les raideurs, détendre la colonne vertébrale, soulager les disques intervertébraux (62).

Mobilisation

Complément du massage, très efficace, la mobilisation est parfois appelée gymnastique passive, car elle ne demande pas de participation du patient. Le thérapeute seul intervient en mobilisant l'articulation par des mouvements rythmés ne dépassant pas son amplitude physiologique normale. La mobilisation doit toujours être douce, progressive, indolore. C'est par la répétition du mouvement que l'on parviendra à assouplir les tissus ankylosés et les articulations bridées.

Cette thérapeutique donne de bons résultats dans tous les cas de raideurs et d'ankyloses articulaires, quelle que soit leur origine (63).

Le complément de ces méthodes passives est toujours une gymnastique active appropriée, qui reste nécessaire pour obtenir un meilleur résultat, et surtout un résultat durable.

Ma méthode de l'imagination m'a permis de guérir des centaines de dos. Pourquoi pas le vôtre ?

LA GYMNASTIQUE DE L'IMAGINATION

Faire de la gymnastique ne signifie évidemment pas faire n'importe quelle gymnastique. Celle que je conseille à mes patients et que j'ai appelée la gymnastique de l'imagination a un but très précis :

— détendre les muscles,

— assouplir la colonne, lui rendre une parfaite

mobilité, « détasser » les disques intervertébraux et faciliter leur réhydratation,

— renforcer les articulations,

— tonifier les muscles,

— remplacer ou compenser le manque d'activité physique chez les sédentaires,

— renforcer l'état psychologique,

— apprendre à contrôler sa respiration.

Ma méthode repose sur des attitudes quotidiennes : travaux manuels et gestes du passé oubliés dans notre vie moderne comme couper du bois, tirer l'eau d'un puits, monter à la corde, enfoncer un piquet, pousser, tirer ou porter une charge lourde. Autrefois, ces actions physiques contribuaient à équilibrer, défouler, décharger du stress, de l'angoisse, de l'agressivité. Aujourd'hui, où on ne bouge presque plus, il faut les retrouver en tenant compte de la tension qu'elles imposent à un dos et un cœur peu habitués à fournir un effort.

Il ne s'agit donc pas de se mettre à scier du bois ou de planter comme un fou une haie de piquets. Dans ma méthode on se contente d'imaginer que l'on tire ou soulève une ou des charges de plus en plus lourdes, dans un axe très précis correspondant exactement au muscle ou groupe musculaire que l'on souhaite faire travailler. Chaque mouvement doit être pensé et parfaitement contrôlé. Le geste doit être continu et lent. La contraction des muscles est réfléchie et volontaire. Ils travaillent en isométrie, c'est-à-dire en mouvements soutenus de six à dix secondes. Chacun travaille suivant sa propre force.

Gymnastique du corps qu'elle assouplit et de l'esprit qu'elle apaise, la gymnastique de l'imagination peut être pratiquée par tous et à tout âge.

Faite pour détendre, elle ne doit jamais être pratiquée

en force et on doit stopper tout mouvement qui déclencherait une douleur.

Je conseille à mes patients d'y consacrer cinq à dix minutes par jour, de préférence le matin et le soir.

Pour tous les mouvements, le corps est séparé en deux parties

La partie fixe (point fixe) :

— les pieds et les jambes s'enfoncent dans le sol,

— les fessiers sont serrés très fortement pour bloquer le bassin basculé, pubis vers le haut,

— le ventre est rentré légèrement tout en restant souple.

La partie mobile :

— dos en position de légère cyphose ou droit,

— poitrine bien dégagée vers l'avant,

— les bras et les épaules sont très souples et vont pouvoir exécuter tous les mouvements dans l'espace (tirer, soulever, pousser...).

La respiration

Elle joue un rôle primordial dans l'exécution des mouvements. Le cœur travaille en endurance et ne doit pas monter à plus de 130-140 pulsations par minute.

— Inspirez doucement par le nez pendant tout le temps de l'étirement (6 à 10 secondes),

— Expirez par la bouche ouverte très détendue en revenant à la position de départ (6 à 10 secondes).

— La respiration suit exactement le mouvement et le soutient. Quand on reste en étirement, l'effort devient très intense, le rythme respiratoire doit s'accélérer pour permettre au cœur de conserver le même débit (64 à 78).

1. Debout, jambes écartées, bras gauche tendu en l'air, paume de main ouverte vers le ciel, bras droit tendu vers le bas, paume de main vers le sol.

Inspirez lentement par le nez et expirez fortement par la bouche. Maintenez la position une minute en imaginant que vous élevez une charge très lourde vers le haut avec le bras gauche et poussez une charge égale vers le bas avec le bras droit.

Changez de côté.

Cinq fois. Rythme lent.

2. Debout, jambes écartées en demi-flexion, bras tendus parallèles au sol.

Inspirez en imaginant que vous poussez deux murs avec les paumes des mains.

Expirez en serrant les poings comme si vous rameniez deux charges vers vos épaules.

Cinq fois. Rythme très lent.

3. Debout, jambes écartées, coudes au corps, paumes des mains tournées vers le ciel.

Inspirez en imaginant que vous soulevez deux charges très lourdes vers le ciel.

Enfoncez vos jambes dans le sol. Expirez en revenant à la position de départ.

Cinq fois. Rythme très lent.

4. Debout, jambes en demi-flexion, basculez le bassin, pubis vers le haut, dos droit et souple, bras tendus vers l'avant parallèles au sol, poings serrés.

Inspirez en imaginant que vous tirez deux charges très lourdes vers vous, coudes au corps.

Expirez en imaginant que vous les repoussez vers l'avant avec les paumes des mains ouvertes. Rentrez le ventre, arrondissez le dos comme si vous poussiez un mur imaginaire.

Cinq fois.

5. En demi-flexion sur les jambes, dos plat parallèle au sol, mains aux épaules.

Inspirez en tendant les bras devant vous, en imaginant que vous poussez deux charges très lourdes. Expirez en serrant les poings, imaginez que vous tirez deux charges en ramenant les mains aux épaules.

Cinq fois.

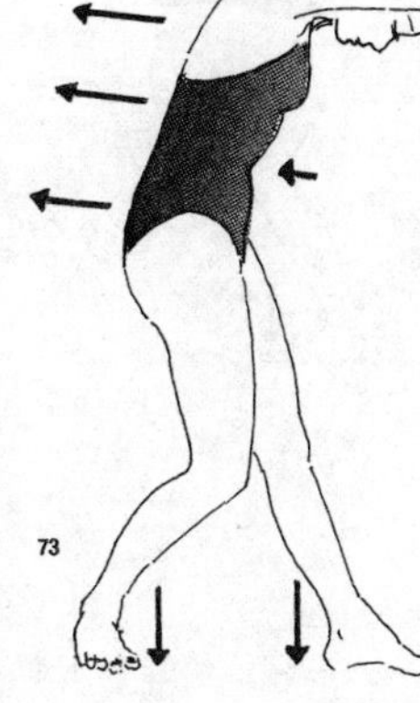

6. Jambe gauche tendue en avant, jambe droite en demi-flexion, tête souple entre les bras tendus en avant.

Inspirez et, en expirant, imaginez que vous poussez une charge très lourde devant vous, avec les paumes des mains ouvertes, et que vous poussez avec tout votre dos un mur imaginaire.

Cinq fois sur chaque jambe.

74

7. Jambe droite tendue en arrière, jambe gauche fléchie en avant, mains aux épaules.

Inspirez en élevant les bras en l'air mains ouvertes, imaginez que vous soulevez deux charges très lourdes. Enfoncez les pieds dans le sol. La jambe droite, le dos et les bras sont dans le même prolongement. Expirez en serrant les poings, en imaginant que vous saisissez une charge et que vous l'amenez vers les épaules.

Cinq fois sur chaque jambe.

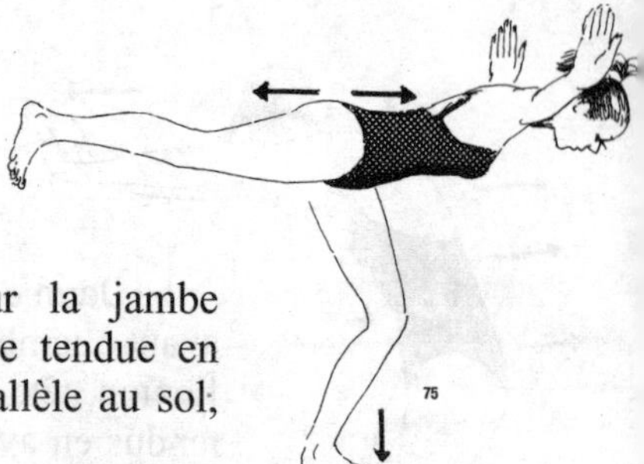

75

8. En équilibre sur la jambe gauche, jambe droite tendue en arrière, dos plat parallèle au sol, mains aux épaules.

Inspirez en imaginant que vous écartez un mur de chaque côté avec les paumes des mains, et un mur avec la plante du pied. Expirez en imaginant que vous tirez deux charges très lourdes en ramenant les mains aux épaules.

Cinq fois sur chaque jambe.

9. Assise sur les talons, dos droit incliné à 45°, mains aux épaules.

Inspirez en tendant les bras et en imaginant que vous poussez deux charges très lourdes avec les paumes des mains. Expirez en serrant les poings et ramenez les mains aux épaules en imaginant que vous tirez deux charges très lourdes.

Cinq fois (76).

76

77

78

10. Assise sur les talons, dos droit incliné à 45°, mains à plat de chaque côté des genoux.

Inspirez et, en expirant, enfoncez les paumes des mains dans le sol, arrondissez tout le dos en imaginant que vous repoussez un sac très lourd placé sur tout votre dos de la nuque au bassin. Inspirez en revenant à la position de départ.

Dix fois (77 et 78).

De même que soigner les seules vertèbres lombaires de quelqu'un qui a un lumbago est non seulement une négligence mais une grave erreur thérapeutique, de même soigner un dos sans s'intéresser à l'ensemble des raisons pour lesquelles un patient en souffre est inadmissible et ne peut que conduire à l'échec.

Or il est d'autres facteurs que de simples dérèglements articulaires ou musculaires, responsables d'une partie des douleurs qui affectent la colonne vertébrale. L'un des plus importants est ce qu'on appelle généralement le stress, qui regroupe pour moi l'ensemble des tensions et troubles psychologiques de la vie quotidienne.

Dénouer les tensions psychologiques

Aucun être humain n'échappe aux problèmes et aux soucis, petits ou grands. Aucune vie ne se déroule sans heurt ni drame d'aucune sorte. Aucune créature pensante n'évite toute forme de doute ou d'angoisse. Or ce que nous vivons et éprouvons se traduit au niveau du corps de façon passagère ou indélébile, profonde ou superficielle. On dit, en langage populaire : « j'ai l'estomac noué », « je suis tendu », « j'ai le cœur gros ». Ces images, et d'autres, traduisent la réalité physique de nos problèmes psychologiques. Le cœur, les nerfs, les vaisseaux, les muscles souffrent, s'atrophient ou se rétractent, sont hyperexcités ou atones, fonctionnent harmonieusement ou se dérèglent selon les moments et les circonstances, car ils obéissent eux aussi aux ordres émis par le cerveau. Chacun sait qu'il peut avoir mal sans avoir subi aucun choc physique, perdre l'appétit pour une déception sentimentale ou avoir mal à la tête sans être pour autant atteint de sinusite.

Mes traitements, nous l'avons vu, sont tous faits pour détendre et dénouer les différents systèmes organiques. Ils ont aussi pour but de dénouer de la même manière les tensions psychologiques, elles-mêmes source dans la plupart des cas de nos tensions physiques.

Les mains sont évidemment pour cela une aide précieuse. Un contact physique apaise par sa seule vertu, et je ne comprends pas que psychiatres et psychothérapeutes aient si peu souvent recours aux thérapies manuelles.

Cette détente apportée par les massages favorise en outre le dialogue. Entre mes patients et moi s'établit un climat de calme et de confiance propice aux confidences. Peu à peu, parce qu'ils se sentent mieux, ils comprennent que pour être bien dans leur peau, ils doivent être bien aussi dans leur tête et dans leur vie. Le travail que j'ai commencé, nous le poursuivons ensemble, et c'est alors que nous pouvons envisager une vraie guérison, car le résultat est toujours plus rapide et plus positif lorsque le patient est enfin apaisé, décontracté, prêt à s'abandonner, et non rétracté et raidi comme c'est généralement le cas au début des traitements.

Soigner les troubles fonctionnels

La nervosité, l'angoisse, le stress, les chocs psychologiques ne touchent pas seulement les systèmes cardio-vasculaire, musculaire ou articulaire, ils sont aussi la cause de troubles fonctionnels, c'est-à-dire de perturbations du système neurovégétatif, d'un organe, d'une glande ou d'un viscère. De la sinusite aux colites, de la gastrite à l'aérophagie ou à la constipation, les troubles fonctionnels sont multiples et leurs symptômes, innombrables, font partie de ces maux que l'on néglige souvent, et à tort. Dysfonctionnement bénin au départ, le trouble fonctionnel s'aggrave peu à peu jusqu'à l'installation d'une maladie organique que l'on aura toutes les peines du monde à soigner. Il est clair que ces troubles, même s'ils sont peu graves, s'ajoutent aux autres et que, de proche en proche, toute lésion d'un système perturbe d'autres systèmes et installe dans l'organisme tout entier une situation anormale à laquelle il répondra par des manifestations d'inadaptation et de souffrance.

Le traitement des plexus

Pour soigner les troubles fonctionnels et de nombreux troubles dus au stress, il faut savoir traiter les plexus, points très précis, le plus souvent minuscules, situés le long d'un méridien. Chacun d'eux correspond à une glande ou à un organe, qui lui-même appartient à un système, neurovégétatif par exemple.

C'est le docteur Henri Jarricot, spécialiste de médecine interne, ostéopathe, acupuncteur et pionnier de l'auriculothérapie, qui a découvert et dénombré les plexus et défini précisément le rôle de chacun d'eux.

Car chaque plexus « commande » l'organe, la glande ou le viscère situé tout près de lui. Si bien qu'en traitant un plexus gros comme une tête d'épingle, on peut décongestionner, stimuler, fortifier cet organe ou cette glande, et ainsi agir sur tout le système dont il dépend (p. 98).

Lorsque la glande ou l'organe commandé par un plexus est congestionné, fonctionne mal, celui-ci est extrêmement douloureux (c'est ce qu'on appelle un « point exquis ») et souvent enrobé d'un amas cellulitique. Il s'agira alors de faire disparaître ce dernier, comme nous l'avons vu, par des manœuvres de malaxage et de pincé-roulé (voir p. 179-180 et 184-185).

Lorsqu'il aura disparu, l'organe retrouvera son fonctionnement normal et le circuit énergétique, interrompu à cet endroit, sera rétabli.

Quelle que soit la lésion ou la pathologie en cause, la première phase du traitement mettra toujours en jeu tous ces mécanismes et s'intéressera simultanément à l'ensemble du corps et de la personnalité du patient.

Il n'est pas possible de dire à l'avance combien de temps dure cette première partie de la thérapie tant elle est liée au passé, aux conditions de vie et au tempérament du malade. Affirmer qu'un traitement durera huit semaines ou douze n'a aucun sens. Ce que je sais, c'est que, lorsque aucune amélioration ne s'est fait sentir au bout de quatre ou cinq séances, il existe une maladie organique non détectée jusqu'ici et qu'il faut pratiquer tous les examens et analyses susceptibles d'aider à la diagnostiquer. Je peux dire aussi qu'en moyenne les traitements donnent de bons résultats au bout d'un à deux mois à raison d'une séance par semaine. Sans doute ceux qui viennent avec l'espoir que, dès les premiers jours, ils sauront exactement quand ils seront guéris seront-ils déçus. Mais répondre précisément serait mentir et ignorer que ces traitements s'adressent à des pathologies intimement liées à des facteurs personnels, subjectifs.

De même que la douleur, la lésion ou la maladie sont des phénomènes d'adaptation de l'organisme à un choc, un traumatisme, une agression virale, microbienne ou autre, de même le retour à l'état normal, alors que les lésions étaient anciennes, demande à l'organisme un effort d'adaptation pour vivre son nouvel état de guérison. Ces phénomènes forment un jeu naturel d'autant plus complexe que l'on n'en perçoit pas de façon tangible les mécanismes. Seules sont sensibles leurs conséquences : attitudes nouvelles, postures, mouvements, ou même désirs et comportements différents.

Un traitement réussi aura soigné les lésions tertiaire, secondaire et primaire, c'est-à-dire aussi bien la lésion finale de compensation que la lésion précédente d'adaptation, et la lésion première oubliée. Et si, pour établir son diagnostic, le thérapeute doit aller de la lésion tertiaire à la lésion primaire il doit, pour amener son patient à la guérison, prendre en compte simultanément tous les stades et toutes les localisations de dégradation et de dysfonctionnement de l'organisme. Ainsi devra-t-il réharmoniser à la fois l'ensemble des fonctions, qui sont les activités spécifiques assumées par une partie déterminée du corps, et la structure osseuse.

Éminemment adaptable, le corps humain a aussi, nous le savons bien, ses limites. Il sait réagir à des situations intenses et inattendues, et pourtant il a quelque chose de casanier et s'installe dans des habitudes dont il rechigne à sortir. Adapter un corps à la guérison, c'est lui réapprendre à vivre, à bouger, à fonctionner autrement. Et la règle impérative pour y parvenir est de ne jamais le forcer en voulant, par exemple, aller trop vite.

Après quelques semaines ou quelques mois de traitement, les articulations bridées depuis longtemps hésitent à retrouver leur amplitude physiologique normale, les organes assoupis ont du mal à reprendre un rythme pourtant naturel. Les muscles ne savent pas encore profiter de leur souplesse enfin retrouvée et le corps tout entier est à la fois à nouveau libre, mais fragile par manque d'entraînement...

Il faut donc accompagner sans faiblir et pas à pas cette renaissance qu'est une guérison, jalonner les étapes, indiquer au fur et à mesure à son patient ce qu'il peut ou ne peut pas faire, et les soins ou exercices qui l'aideront.

GUÉRIR POUR TOUJOURS

Il faut, selon les cas, de trois mois à un an pour être, enfin, guéri.

Il faut toute une vie pour ne plus, jamais, souffrir du dos.

Guérir du dos, c'est retrouver la possibilité de bouger, de vivre comme on en a envie, sans craindre les conséquences de ses moindres gestes, sans faire attention, sans avoir jamais peur d'avoir à nouveau mal. C'est possible, et je vois souvent d'anciens patients qui ont presque oublié qu'à un moment de leur existence, tout leur paraissait risqué ou dangereux et déclenchait chez eux d'insupportables crises. Je dis « presque » oublié, car au fond de notre mémoire corporelle reste le souvenir de ces mois ou de ces années-là, et que pour ne plus jamais avoir mal au dos, il faut avoir la volonté et le courage de prendre quelques précautions.

Il faut en particulier pratiquer une gymnastique d'entretien ou une activité physique choisies parce qu'elles vous conviennent et maintiendront en forme les parties les plus fragiles de votre corps. Cette gymnastique, cette activité, ce sport devront être pratiqués sans forcer mais régulièrement, aussi choisissez-les bien [1]. S'ils vous ennuient vous serez incapable, à juste titre, de les pratiquer souvent et longtemps. Et si vous n'y prenez aucun plaisir, il y a de fortes chances pour qu'ils ne vous fassent aucun bien.

Pour avoir, pendant toutes ces années, cherché patiemment les méthodes les plus efficaces, j'ai évidemment quelques idées sur les activités à mes yeux les plus performantes. Pour avoir appris l'importance des réactions, du tempérament, de la nature de chacun, je sais aussi que mieux vaut un sport ou une gymnastique peut-être un peu moins complets, mais faits avec

1. Voir *La Forme naturelle* de Pierre Pallardy (Édition° 1).

joie, que des mouvements parfaits exécutés sans entrain.

La gymnastique de l'imagination

Si vous aimez la gymnastique, si vos horaires sont tels que vous disposez de peu de temps pour vous, si vous préférez, pendant les week-ends, lire et aller au cinéma plutôt que courir ou nager, faites pendant quelques minutes, le matin et le soir, des exercices de ma méthode de l'imagination (voir p. 188-191).

Le meilleur sport : celui qui vous fait plaisir

Je m'étonne souvent d'apprendre que certains médecins ou thérapeutes n'hésitent pas à interdire catégoriquement à leurs malades la pratique de leur sport favori pour stopper le mal de dos. Pour moi, c'est une erreur : la personne privée de son sport se sent diminuée. On ne fait qu'ajouter une frustration à un état déjà dégradé et douloureux.

Le plus souvent les traitements locaux (manipulation, infiltration, anti-inflammatoire) ne font que masquer la douleur. C'est la méthode la plus sûre pour rendre le mal chronique.

Je préconise au contraire de continuer l'activité sportive aux conditions suivantes :

- Entretenir son corps chaque jour (même les jours sans sport) par un échauffement de cinq à sept minutes avant et après l'activité.
- Rechercher et éliminer le mauvais geste technique responsable des douleurs.
- Progresser à son rythme.

• Équilibrer sa nourriture, boire avant, pendant et après le sport.

• Appliquer ma méthode de l'imagination (voir p. 188 à p. 200).

• Ne négliger aucun signe d'alarme (courbatures persistantes, petites douleurs de tendons ou d'articulations, etc.). Faites-les soigner d'urgence : il y a risque de déséquilibre de la statique vertébrale, source de mal de dos.

Sous ces conditions, choisissez alors le sport ou l'activité que vous aimez : aucune n'est interdite. Ni le tennis, ni l'équitation, ni la moto ne vous feront de mal.

À une seule condition : ne forcez jamais.

Ne vous malmenez pas, votre organisme réagirait, pour se défendre, en créant d'autres lésions que celles dont vous avez enfin réussi à guérir et tout recommencerait.

Votre seul challenge est d'atteindre votre véritable équilibre (voir : Protégez votre dos en faisant du sport).

Enfin, pour ceux qui ont horreur de bouger, pour les intellectuels que la seule idée de marcher une heure démoralise, reste une autre méthode que j'ai mise au point pour leur préserver, malgré tout, un dos impeccable le plus longtemps possible.

Trois minutes de respiration toutes les heures peuvent sauver votre dos

Vingt minutes de gymnastique le matin et dix minutes le soir, c'est trop pour 99 % d'entre nous. Pas le temps, pas envie, pas le courage... Et de « ce matin je suis vraiment trop pressé » en « ce soir je me couche, on verra demain », les meilleures volontés s'épuisent et les échecs se multiplient.

Pendant longtemps, je me suis battu. J'ai insisté, voulu convaincre, mais de déception en déception, j'ai dû me résoudre à changer de tactique, sinon d'objectif. Car une chose était sûre : mes malades devaient absolument se prendre en charge pour améliorer les résultats du traitement et se donner toutes les chances de guérir. C'est alors que j'ai remplacé les deux séances de gymnastique quotidiennes par trois minutes (ce n'est rien) de respiration (c'est facile), partout, pour tout le monde, dans toutes les situations et toutes les positions.

Comment respirer ?

Inspirez très lentement par le nez en faisant remonter l'air du ventre vers vos poumons tout en vous redressant. Cette inspiration vous prendra cinq secondes au début, dix secondes lorsque vous serez entraîné et que vous aurez appris à vous contrôler.

Marquez, sans forcer, un léger palier en retenant votre souffle.

Puis expirez tout doucement, soit par le nez soit par la bouche, en vous détendant au maximum. Cette expiration dure environ dix secondes.

En moyenne, vous pourrez inspirer et expirer quinze à dix-huit fois en trois minutes.

Petite cause, grands effets

Ce n'est pas sorcier, direz-vous, et certes c'est sans doute l'exercice le plus facile qui existe. On peut le faire assis ou couché, au bureau ou au téléphone, en voiture ou en tapant à la machine, que l'on soit un homme ou une femme, un enfant ou un vieillard. Mais les résultats sont extraordinaires et j'ai pu les vérifier, sans exception aucune, chez tous ceux de mes patients qui ont appliqué cette méthode. Ces respirations lentes, soutenues, contrôlées relaxent l'organisme tout entier et exercent un effet régulateur sur les systèmes nerveux, cardiaque, vasculaire, et même sur le psychisme. En même temps, elles détendent, assouplissent et tonifient tous les muscles du dos, apaisant les douleurs, et aidant à la guérison.

Elles ont surtout un merveilleux pouvoir relaxant. Faites-les avant les repas, elles vous permettront de mieux assimiler la nourriture, et donc aussi les vitamines, les sels minéraux (calcium, phosphore, magnésium) et les oligoéléments indispensables à vos muscles et à votre squelette.

Exercice de contrôle, elles vous aideront insensiblement à mieux vous endormir, d'un sommeil plus serein et plus réparateur. Et le grand bénéficiaire de tous ces mieux sera votre dos.

J'ai d'abord essayé cette méthode sur les ennemis de la gymnastique, les dégoûtés du sport, les réfractaires à tout exercice physique quel qu'il soit, en me disant que ces trois petites minutes toutes les heures ou deux valaient mieux que rien. J'ai d'abord constaté que contrairement à tout ce que je leur avais proposé auparavant, cet effort minuscule ne les rebutait pas. Même les timides, les angoissés acceptaient puisqu'ils pouvaient se livrer seuls, sans témoin, à leurs exercices, sans même que leur entourage s'en aperçoive. Les pressés, les nerveux, les toujours débordés s'y soumettaient sans rechigner puisqu'ils avaient l'impression de ne pas perdre une seule minute de leur temps si précieux.

J'ai surtout vérifié que tous en tiraient un précieux bénéfice. Les douleurs dues à l'arthrose, aux inflammations de toutes sortes, aux tensions nerveuses ou musculaires, au stress, s'estompaient peu à peu. En même temps mes patients retrouvaient leur calme et leur énergie vitale.

Aujourd'hui, je conseille cette méthode à tous mes patients. S'ils ne peuvent pas la suivre toutes les heures, ils la pratiquent toutes les deux ou trois ou quatre heures : à eux de trouver leur rythme et leur régularité. Grâce à ce petit truc tout simple, ils se sentent mieux, mangent mieux, vivent mieux, et font du sport quand ils en ont envie et non par obligation. Bien sûr, il m'a fallu admettre – et leur faire admettre – que la simplicité aussi a ses vertus et que la solution n'est pas toujours dans les traitements les plus sophistiqués.

Une leçon d'humilité, peut-être, mais surtout de sagesse, que devraient bien mettre à profit ceux, qu'ils soient patients ou thérapeutes, pour qui la valeur d'un traitement se juge à l'aune de sa complication et de ses difficultés.

Rééduquer sa vie

Les raisons pour lesquelles des lésions de la structure osseuse peuvent donner naissance à des troubles fonctionnels, eux-mêmes parfois dus à des troubles psychiques, expliquent que, pour être efficace, une rééducation doit prendre en compte d'autres facteurs que les seuls problèmes physiques.

Réduit à sa fonction la plus simple, tout être vivant est un organisme qui assimile ce qui lui est indispensable pour vivre, et élimine déchets et toxines. Les humains n'échappent pas à la règle. Nous mangeons et rejetons, et la fonction assimilation-élimination est la fonction vitale par excellence.

Il n'est pas difficile de comprendre que de la qualité de ce que nous mangeons dépendent aussi, directement, le bon ou le mauvais fonctionnement de l'ensemble des cellules de notre corps, la qualité de notre énergie et même, souvent, notre humeur. Dans *La Grande forme après 40 ans* et *Maigrir sans regrossir* (Édition° 1), j'ai longuement montré l'importance de la nourriture pour l'équilibre et la santé, et l'influence du choix des aliments dans tous les domaines de notre vie. Le capital osseux est constitué avant l'âge de 20 ans.

Ce qu'il faut savoir, c'est que de mauvaises habitudes alimentaires sont responsables de la plupart des petits maux dont nous souffrons tous et que l'on ne peut espérer avoir un dos en pleine forme quand le ventre est perturbé ou malade. Les ballonnements dus à une mauvaise digestion font, par exemple, gonfler le ventre vers l'avant. Par compensation s'installe une hyperlordose lombaire qui perturbe toute la colonne vertébrale. Quelqu'un qui mange trop vite aura les intestins gonflés comme une chambre à air, une atrophie des muscles du ventre entraînera une cambrure exagérée des reins, et dans ces deux cas aussi, le résultat sera une hyperlordose lombaire. Inutile, de surcroît, de faire des abdominaux lorsqu'on a une colite, les intestins gonflés ou le ventre ballonné. Il faut d'abord soigner la cause.

Le premier geste est de manger lentement, régulièrement, équilibré et varié. Et de supprimer jusqu'à la guérison des douleurs les principaux facteurs d'acidité (voir tableau p. 373-376).

Tous les excès alimentaires fragilisent et fatiguent le système digestif, acidifiant le bol alimentaire, créent une hyperacidité au niveau de l'estomac, puis une fermentation anormale des intestins (source de fatigue, de manque de concentration, de lourdeur digestive, de torpeur, etc.).

Les cartilages, tendons et muscles sont approvisionnés en vitamines, sels minéraux par notre alimentation. Un excès d'acidité provoquera leur destruction avec pour conséquences des courbatures, des crampes et de la fatigue.

Il s'ensuivra une usure anormale des tendons et des cartilages provoquant à la longue des crises rhumatismales passagères puis répétitives si on n'y prend pas garde.

Pour déceler une acidité excessive,
cette liste peut vous aider

— Fatigue du corps entraînant une fatigue psychologique (manque d'entrain, de dynamisme...). Attention, il ne s'agit pas d'un état mélancolique ou dépressif.

— Raideurs du dos et de la nuque, au réveil. Elles disparaissent progressivement dès que l'on s'échauffe.

— Douleurs lombaires et cervicales si on reste trop longtemps assis (au bureau, en voiture...).

— Petites douleurs articulaires des mains ou des

pieds survenant en bricolant, jardinant ou faisant du sport.

— Douleurs abdominales intermittentes : ballonnements, spasmes, gaz, aigreurs, etc.

— Douleurs cervicales ou lombaires sourdes la nuit qui réveillent et empêchent de se rendormir.

— État de nervosité entretenu par une douleur récurrente.

La plupart de ces douleurs disparaissent avec un bain chaud ou une douche, un anti-inflammatoire, de la détente et du repos.

Notez que le taux de pH urinaire ne renseigne pas d'une façon précise et complète sur le niveau d'acidité des muscles, des tendons et des cartilages. Je vous recommande vivement : l'hygiène de vie, les mouvements, les sports et les conseils alimentaires (p. 211-212).

Si les douleurs persistent malgré une excellente hygiène de vie, vous devez consulter votre médecin pour faire apparaître éventuellement une cause différente de l'acidité.

La force, l'énergie, le bien-être, la santé dépendent en grande partie de cette fonction essentielle qu'est la nutrition. Nourri au gas-oil, un moteur de Formule 1 tousse et s'encrasse. Il tient à notre façon de nous alimenter de faire de notre corps une somptueuse machine ou un vieux clou.

Il est des gens intelligents qui vivent de façon idiote et physiquement suicidaire. Des gens qui font tout pour se rendre malades et se demandent ensuite pourquoi ils ne se sentent pas bien dans leur peau. La plupart des thérapeutes laissent leurs patients perpétuer leurs erreurs, évitant ainsi les complications et gagnant sciemment ou inconsciemment la certitude de garder plus longtemps leur clientèle. Lutter en permanence contre ses propres rythmes biologiques, manger, boire ou fumer avec excès, négliger sa fatigue et autres comportements anarchiques conduit irrémédiablement des troubles fonctionnels aux maladies organiques, des mauvaises attitudes aux complications vertébrales, des carences de toutes sortes aux malaises psychiques et physiologiques inévitables.

Il est parfois difficile de faire entendre à un patient qu'il est l'artisan de ses propres malheurs. Le corps, le cerveau obéissent à une loi tacite qui les fait pencher dans un sens ou dans un autre. Ainsi un organisme perturbé aura tendance à se perturber encore davantage tant que quelque chose ne lui aura pas fait retrouver le point d'équilibre à partir duquel la tendance pourra s'inverser. S'il le retrouve, il reprendra, presque de lui-même, le chemin du bien-être et de la guérison.

Ce n'est que lorsque la première phase du traitement s'achève et que mon malade retrouve un début d'harmonie physique et psychique que je peux commencer à lui faire entendre la vérité : *guérir, c'est se prendre en charge et corriger les errements de toutes sortes qui l'avaient installé dans sa pathologie.*

J'ai dit souvent à quel point l'humilité était la règle de mes traitements. C'est peut-être qu'elle est la règle de toute l'espèce humaine à laquelle son intelligence ne doit pas faire oublier qu'elle est faite de chair, de nerfs, de muscles et d'os et que, de la naissance à la mort, le corps a un destin qui doit s'accomplir. Nous sommes les *deus ex machina* de ce destin-là et si nous trichons avec les règles — physiologiques, biologiques — de la vie, nous ne gagnerons pas. Pour nous porter bien, il nous faut vivre bien.

III

GUÉRISSEZ VOTRE DOS VOUS-MÊME

Un jour, on a mal au dos, aux cervicales, aux dorsales ou aux lombaires, peu importe, comme il importe peu que la crise arrive brutalement ou que l'on ait, petit à petit, de plus en plus mal, au point d'être obligé de faire quelque chose. Mais quoi ?

Dès les premiers moments, le choix des gestes, des attitudes, des soins d'urgence, est essentiel. Se tromper, c'est compromettre l'avenir, prendre le risque d'une aggravation que l'on paiera très cher par la suite. De même, il faut décider du choix d'un thérapeute, des méthodes à utiliser ou à proscrire, des médicaments à prendre ou pas, des meilleurs moyens pour éviter que la crise passagère ne se transforme en pathologie au long cours. Enfin il faudra connaître les inconvénients, les attitudes, les nouvelles règles de vie à adopter pour ne plus jamais avoir mal au dos.

Dans ce guide pratique, j'ai détaillé, du début de la crise à la fin du traitement, les conseils d'urgence ou de fond, et surtout les soins à faire soi-même ou à faire exécuter par un proche, les attitudes à adopter ou à éviter, qui vous permettront de guérir plus vite et, en tout cas, d'éviter tout risque d'aggravation. Ces gestes sont simples et sans danger.

J'ai souvent soigné des patients venus de province pour me voir, et auxquels je ne pouvais demander l'effort financier de venir régulièrement le temps du traitement. Pour eux, j'ai choisi dans ma méthode les soins essentiels, et je les ai adaptés de telle manière qu'ils puissent les pratiquer eux-mêmes, en autotraitement, ou les faire faire par quelqu'un de leur entourage.

Ce sont ces soins et ces manœuvres que je vous livre ici. Tous sont sans danger, faciles à exécuter sur soi-même ou sur un être proche.

Ils n'en sont pas moins efficaces, et vous aideront, sans l'aide d'un thérapeute, à faire partie de ceux qui ont su vaincre leur mal de dos.

En cas d'urgence, n'attendez pas

Agissez dès les premières atteintes, même légères, de douleur. Chez vous, au bureau, à l'usine, en voiture, pendant une pratique sportive, etc. N'ATTENDEZ PAS. Agissez IMMÉDIATEMENT car les minutes qui suivent peuvent être cruciales. Un mal bénin peut devenir chronique.

Mais respectez toujours ces deux règles impératives :

— Toutes les manœuvres que vous effectuerez, sur vous-même ou sur un proche, devront être douces et non traumatisantes.
— Si, au bout de quelques jours, vous ne ressentez aucune amélioration, surtout n'hésitez pas à consulter un rhumatologue ou un médecin de médecine physique.

1

DOULEURS CERVICALES

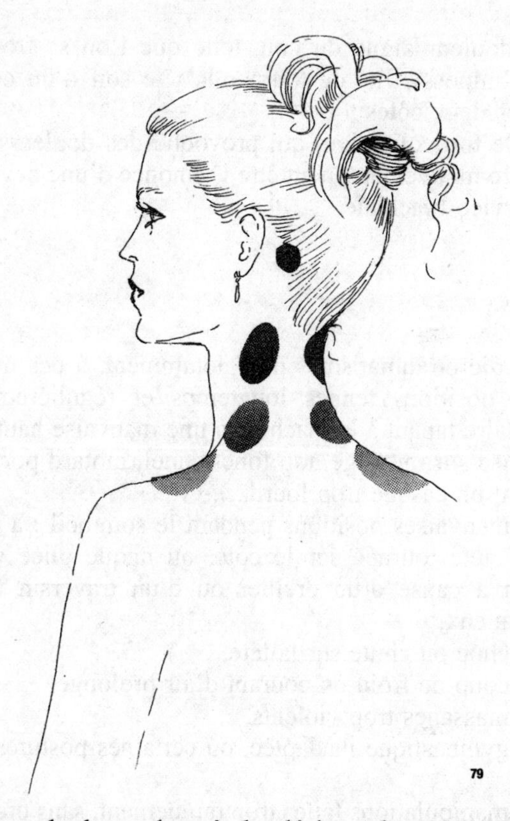

Les douleurs dues à des lésions des sept vertèbres cervicales peuvent prendre plusieurs formes ou localisations selon leur origine.

Avant toute décision, identifiez votre douleur et essayez de comprendre d'où elle vient (79).

Torticolis

Symptômes :

— douleur aiguë du cou, telle que l'on se trouve dans l'impossibilité de tourner la tête soit d'un côté, soit des deux côtés ;
— le torticolis aigu, qui provoque des douleurs au moindre mouvement, peut être l'annonce d'une névralgie cervico-brachiale.

Causes :

— microtraumatismes dus, notamment, à des mauvaises positions tenues longtemps et régulièrement (secrétaire tapant à la machine à une mauvaise hauteur ou assise sur un siège non fonctionnel, motard portant souvent un casque trop lourd...),
— mauvaises positions pendant le sommeil : à plat ventre, tête tournée sur le côté, ou nuque pliée vers l'avant à cause d'un oreiller ou d'un traversin trop volumineux,
— choc ou chute sur la tête,
— coup de froid ou courant d'air prolongé,
— massages trop violents,
— gymnastique inadaptée, ou certaines postures de yoga,
— manipulations faites trop rapidement, sans préparation, ou répétitives.

Cervicalgie chronique

Symptômes :

— raideur de la nuque accompagnée, surtout au réveil, de douleurs qui entraînent des difficultés à tourner la tête et à la pencher en arrière.

Causes :

— choc ou faux mouvement, provoquant de mini-entorses cervicales le plus souvent invisibles à la radio, et même au scanner,
— massages trop violents,
— gymnastique ou danse trop rapide,
— manipulations mal exécutées,
— arthrose ou uncarthrose (arthrose de la partie supérieure du corps des vertèbres cervicales) responsables d'un état inflammatoire. Dans ce cas, la douleur irradie par les nerfs rachidiens.

Ces douleurs ont tendance à récidiver en cas de stress ou de fatigue.

Mal de tête ou céphalée

Symptômes :

— douleurs situées le plus souvent à la base du crâne, avec des irradiations au niveau de l'œil ou de la mâchoire, parfois d'un seul côté, parfois des deux. Si cette douleur persiste, toujours dans la même région, il peut s'agir d'une migraine et il faut donc consulter un spécialiste.

Aux maux de tête peuvent s'ajouter ou se superposer

d'autres symptômes, ayant la même origine, mais exigeant que l'on consulte un médecin car ils peuvent aussi dénoter une maladie organique : vertiges, bourdonnements d'oreille, troubles de la vue, enrouement.

Causes :

— choc ou traumatisme crânien ou cervical, parfois dorsal ou lombaire,
— troubles statiques prolongés dus à de mauvaises positions,
— troubles neurovégétatifs (mauvaise digestion, vésicule atone) ou hormonaux (troubles de la menstruation),
— arthrose cervicale qui entretient une raideur de la nuque,
— lombalgies, sciatiques et douleurs du genou qui déséquilibrent la statique vertébrale,
— infiltrations cellulitiques du tissu conjonctif au niveau de la nuque,
— gymnastique inadaptée,
— massages trop violents,
— manipulations sans préparation, ou répétitives,
— facteurs psychiques : stress, émotivité, angoisse, dépression.

Périarthrite de l'épaule

Symptôme :

— douleur de l'épaule localisée autour de l'articulation.

Causes :

— tendinite : irritation et inflammation du tendon gênant les mouvements de l'épaule, dont l'origine se situe au niveau des cinquième et sixième vertèbres cervicales,
— capsulite : durcissement de l'enveloppe de l'articulation qui peut également provoquer un véritable blocage,
— microtraumatismes : efforts trop intenses, faux mouvements,
— surmenage,
— rhumatismes,
— accidents dus aux manipulations,
— exercices en extension sans échauffement préalable (comme se pendre à une barre ou à un espalier par exemple),
— musculation intensive.

Épicondylite, ou tennis elbow

Symptômes :

— douleur du coude, et particulièrement de l'épicondyle, et perte de la force de la main.

Causes :

— hyperactivité sportive ou manuelle avec mauvaise position du bras entraînant des microtraumatismes répétés (jeu habituel avec une raquette trop tendue ou trop lourde ou un manche mal adapté pour un tennisman, par exemple),
— manque de musculation au niveau du cou et des épaules,

— rhumatismes cervicaux,
— surmenage, stress.

Névralgie cervico-brachiale ou « sciatique du bras »

Symptômes :

— la douleur descend du cou jusqu'au bout des doigts et irradie dans le dos. Elle s'accompagne de crampes, fourmillements et lourdeurs plus accentués en position allongée.

Causes :

— trouble vaso-moteur ou inflammation (due à une arthrose, une hernie discale...) irritant les racines des nerfs qui innervent la surface du bras et, en profondeur, les muscles, les tendons (80, 81, 82),
— chocs,
— microtraumatismes,
— manipulations répétées,
— activité physique inadaptée,
— massages trop violents,
— stress,
— surmenage.

Attention :

En cas de névralgie cervico-brachiale récidivante, un examen médical approfondi s'impose pour vérifier qu'il n'existe aucun syndrome cardio-vasculaire.

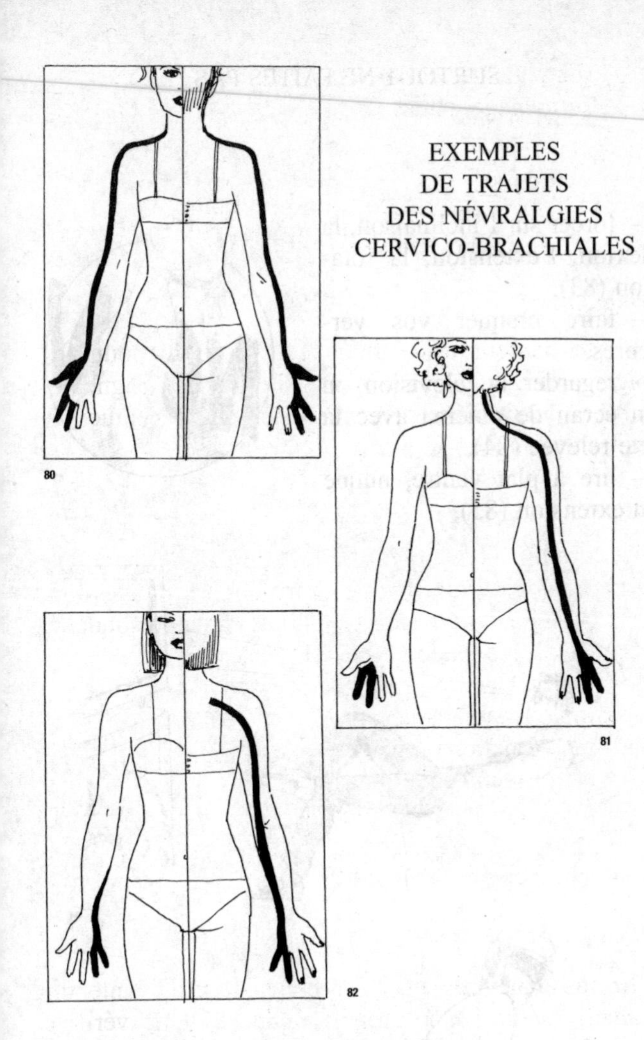

EXEMPLES
DE TRAJETS
DES NÉVRALGIES
CERVICO-BRACHIALES

SURTOUT NE FAITES PAS

— forcer sur l’inclinaison, la flexion, l’extension, la rotation (83),
— faire craquer vos vertèbres,
— regarder la télévision ou un écran de cinéma avec la tête relevée (84),
— lire à plat ventre, nuque en extension (85),

83

84

85

86
87
88

— porter de gros bigoudis tirant sur la racine des cheveux (86),

— frotter, frictionner ou masser violemment l'endroit douloureux (même par un kinésithérapeute),

— rester dans un courant d'air, ou le dos à une fenêtre ouverte ; attention au « filet d'air » dans une voiture,

— pratiquer une activité sportive ou physique (gymnastique, yoga, danse...) tant que vous avez mal,

— bouger la tête dans tous les sens (87),

— prendre une douche ou un bain froid,

— laver vos cheveux à l'eau froide, et surtout rester les cheveux mouillés,

— vous exposer à d'importantes vibrations (machines, moto ou voiture en terrain accidenté...),

— vous pendre à une barre ou à un espalier,

— dormir sur le ventre, ou avec un traversin ou un oreiller volumineux,

— porter des charges lourdes d'un seul côté (88).

Attitudes :

— bougez le moins possible,

— relaxez-vous au chaud, portez une écharpe, un col roulé ou, mieux, une minerve (89),

— assise ou couchée, rentrez le menton pour allonger la nuque (90),

— dormez avec un foulard en soie ou en mousseline autour du cou.

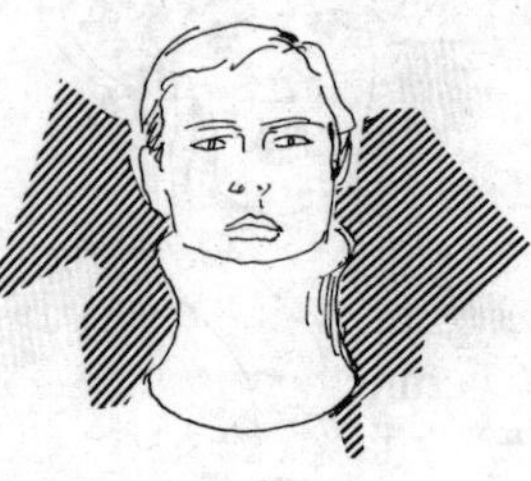

89

Trousse d'urgence :

— aspirine vitamine C à prendre deux à trois fois par jour au cours des repas, si vous la supportez.

Pour les soins :

(en pharmacie)

— une pommade anti-inflammatoire,

— un emplâtre américain,

— du Synthol, liquide ou en gel.

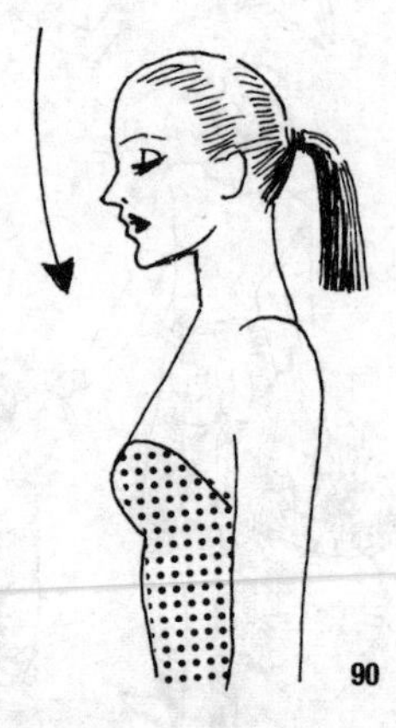

90

Remèdes :

— mettez votre nuque au chaud immédiatement,

— si c'est possible, exposez votre cou et votre dos au soleil, sans oublier de vous protéger avec une crème solaire,

— si vous êtes au bord de la mer et s'il fait très chaud (27 ou 28°), laissez-vous flotter sur le dos,

— passez de l'air chaud sur la zone douloureuse avec un sèche-cheveux pendant cinq à six minutes, et recommencez toutes les deux heures (91),

— faites des séances d'infrarouges dans un cabinet ou un institut de soins,

— prenez, deux fois par jour, un bain chaud dans lequel vous aurez ajouté deux grosses poignées de sel marin et cinq comprimés d'aspirine vitamine C,

— portez une minerve pour protéger vos vertèbres cervicales.

91

Les premiers soins :

— appliquez sur la région douloureuse un cataplasme d'argile chaude – ou, à défaut, une serviette imbibée de Synthol liquide – pendant vingt minutes, matin et soir, puis mettez un emplâtre américain.

— si vous le supportez, appliquez sur une serviette en papier un cataplasme de moutarde, puis enveloppez votre nuque d'une serviette chaude. À faire matin et soir pendant quinze minutes.

À faire soi-même ou à faire faire par un proche :

— appliquez légèrement une crème décontractante.

— imposez les paumes des mains sur toute la nuque et la gorge, et massez extrêmement doucement avec toute la paume et le bout des doigts, sans déplacements.

L'idéal est de pratiquer ce traitement, si on le peut, dans une baignoire d'eau salée et chaude à laquelle on aura ajouté cinq comprimés d'aspirine vitamine C.

Assise très confortablement, appuyez vos coudes sur la table sur laquelle vous aurez préalablement posé une serviette. La tête doit rester très souple. Les mains enveloppent la nuque.

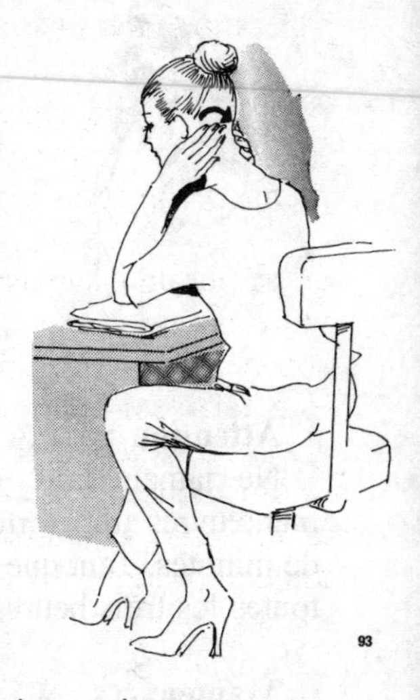

93

Respirez très lentement pendant trois minutes, en comptant à peu près dix secondes pour l'inspiration, dix secondes pour l'expiration. Continuez à respirer à ce rythme tandis que les mains massent très doucement la région de la nuque en se déplaçant légèrement pendant deux minutes (93).

Pendant ces cinq minutes, vous aurez pu sentir les zones douloureuses et de tension.

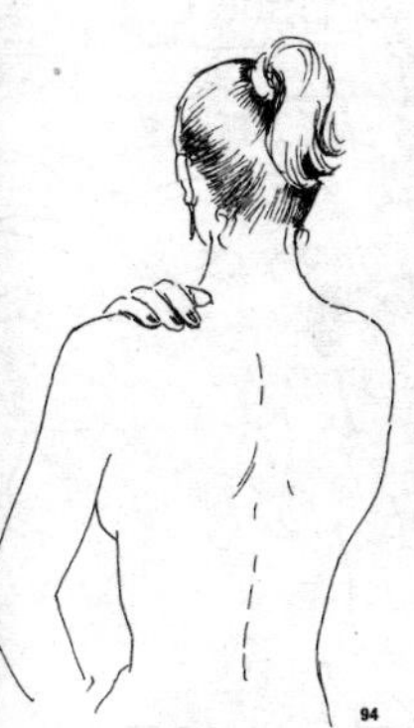

94

Du bout de deux doigts – l'index et le majeur – traitez ces points douloureux en manœuvres de digitopuncture : vibrations, puis pressions et vibrations, puis pressions et rotations dans le sens des aiguilles d'une montre.

Sous les doigts on sent les tendons comme de petites boules sur lesquelles les doigts restent une trentaine de secondes (94).

Ensuite on effectuera des manœuvres de :

— pincé-roulé au niveau des trapèzes,

— malaxage et pétrissage sur l'épaule.

95

Enfin on fera un massage de toute la tête, les mains épousant complètement le crâne, en manœuvres douces de pressions et de rotations, accompagnées de vibrations (95).

Attention :

Ne jamais faire de frictions. Ne jamais faire de manœuvres trop fortes. Le traitement dure une dizaine de minutes. Tant que la douleur persiste, on peut le faire toutes les trois heures.

Manœuvres à exécuter dans une mer – ou piscine – chaude

L'eau arrivant à hauteur du menton en station debout, marchez en étirant les bras l'un après l'autre. Faites en même temps de très légères rotations du tronc qui doit rester souple.

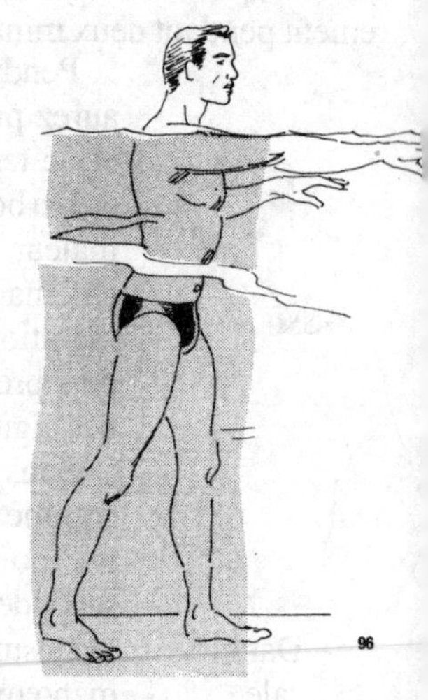

96

Cet exercice est particulièrement indiqué en cas de névralgie cervico-brachiale, névrite, périarthrite, arthrose de la nuque ou du haut du dos, même lorsque de nombreux traitements ont échoué (96).

Douleurs cervicales

QUI CONSULTER	LES TRAITEMENTS
— Médecin physique — Rhumatologue	anti-inflammatoires manipulations infiltrations mésothérapie
— Acupuncteur	acupuncture
— Ostéopathe	traitements manuels doux élongations mobilisations manipulations
— Kinésithérapeute	infrarouges bains de boue et cataplasmes chauds élongations massages électrothérapie poulithérapie rééducation

Dans tous les cas, rappelez-vous que la région cervicale est la plus fragile. Quelles que soient les manœuvres, elles doivent être douces, non traumatisantes, et ne provoquer aucune douleur.

PREMIÈRE SÉANCE : QUINZE MINUTES

97

Le patient est assis, les bras croisés sur une table, la tête posée sur ses bras. Le « thérapeute » est debout.

1. Effleurages : une minute

Effleurages très légers sur le cou et les épaules, pratiqués sans crème ni huile, dans un mouvement circulaire, les mains restant en contact permanent avec le patient (97).

2. Pressions : deux minutes

Manœuvres de pression très douces, avec une seule main sur la nuque, avec les deux mains sur les trapèzes, pratiquées avec une crème anti-inflammatoire pour détendre et décontracter (98).

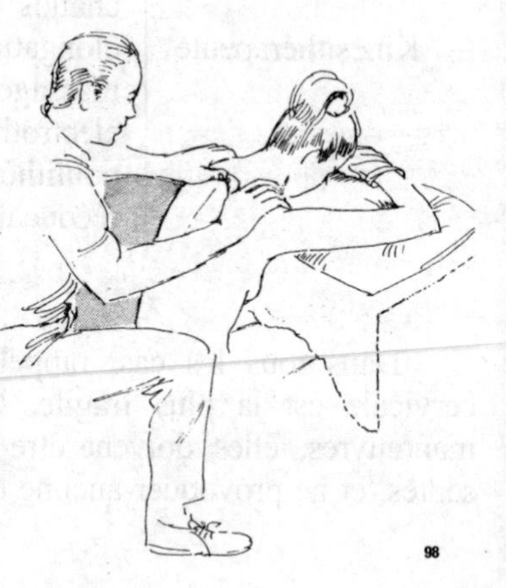

98

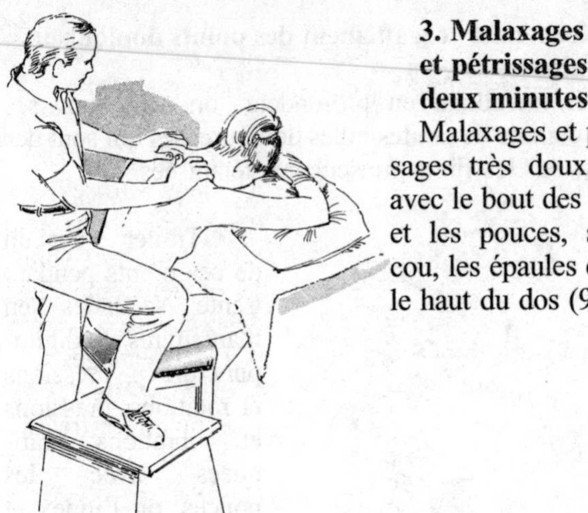

99

3. Malaxages et pétrissages : deux minutes

Malaxages et pétrissages très doux, faits avec le bout des doigts et les pouces, sur le cou, les épaules et tout le haut du dos (99).

4. Manœuvres de glissées profondes : une minute

Les pouces étant placés de chaque côté de la colonne vertébrale, faire une dizaine de manœuvres de glissées, de la région dorsale haute à la base du crâne (100).

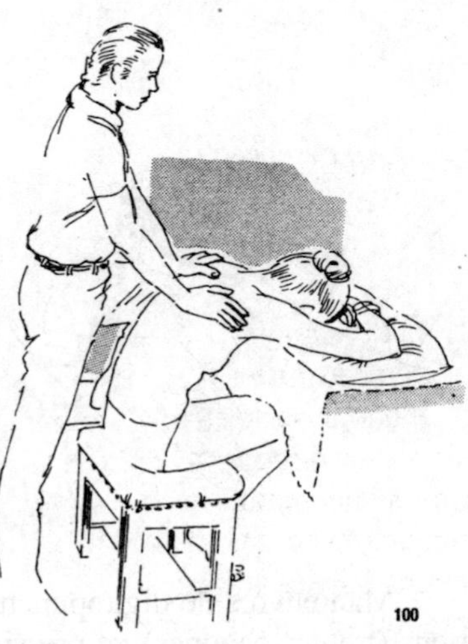

100

5. Recherche et traitement des points douloureux : trois minutes

En travaillant en profondeur, on sent sous ses doigts comme de petites billes douloureuses qui sont des nodules sur les fibres musculaires tétanisées.

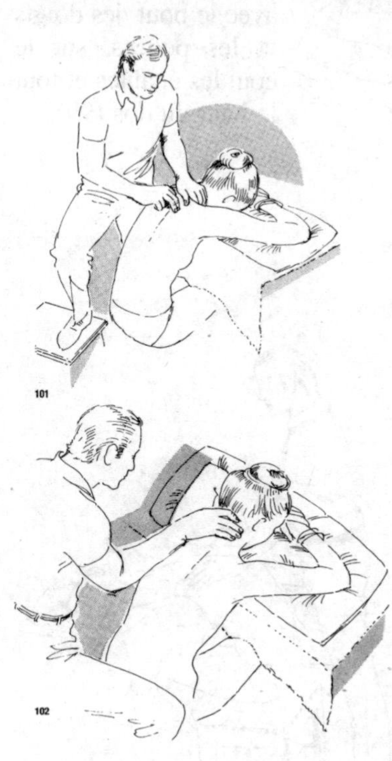
101

102

Traiter chacun de ces points pendant trente secondes en manœuvres de digitopuncture : pressions et rotations, pressions et vibrations pratiquées avec les pouces, ou l'index et le majeur (101).

Ces points douloureux se situent généralement dans la région des trapèzes, au pourtour de l'omoplate, et de chaque côté de la colonne vertébrale.

6. Traitement des points d'Arnold : deux minutes

Manœuvres de digitopuncture en pressions et rotations (trente secondes), et pressions et vibrations (trente secondes) sur les points d'Arnold situés à la base de l'occiput, qui commandent le nerf innervant tout le cuir chevelu (102).

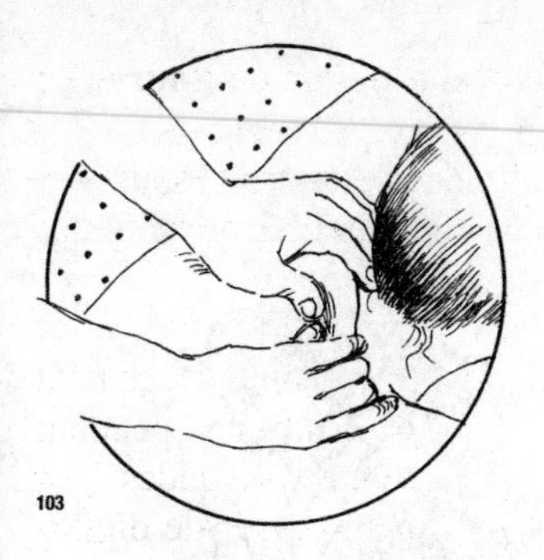

103

7. Pincé-roulé : deux minutes

Manœuvres de pincé-roulé sur toute la nuque, de la région dorsale haute jusqu'au haut du cou (103).

8. Imposition des mains : deux minutes

Imposer les mains sur la nuque du patient pour régulariser son énergie et le détendre (104).

104

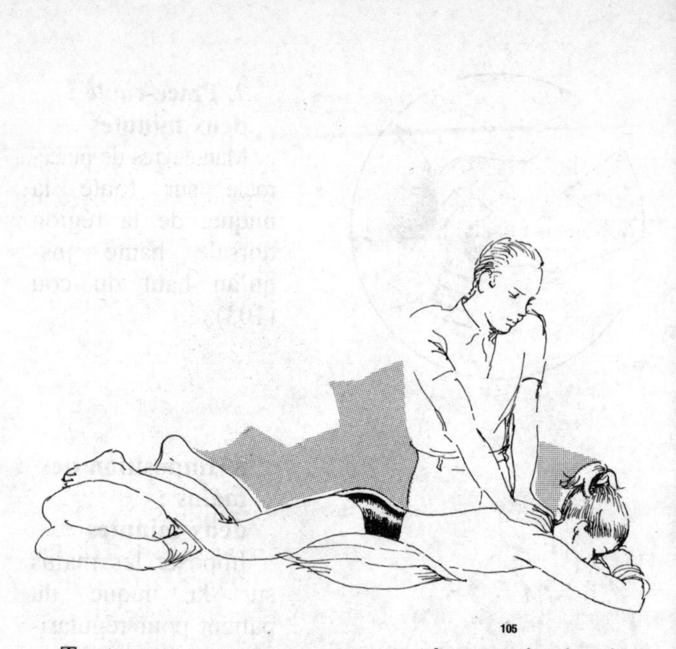
105

Toutes ces manœuvres peuvent être pratiquées également sur un patient allongé sur le ventre, le front reposant sur ses bras croisés. Un coussin sera glissé sous son ventre, deux autres sous ses jambes (105).

Le patient est allongé sur le dos, jambes fléchies reposant sur deux coussins. Le soignant est derrière lui, debout ou assis.

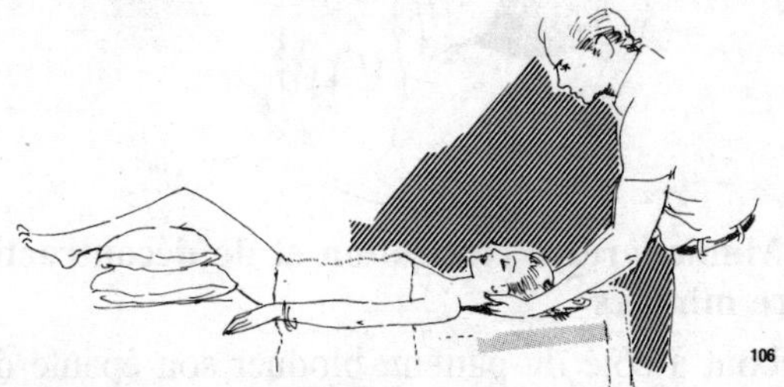

1. Imposition des mains : une minute

Imposition des mains d'abord placées sous la nuque (qui doit être très souple) puis déplacées très légèrement pour détendre le patient et créer une sorte d'osmose entre lui et le soignant avant d'entamer le traitement (106).

2. Malaxages et pétrissages : deux minutes

Manœuvres extrêmement douces de malaxage et de pétrissage sur tous les muscles du cou (nuque, gorge, côtés). Les mains sont glissées sous la nuque et l'ensemble de la main, paume et bout des doigts, travaille du bas du cou à la base du crâne (107).

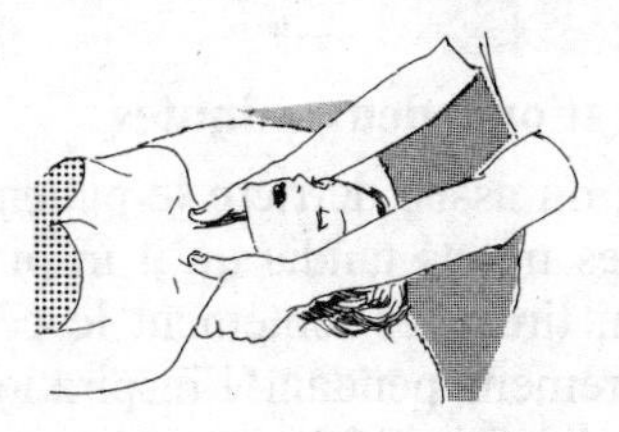

3. Recherche et traitement des points douloureux : trois minutes

Rechercher les points douloureux, et les traiter en manœuvres de digitopuncture.

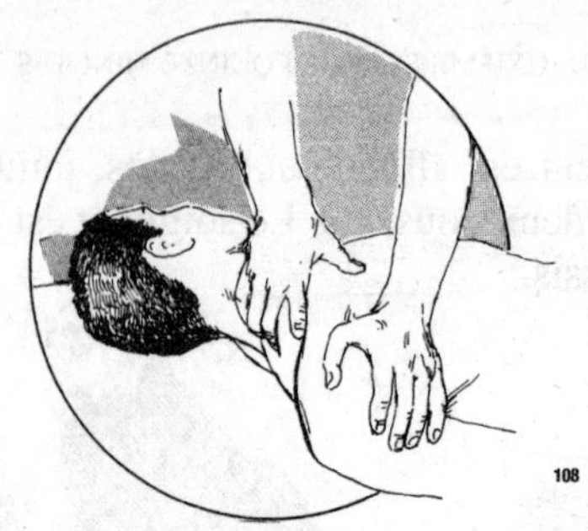

108

4. Manœuvres d'élongation et de décontraction : quatre minutes

Debout à côté du patient, bloquer son épaule d'une main, agripper de l'autre la masse musculaire du cou, et exécuter doucement des manœuvres de pétrissage et d'étirement. Ces manœuvres doivent être faites doucement, sur un rythme régulier et lent. Elles sont faites ensuite de l'autre côté (108).

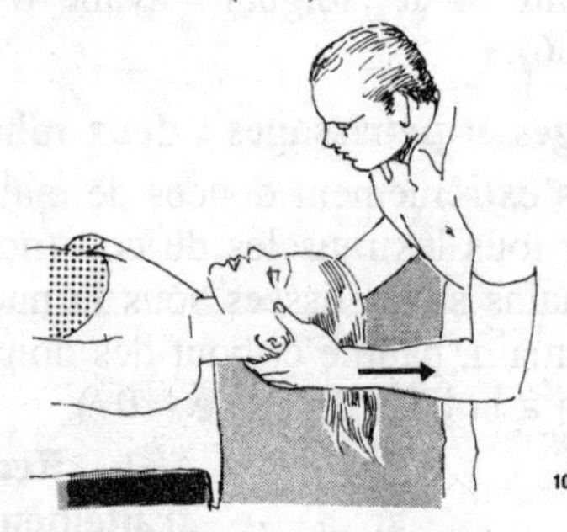

109

5. Manœuvres d'élongation : deux minutes

Le soignant est debout, ou assis, derrière le patient. Prendre sa nuque à pleines mains tandis qu'il inspire puis, pendant l'expiration, tirer très lentement le cou vers vous. Relâcher l'étirement pendant l'inspiration suivante, et recommencer dix fois (109).

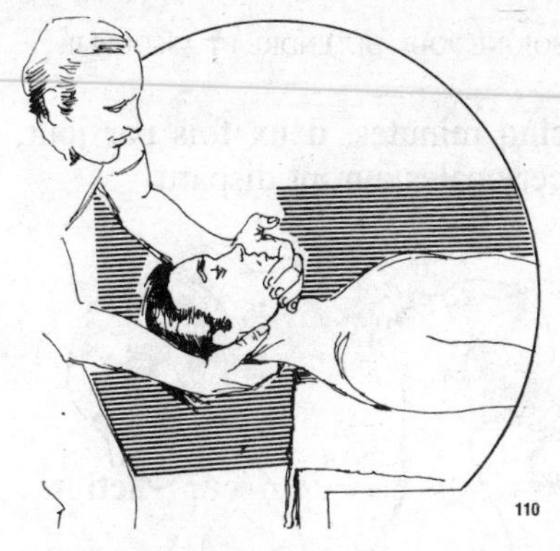

110

6. Manœuvres d'élongation soutenue : une minute

Une main derrière la nuque du patient, l'autre soutenant son menton, tirer lentement, sans forcer, le cou vers vous en maintenant cet étirement le temps d'une inspiration et d'une expiration (110).

7. Massage de la tête : une minute

Prendre la tête à pleines mains et masser du bout des doigts en mouvements de rotation très doux. Déplacer les mains sans glisser (111).

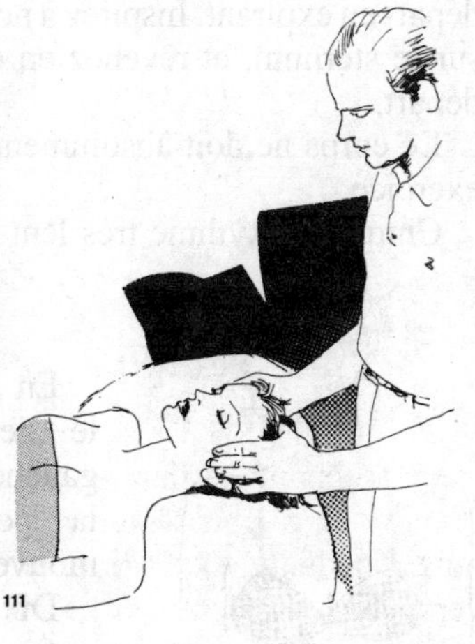

111

8. Imposition des mains : une minute

Exercices à faire cinq minutes, deux fois par jour, lorsque les douleurs cervicales auront disparu.

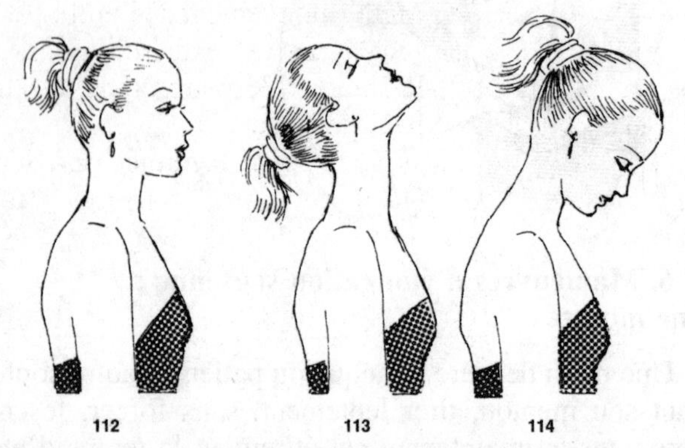

112 113 114

En inspirant tout doucement par le nez, portez sans forcer votre tête en arrière ; revenez à la position de départ en expirant. Inspirez à nouveau ; portez le menton sur le sternum, et revenez en expirant à la position de départ.

Le corps ne doit absolument pas bouger pendant cet exercice.

Cinq fois. Rythme très lent (112 à 114).

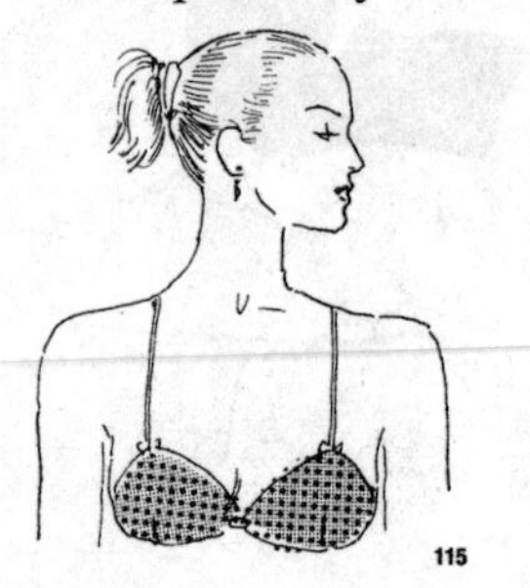

115

En inspirant doucement par le nez, tournez la tête à gauche. En expirant, revenez à la position initiale. Même mouvement de l'autre côté.

Dix fois. Rythme lent (115).

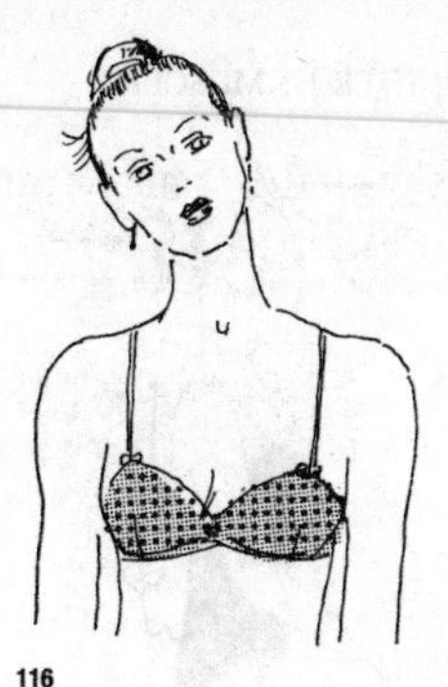

116

En inspirant tout doucement, inclinez votre tête vers l'épaule droite, sans forcer. En expirant, revenez à la position de départ. Même mouvement de l'autre côté.

Pendant cet exercice, poussez le sommet de votre crâne le plus haut possible.

Cinq fois. Rythme très lent (116).

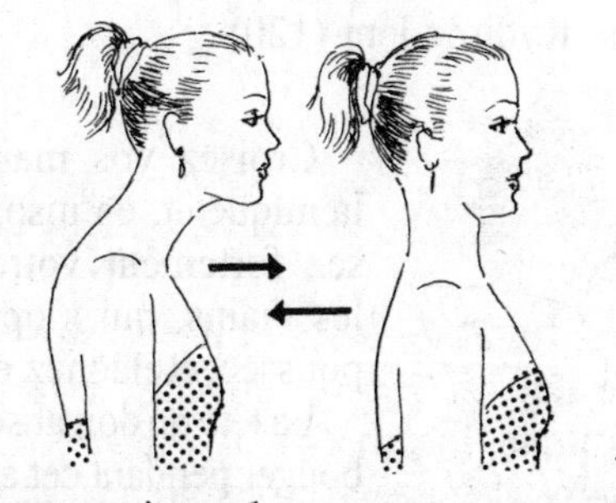

117 118

En inspirant, pointez le menton en avant ; en expirant, rentrez-le complètement.

Dix fois. Rythme lent (117 et 118).

Faites un mouvement de rotation complet de la tête sans forcer, surtout vers l'arrière. Faites-le dans un sens puis dans l'autre. Inspirez sur une rotation complète, expirez sur une rotation complète dans l'autre sens.

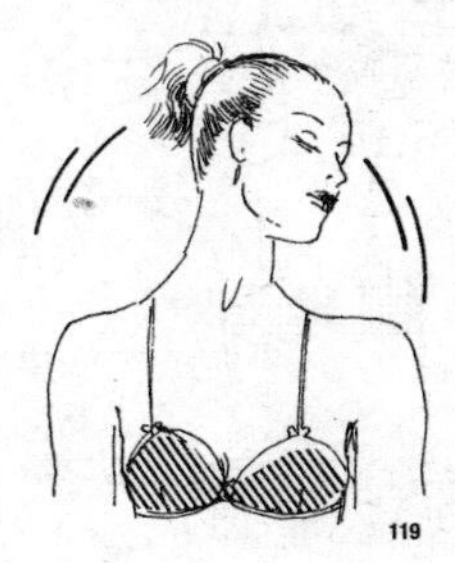

119

Dix fois. Rythme lent (119).

Une main posée contre le front en inspirant, poussez fortement votre tête contre votre main, celle-ci opposant une résistance à cette poussée.

En expirant, relâchez. La tête ne doit absolument pas bouger pendant cet exercice.

Cinq fois. Rythme lent (120).

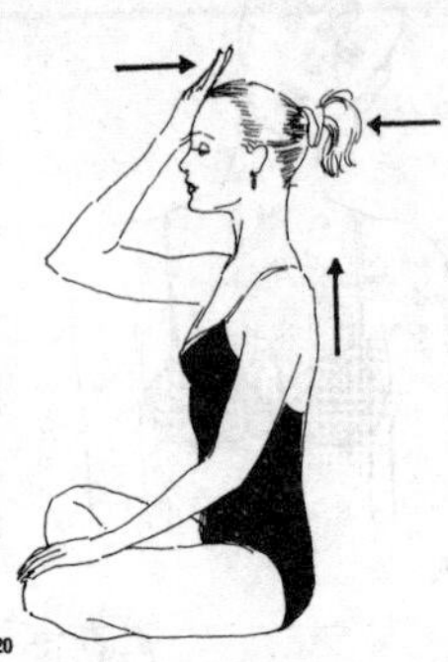
120

Croisez vos mains derrière la nuque et, en inspirant, poussez fortement votre tête dans les mains, qui s'opposent à la poussée. Relâchez en expirant.

La tête ne doit absolument pas bouger pendant cet exercice.

Cinq fois. Rythme lent (121).

121

Tête bien droite, mains enserrant la tête, en inspirant poussez fortement la tête contre la main droite, celle-ci s'opposant très fermement à la poussée. Relâchez en expirant. Inspirez à nouveau et faites la même chose de l'autre côté.

La tête ne doit absolument pas bouger pendant cet exercice.

Cinq fois. Rythme lent (122).

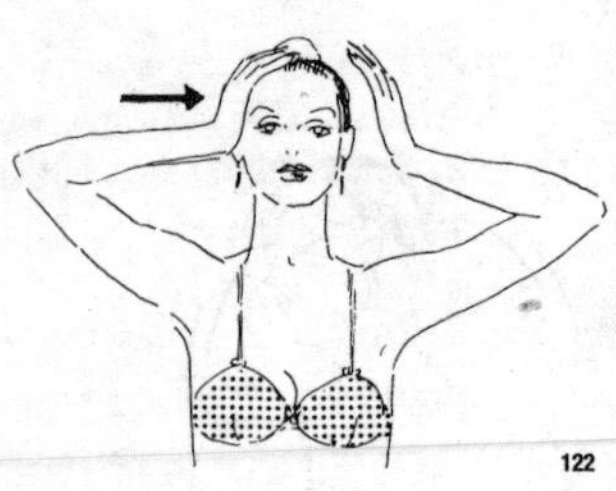
122

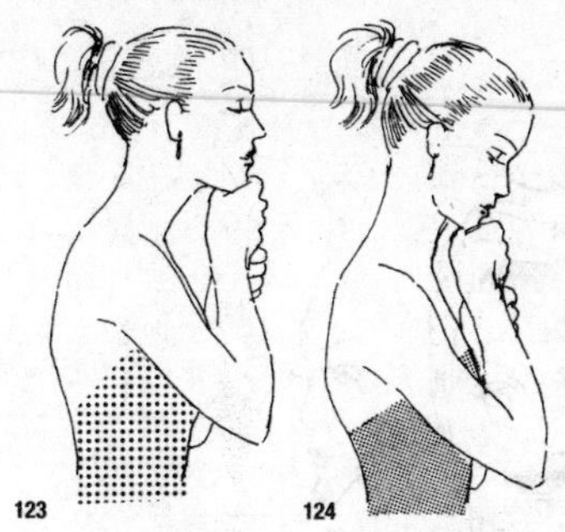

123 124

Placez vos poings l'un sur l'autre sous votre menton, puis, en opposant une forte résistance des deux poings, essayez d'abaisser votre menton sur le sternum.

Cinq fois. Rythme lent (123 et 124).

125

Doigts croisés sur la tête, coudes écartés, dos droit. Inspirez en poussant le sommet de la tête contre une forte opposition des bras. Expirez en relâchant.

Cinq fois. Rythme lent (125).

Avec une serviette, inspirez en tirant la serviette devant vous contre une forte opposition de la nuque. Expirez en relâchant.

Cinq fois. Rythme lent (126).

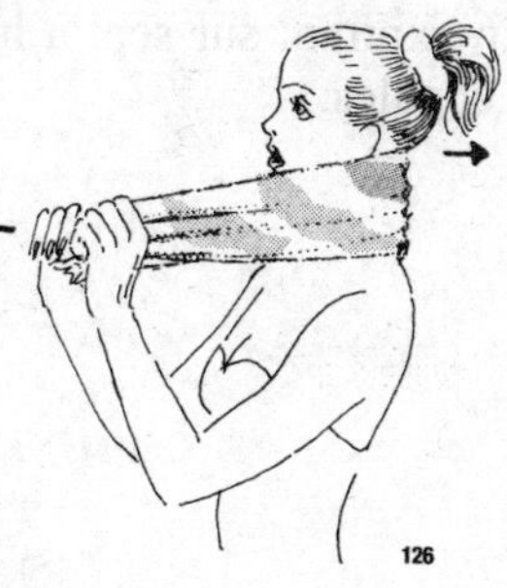

126

En inspirant lentement sur sept à huit secondes, montez vos épaules le plus haut possible. Tournez votre tête à droite, puis à gauche.

Quatre fois. Rythme lent.

En expirant sur sept à huit secondes, laissez tomber vos épaules.

À proscrire pour les cervicales :

— les rotations,
— les inclinaisons forcées en avant, en arrière ou de côté.

Les meilleurs sports

Dos crawlé ou nage indienne dans une eau tiède, jamais froide.

À proscrire :

— la brasse,
— le yoga et la gymnastique classique,
— l'aérobic,
— la danse moderne,
— les arts martiaux et sports de combat,
— le rugby.

2

DOULEURS DORSALES

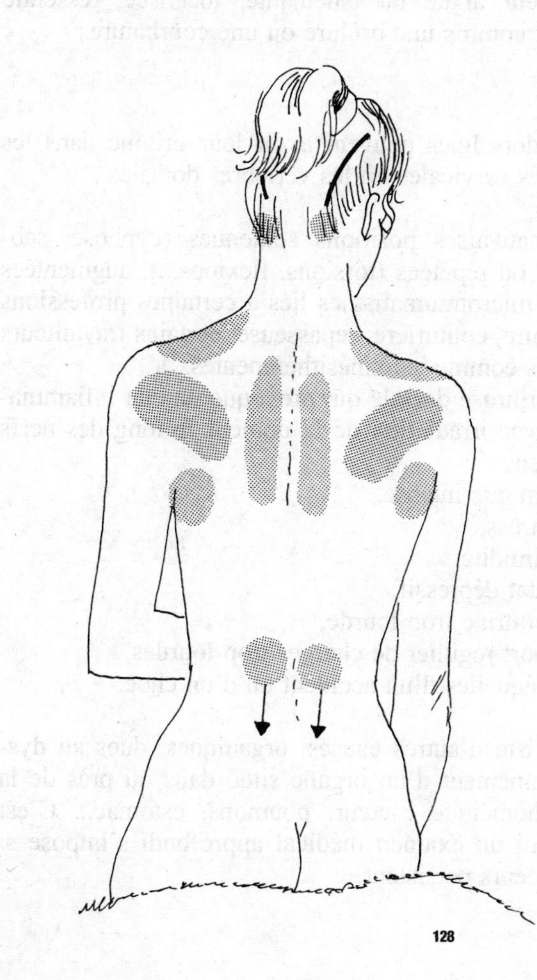

Dorsalgies

Symptôme :

Douleur aiguë ou lancinante, localisée, ressentie souvent comme une brûlure ou une courbature.

Causes :

Les dorsalgies peuvent avoir leur origine dans les vertèbres cervicales ou les vertèbres dorsales :

— mauvaises positions soutenues (cyphose, scoliose...) ou répétées (torsions, flexions...), augmentées par les microtraumatismes liés à certaines professions (secrétaire, couturière, repasseuse, certains travailleurs manuels comme les kinésithérapeutes...),
— arthrose dorsale qui provoque un état inflammatoire, avec irradiation de la douleur le long des nerfs rachidiens,
— fatigue intense,
— stress,
— timidité,
— état dépressif,
— poitrine trop lourde,
— port régulier de charges trop lourdes,
— séquelles d'un accident ou d'un choc.

Il existe d'autres causes, organiques, dues au dysfonctionnement d'un organe situé dans ou près de la cage thoracique : cœur, poumons, estomac... C'est pourquoi un examen médical approfondi s'impose si les douleurs persistent.

— vous pencher en avant ou vous retourner brusquement,

— faire craquer vos vertèbres,

— frotter, frictionner ou masser violemment l'endroit douloureux (même par un kinésithérapeute),

— porter des charges lourdes, surtout en vous baissant ou au contraire les bras au-dessus de la tête,

— exposer votre dos au froid ou aux courants d'air,

— prendre une douche ou un bain froid,

— pratiquer une activité physique ou sportive quand vous avez mal,

— rester longtemps voûté, penché très en avant (en écrivant, par exemple) ou incliné trop en arrière (129 et 130),

— vous exposer à d'importantes vibrations,

— dormir à plat ventre, ou avec un traversin ou un oreiller trop volumineux,

— dormir dans un lit mou,

— lire à plat ventre, nuque en extension,

— accumuler fatigue et stress,

— conduire longtemps sans vous reposer.

129

130

Attitudes :

— reposez-vous au chaud,

— bougez le moins possible,

— allongez-vous sur une couverture, chauffante de préférence, bien à plat, les jambes légèrement fléchies (glissez un coussin sous vos genoux).

Trousse d'urgence :

Aspirine vitamine C, deux ou trois fois par jour au cours des repas.

Pour les soins :

— une pommade anti-inflammatoire,

— un emplâtre américain,

— du Synthol liquide ou en gel.

Remèdes :

— mettez votre dos au chaud immédiatement,

— si c'est possible, exposez votre cou et votre dos au soleil, sans oublier de vous protéger avec une crème solaire,

— si vous êtes au bord de la mer et s'il fait très chaud (27 ou 28°), laissez-vous flotter sur le dos (131),

— passez de l'air chaud sur la zone douloureuse avec un sèche-cheveux pendant cinq à six minutes, et recommencez toutes les deux heures,

— faites des séances d'infrarouges dans un cabinet ou un institut de soins,

131

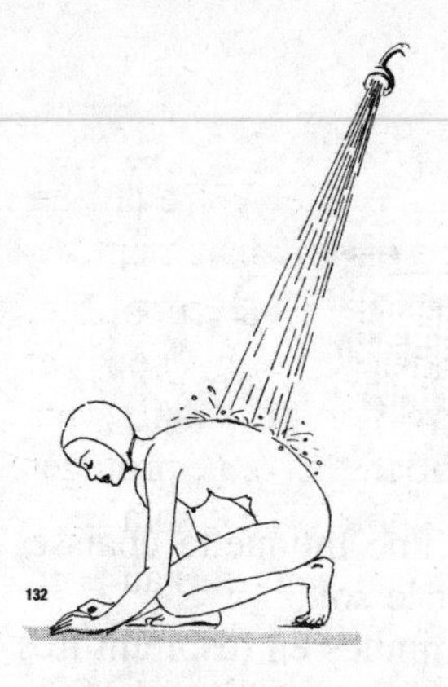

— prenez, deux fois par jour, un bain chaud dans lequel vous aurez ajouté deux grosses poignées de sel marin et cinq comprimés d'aspirine vitamine C,

— prenez une douche chaude en position accroupie (132),

— entourez votre thorax d'une large bande Velpeau après avoir mis un emplâtre américain.

Les premiers soins :

— appliquez sur la région douloureuse un cataplasme d'argile chaude – ou, à défaut, une serviette imbibée de Synthol liquide – pendant vingt minutes, matin et soir, puis mettez un emplâtre américain,

— si vous le supportez, appliquez sur une serviette en papier un cataplasme de moutarde, puis enveloppez votre dos d'une serviette chaude. À faire matin et soir pendant quinze minutes.

À faire faire par un proche :

— appliquez légèrement une crème décontractante,

— imposez les paumes des mains sur tout le dos, et massez extrêmement doucement avec toute la paume et le bout des doigts, sans déplacements.

À faire soi-même :

Il est impossible, pour des raisons évidentes, de soigner soi-même la partie médiane de son dos.

En revanche, les six exercices suivants vous aideront à détendre et assouplir cette partie de la colonne vertébrale.

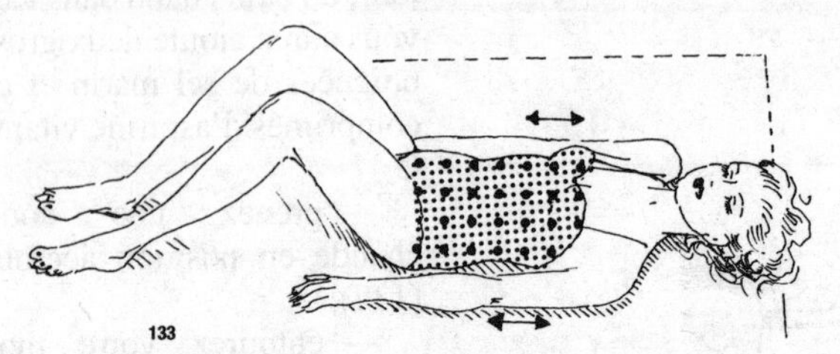
133

1. Allongée sur un tapis ou une moquette épaisse, jambes fléchies, pieds à plat sur le sol.

Détendez-vous deux à trois minutes en respirant très doucement. Comptez dix secondes pour l'inspiration, dix secondes pour l'expiration.

Pendant l'inspiration, effectuez une légère reptation en glissant votre épaule gauche vers le cou, faites de même avec l'épaule droite pendant l'expiration. Le dos reste bien collé au sol, les bras sont détendus le long du corps, le menton est baissé vers la poitrine (133).

134

2. Allongée sur le dos, jambes écartées et fléchies, posez un coussin sur votre poitrine et croisez les mains dessus.

Inspirez en gonflant la poitrine au maximum, vos bras tentant de s'y opposer, et enfoncez en même temps votre dos dans le sol.

Allongez votre nuque et posez le menton sur la poitrine (134).

Expirez en relâchant.

3. Appuyez-vous dos au mur, jambes écartées et fléchies loin du mur, les bras souples, les mains posées sur les cuisses.

Restez dans cette position deux à trois minutes tout en « enfonçant » votre dos dans le mur à chaque inspiration et expiration.

Détendez-vous ensuite pendant quelques minutes (135).

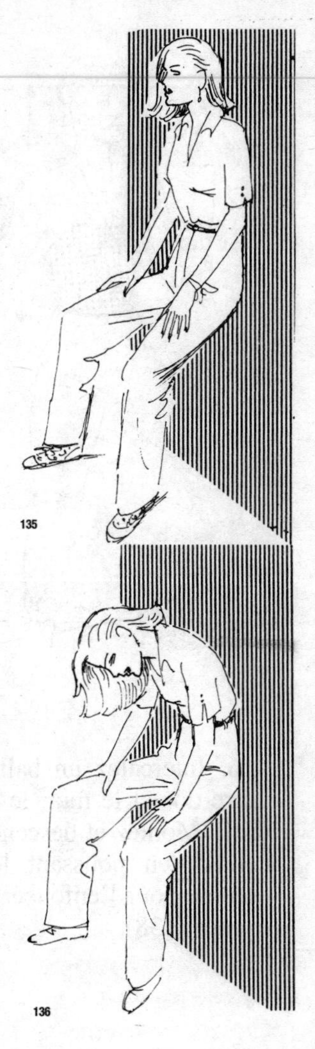
135

136

4. Rapprochez cette fois les pieds du mur.

Pendant l'inspiration, appuyez tout le dos contre le mur, de la nuque aux vertèbres lombaires.

Pendant l'expiration, arrondissez le haut du dos en laissant tomber la tête sur la poitrine, puis basculez le bassin vers le haut en serrant les fessiers et enfoncez dans le mur la partie dorsale (136).

Le même exercice peut être fait en calant un coussin derrière le dos et en serrant un autre coussin sur la poitrine.

137

5. Bras en chandelier et dos collés au mur, inspirez en « enfonçant » votre dos et vos avant-bras dans le mur, en montant. Expirez en descendant doucement, jambes fléchies (137).

6. Intercalez un ballon entre votre dos et le mur, le dos bien droit. Montez et descendez doucement en poussant le ballon comme pour l'enfoncer dans le mur (138).

138

Douleurs dorsales

QUI CONSULTER	LES TRAITEMENTS
— Médecin physique — Rhumatologue	anti-inflammatoires manipulations infiltrations mésothérapie
— Acupuncteur	acupuncture
— Ostéopathe	traitements manuels doux élongations mobilisations manipulations
— Kinésithérapeute	infrarouges bains de boue et cataplasmes chauds élongations massages électrothérapie poulithérapie rééducation

PREMIÈRE SÉANCE : VINGT MINUTES

Le patient est assis à califourchon sur une chaise, les bras croisés sur le dossier, le front posé sur ses bras.

Le soignant est assis derrière lui. Ses mains doivent rester en contact permanent avec le patient pendant toute la durée du traitement.

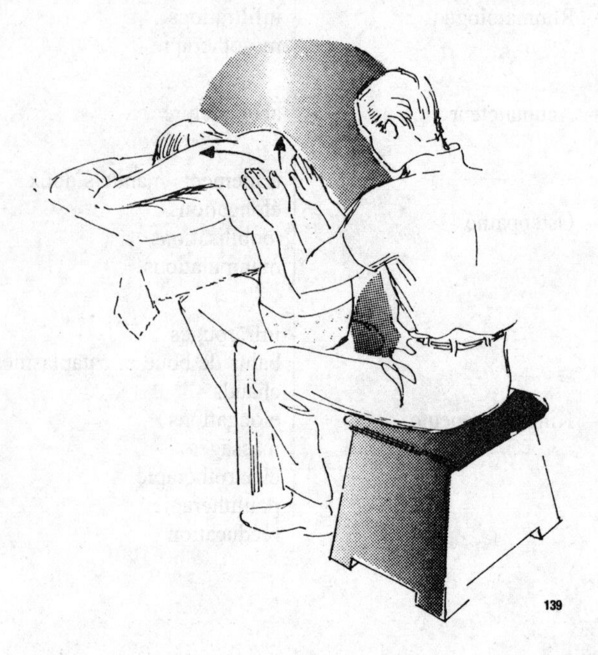
139

1. Effleurages : deux minutes

Effleurages très légers en mouvements circulaires sur toute la région dorsale (139).

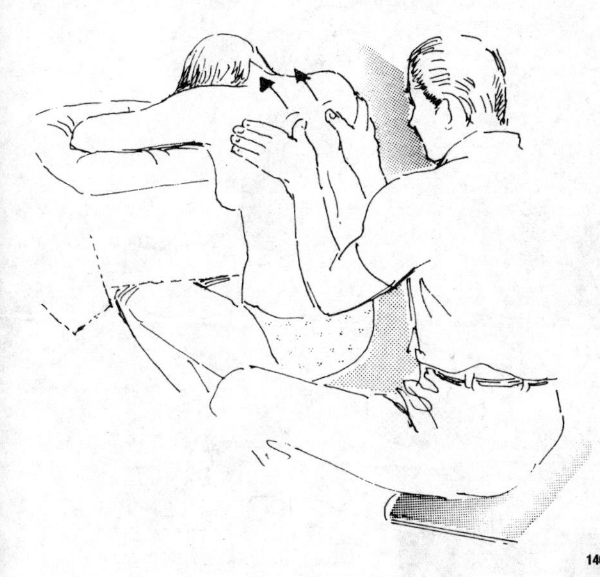

140

2. Manœuvres de glissées profondes : trois minutes

Les mains épousent le dos, les pouces placés de chaque côté des apophyses épineuses des vertèbres. Avec une crème au camphre, effectuer dix ou douze manœuvres de glissées profondes, en remontant des lombaires vers la nuque (140).

3. Pétrissages circulaires : trois minutes

Les mains gardent la même position pour effectuer des pétrissages circulaires avec les pouces, en remontant de la région lombaire vers la nuque (141).

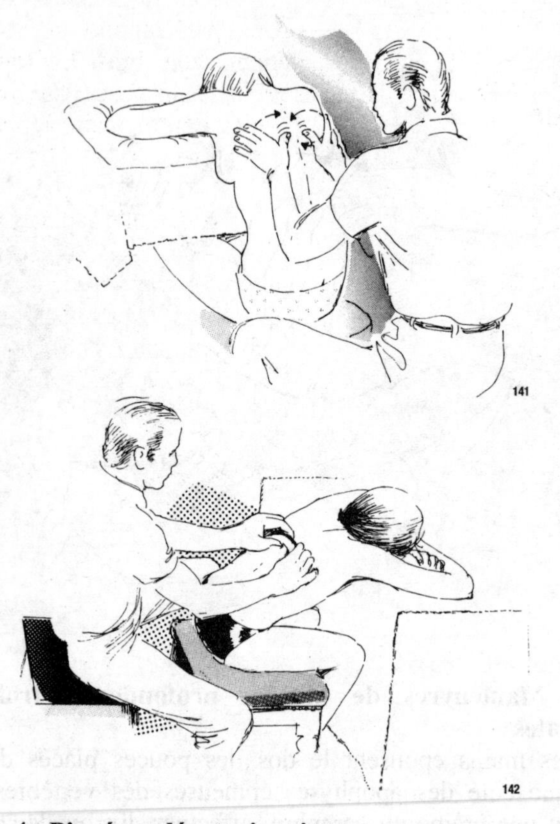
141

142

4. Pincé-roulé : trois minutes

Manœuvres de pincé-roulé des lombaires à la nuque, en veillant à ne pas provoquer de douleurs en cas de crise (142).

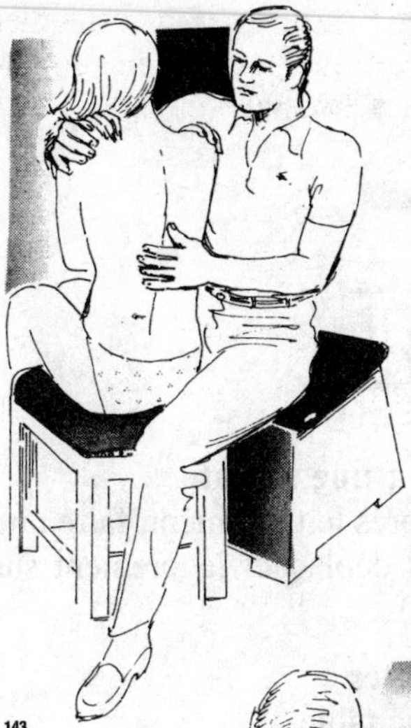

5. Vibrations : trois minutes

Le soignant se place de profil par rapport à son patient, son bras l'entourant, la main posée sur son épaule, l'autre main à plat sur son dos.

La main vibre à plat sur le dos, sans se déplacer, tout en essayant de décoller les vertèbres les unes par rapport aux autres (143).

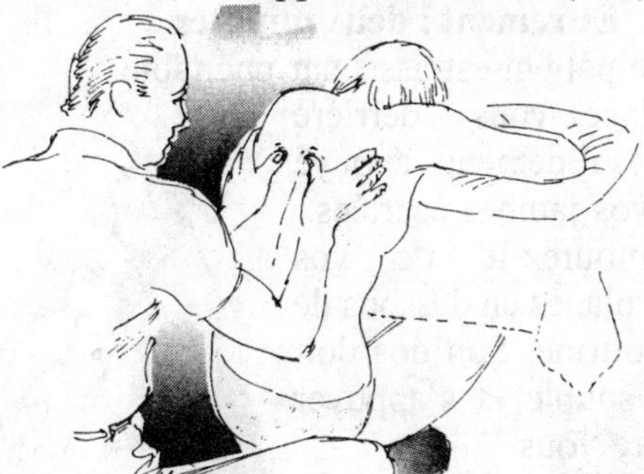

143

144

6. Digitopuncture : trois minutes

Traiter en digitopuncture tous les points douloureux situés autour des omoplates, en pressions et rotations dans le sens des aiguilles d'une montre, environ trente secondes à une minute chacun (144).

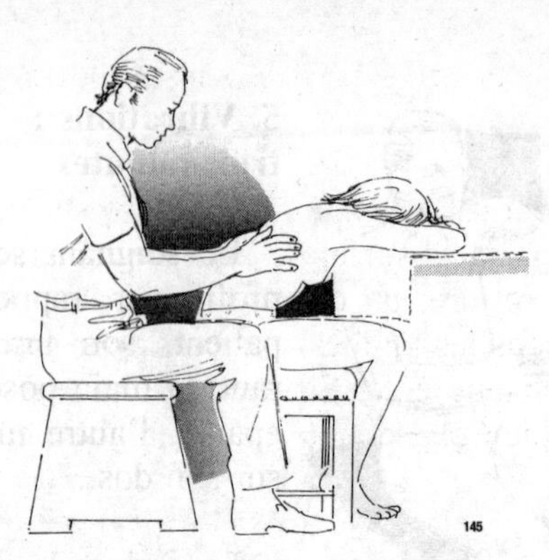

7. Imposition des mains : une minute

Pour détendre le patient après le traitement, faire une imposition des mains en les déplaçant légèrement sur toute la surface du dos (145).

8. Étirement : deux minutes

Le patient est assis sur une table.

Placez-vous derrière lui, solidement appuyé sur vos jambes écartées.

Entourez-le de vos bras placés en dessous de sa poitrine. Son dos doit être souple et s'appuyer contre vous.

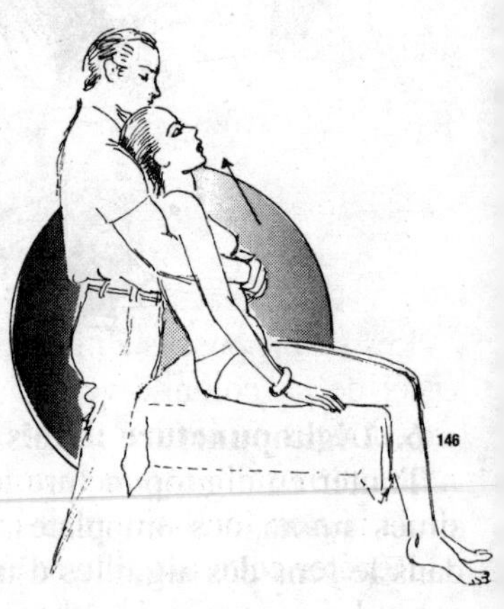

Il doit respirer lentement et profondément. Sur l'expiration, amenez-le vers vous.

Répétez le mouvement dix fois, très doucement (146).

Le patient est allongé sur le ventre sur une table ou sur le sol (jamais sur un lit) que vous aurez recouvert d'une couverture, un coussin glissé sous le ventre et un autre sous les jambes. Ses bras sont souples et ballants de chaque côté. Sa tête est tournée vers le soignant qui doit être debout ou à genoux à côté de lui.

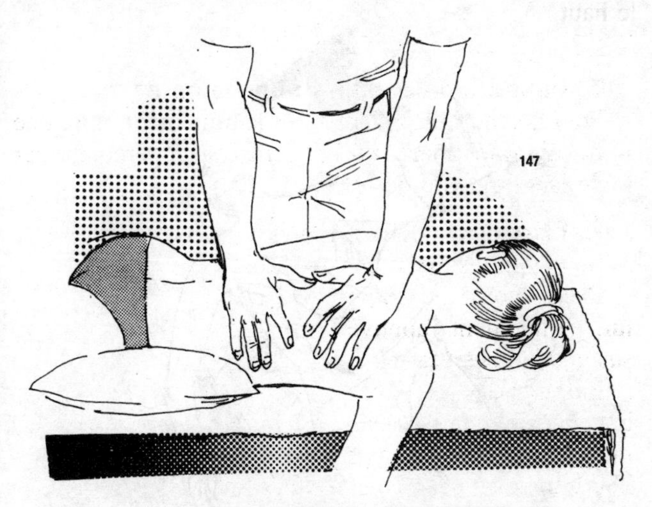

1. Manœuvres de détente : deux minutes

Les mains posées à plat de chaque côté, ou d'un seul côté, de sa colonne vertébrale, exercer des pressions très douces en évitant d'appuyer sur les apophyses épineuses (os saillants de la colonne). Déplacer les mains de la région lombaire vers la nuque, et recommencer.

Répéter cette manœuvre en changeant de côté (147).

2. Manœuvres d'assouplissement : deux minutes

Les mains gardent la même position et effectuent des pressions très douces accompagnées de légers déplacements (sans glisser) vers l'extérieur. Marquer deux à trois secondes d'arrêt en relâchant la pression, sans décoller les mains.

Recommencer cinq fois, puis déplacer les mains et effectuer la même manœuvre sur les différentes parties du dos en partant toujours du bas pour remonter vers le haut.

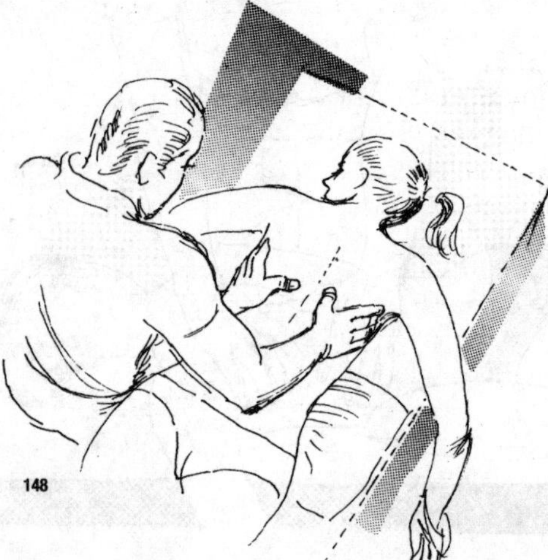

3. Digitopuncture : deux minutes

Faire, avec les pouces, sur les muscles paravertébraux, des manœuvres de pression et de rotation de dix à quinze secondes, en remontant des lombaires vers la nuque.

Ces manœuvres doivent être exécutées des deux côtés de la colonne vertébrale (148).

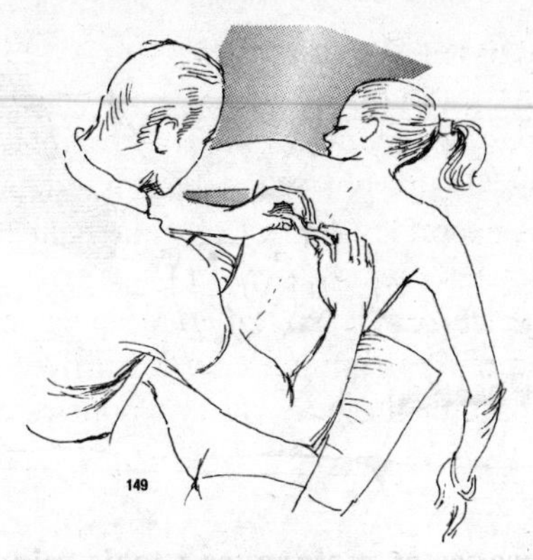

149

4. Pincé-roulé : deux minutes

Une main de chaque côté de la colonne vertébrale, faire des manœuvres de pincé-roulé, en allant du bas jusqu'en haut (149).

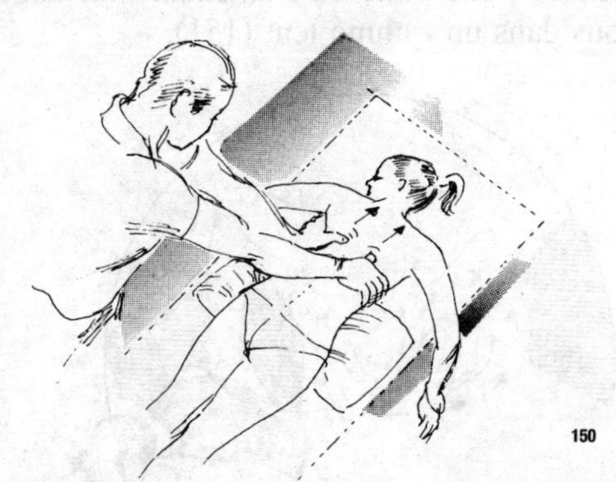

150

5. Manœuvres de glissées profondes : deux minutes

Les mains épousent le dos de chaque côté de la colonne vertébrale, les pouces placés de chaque côté de la colonne remontent en glissant vers la nuque dix à douze fois (150).

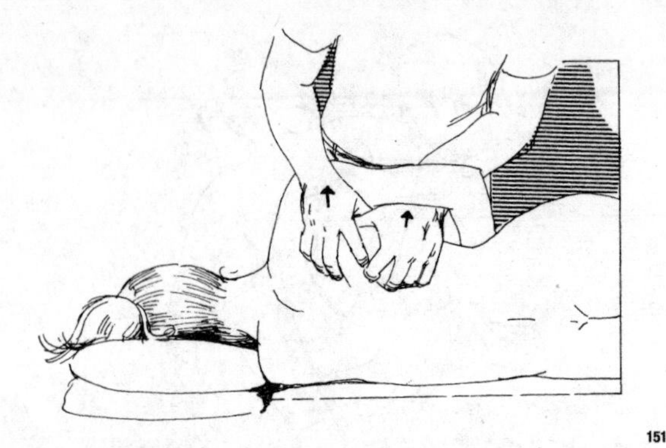

151

6. Pétrissages et malaxages : trois minutes

Le patient est allongé sur le côté.

Pratiquer des manœuvres de pétrissage et de malaxage sur les muscles paravertébraux.

Maintenir l'omoplate en l'amenant tout doucement vers vous dans un rythme lent (151).

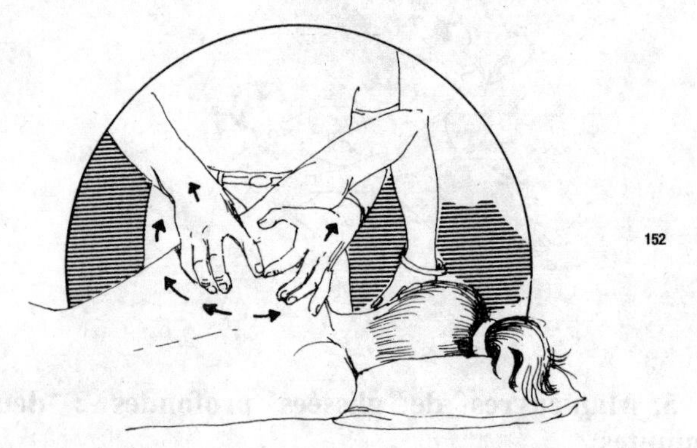

152

Puis, faire des manœuvres de rotation et d'élongation de plus en plus larges impliquant l'épaule. Changer de côté (152).

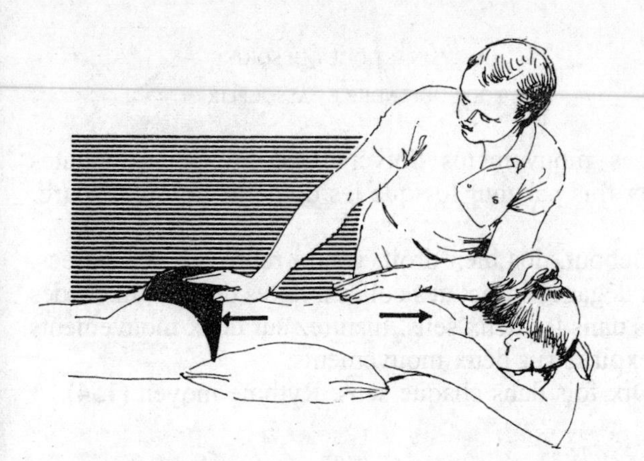
153

7. Manœuvres d'élongation : deux minutes

Faire une pression profonde sur la région dorsale et, sur l'expiration, faire une élongation en écartant les paumes des mains. Ces manœuvres doivent être douces et rythmées par la respiration du patient (153).

POUR DÉTENDRE ET ASSOUPLIR

Ces mouvements doivent être faits cinq minutes deux fois par jour lorsque les douleurs auront disparu.

Debout, dos bien droit, ventre rentré, fesses serrées, cou dégagé, omoplates collées, faites des moulinets des bras dans les deux sens. Inspirez sur deux mouvements et expirez sur deux mouvements.

Dix fois dans chaque sens. Rythme moyen (154).

Debout, jambes écartées, fesses serrées, ventre rentré.

Inspirez en inclinant légèrement le buste vers la gauche. Expirez en étirant le bras droit vers le ciel et le bras gauche vers le sol.

Cinq fois de chaque côté. Rythme lent (155).

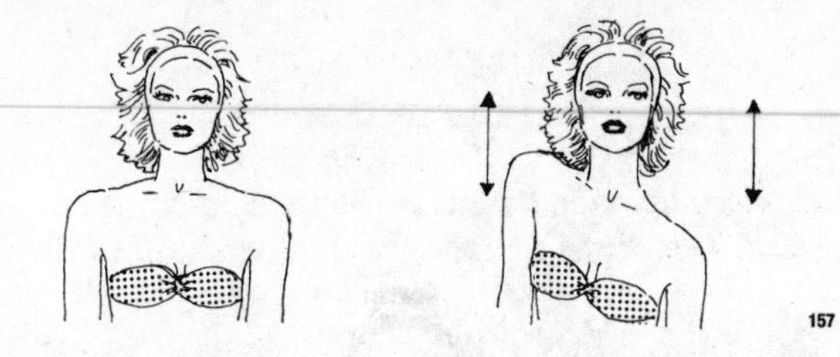

Debout ou assise, tête droite, ventre rentré, fesses serrées, bras le long du corps très souples, en inspirant levez une épaule vers l'oreille, en expirant relâchez. Recommencez de l'autre côté.

Cinq fois de chaque côté. Rythme lent (156 et 157).

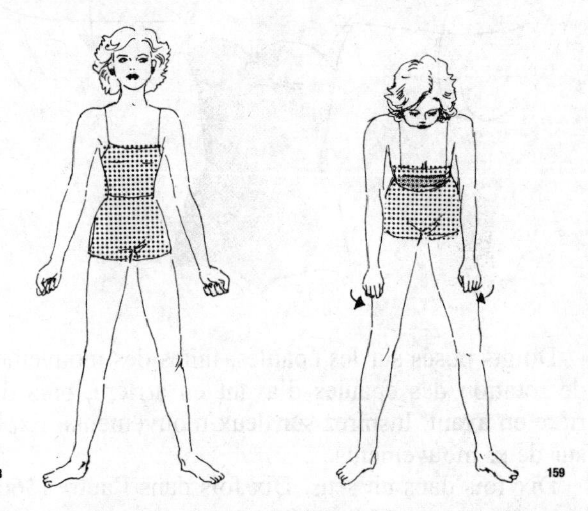

Debout, jambes écartées, dos droit, nuque longue, ventre rentré, bras le long du corps, poings serrés de face, inspirez. Expirez en arrondissant le dos, rentrez le ventre au maximum, tournez les bras, dos des mains de face.

Cinq fois. Rythme lent (158 et 159).

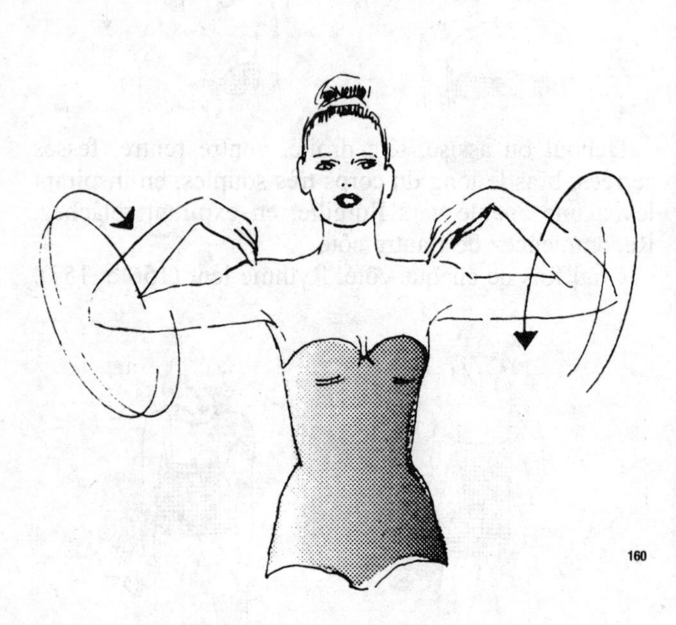
160

Doigts posés sur les épaules, faites des mouvements de rotation des épaules d'avant en arrière, puis d'arrière en avant. Inspirez sur deux mouvements. Expirez sur deux mouvements.

Dix fois dans un sens. Dix fois dans l'autre (160).

161

À genoux, assise sur les talons, dos bien droit, incliné à 45°, nuque longue, mains à plat sur le sol, à la hauteur des genoux, bras tendus.

En inspirant, dégagez la poitrine, portez vos mains aux épaules, coudes au corps, puis élevez vos bras très lentement le long des oreilles, paumes de mains ouvertes vers le ciel en imaginant que vous soulevez deux charges très lourdes.

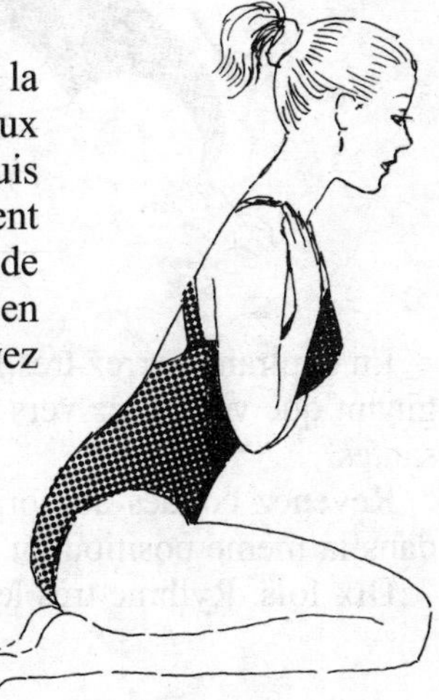

162

En expirant, serrez très fortement les poings en imaginant que vous tirez vers le bas deux forces très puissantes.

Revenez coudes au corps, puis mains à plat au sol dans la même position qu'au départ.

Dix fois. Rythme très lent (161 à 163).

Position de départ : coudes au corps, mains aux épaules, dos droit incliné à 45° ; en inspirant, écartez les bras en croix, serrez vos poings, et en expirant revenez coudes au corps.

Deux séries de cinq.

Rythme lent (164 et 165).

164

165

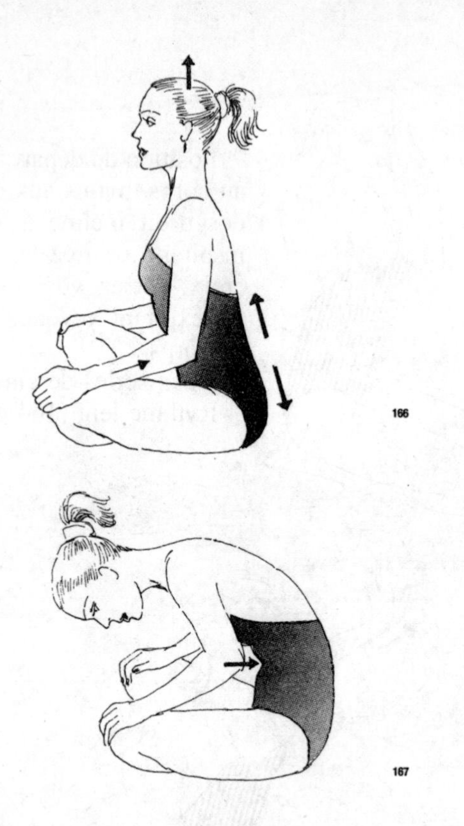

Assise en tailleur, mains posées sur les genoux, dos droit, nuque longue. Inspirez en penchant le buste légèrement vers l'avant. Tirez vers vous les jambes qui résistent en s'enfonçant dans le sol. Montez le dos droit, nuque longue, comme si un fil vous tirait par le sommet du crâne.

Expirez en arrondissant le dos, tête souple, ventre rentré.

Dix fois. Rythme lent (166 et 167).

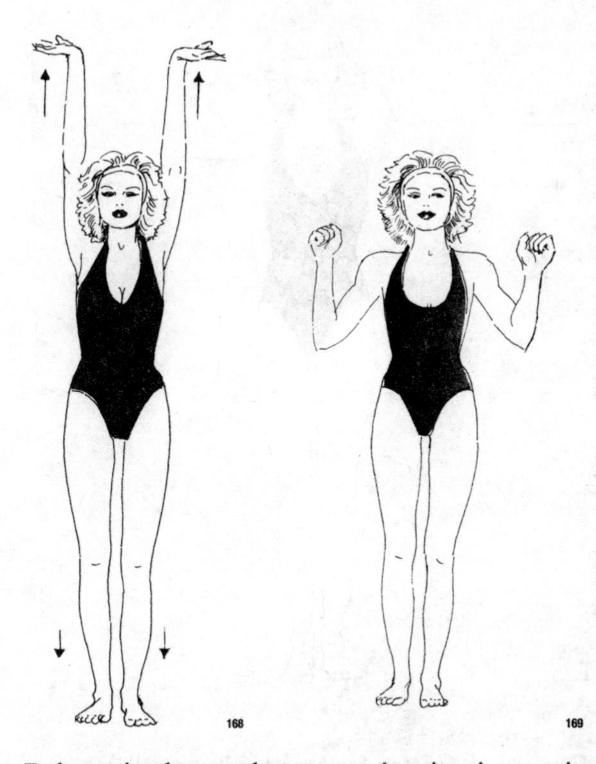
168 169

Debout, jambes tendues et serrées, inspirez en imaginant que vous soulevez deux charges très lourdes avec les paumes des mains ouvertes. Expirez en serrant les poings comme si vous rameniez les charges vers les épaules, coudes au corps.

Cinq fois. Rythme lent (168 et 169).

170

Inspirez et écartez les bras tendus parallèles au sol, paumes des mains ouvertes. Expirez poings serrés en revenant coudes au corps.

Cinq fois. Rythme lent (170).

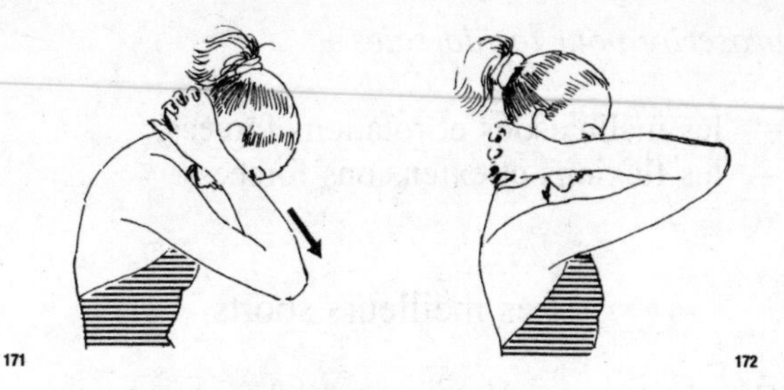

Doigts croisés derrière la nuque, coudes sur la poitrine, menton sur le sternum, en inspirant redressez la tête contre une forte résistance des mains. Relâchez en expirant.

Cinq fois. Rythme lent (171 et 172).

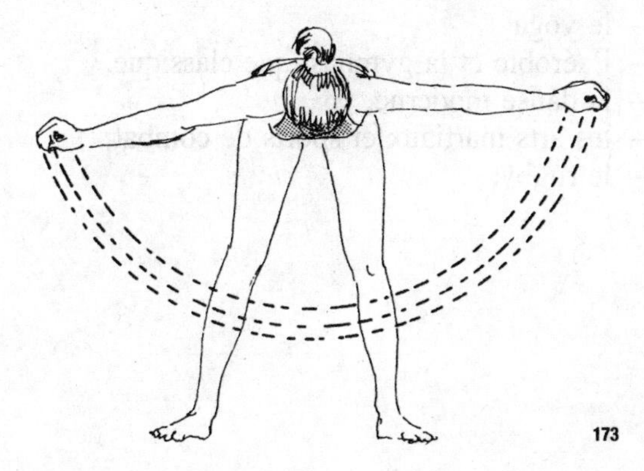

Penchée en avant, jambes tendues, dos parallèle au sol, nuque longue dans le prolongement du dos, bras pendants, poings serrés.

Inspirez en montant les bras en croix, en imaginant que vous tirez un extenseur. Expirez en imaginant que vous serrez un ressort.

Dix fois. Rythme lent (173).

À proscrire pour les dorsales :

— les inclinaisons et rotations forcées,
— les flexions et extensions forcées.

Les meilleurs sports

Crawl, dos crawlé ou nage indienne dans une eau tiède, jamais froide.

À proscrire :

— la brasse,
— le yoga,
— l'aérobic et la gymnastique classique,
— la danse moderne,
— les arts martiaux et sports de combat,
— le rugby.

3

DOULEURS LOMBAIRES

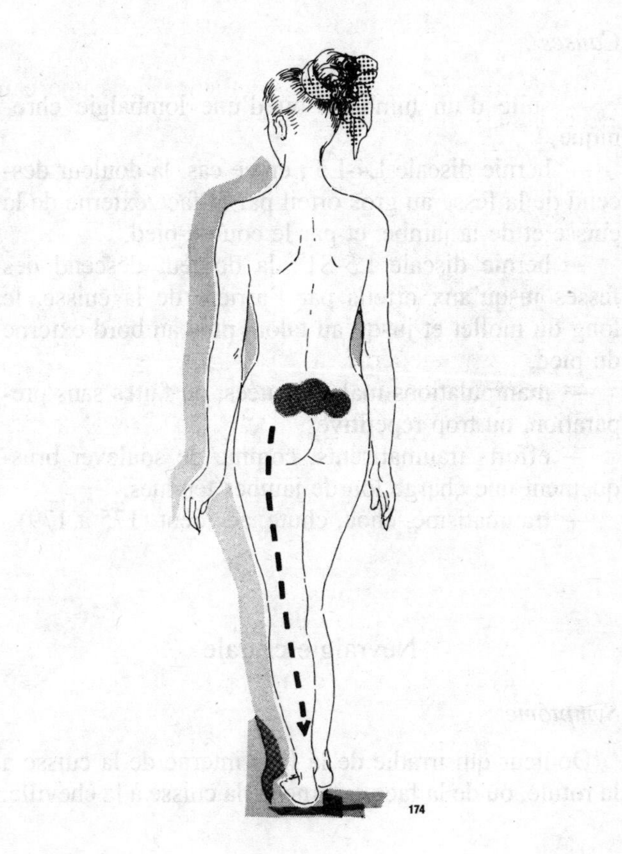

174

Sciatique

Symptôme :

Douleur aiguë, descendant de la fesse à la cuisse, et le long de la jambe jusqu'au pied.

Causes :

— suite d'un lumbago ou d'une lombalgie chronique,
— hernie discale L4-L5 ; en ce cas, la douleur descend de la fesse au gros orteil par la face externe de la cuisse et de la jambe, et par le cou-de-pied,
— hernie discale L5-S1 ; la douleur descend des fesses jusqu'aux orteils par l'arrière de la cuisse, le long du mollet et jusqu'au talon, puis au bord externe du pied,
— manipulations mal exécutées, ou faites sans préparation, ou trop répétitives,
— efforts traumatisants, comme de soulever brusquement une charge lourde jambes tendues,
— traumatisme, choc, chute, accident (175 à 179).

Névralgie crurale

Symptôme :

Douleur qui irradie de la face interne de la cuisse à la rotule, ou de la face externe de la cuisse à la cheville.

Causes :

Comme la sciatique, la névralgie crurale trouve son origine dans un problème discal. Les racines touchées et irritées ont pour point de départ L3-L4. Si la cruralgie persiste, n'hésitez pas à consulter votre médecin, car il peut s'agir d'un terrain infectieux : arthrite sacro-iliaque, lésion tuberculeuse ou métastatique, ou affection colitique.

Coccygodynie

Symptôme :

Douleur au niveau du coccyx, plus violente en position assise.

Causes :

— traumatisme : chute ou accident,
— suite d'un accouchement.

EXEMPLES DE TRAJETS DES SCIATIQUES

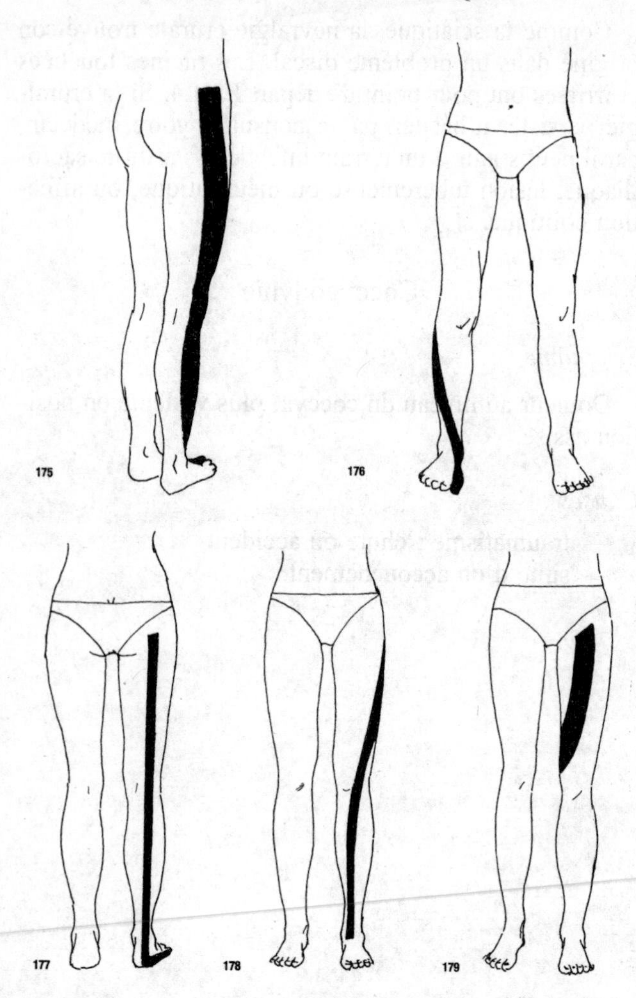

Lumbago

Symptôme :

Douleur aiguë survenant par crises dans la région lombaire.

Lombalgie chronique

Symptôme :

Douleur lancinante et répétitive qui atteint les personnes ayant déjà eu des crises de lumbago ou de sciatique.

Causes :

Les causes des lumbagos et des lombalgies sont les mêmes :

— mauvaise position du corps : scoliose, hyperlordose ou cyphose lombaire,
— jambe plus courte que l'autre, pieds plats,
— discopathie,
— arthrose,
— obésité,
— manque de ceinture musculaire abdominale,
— raideurs dans les jambes,
— faux mouvements, par exemple rotations excessives du tronc,
— efforts, parfois minimes ; par exemple, soulever une charge jambes tendues,
— coup de froid au niveau des reins,
— massages trop violents,

— gymnastique mal adaptée ou pratiquée en force, par exemple certains abdominaux (voir p. 80 à 82),

— manipulations mal exécutées, faites rapidement et sans préparation, ou trop répétitives,

— séquelles d'un blocage dorsal ou d'une sciatique,

— lésion d'un disque entre les vertèbres L4 et L5 ou L5 et S1.

D'autres causes organiques peuvent expliquer des douleurs lombaires chroniques, comme des rhumatismes inflammatoires, des lésions infectieuses (mal de Pott, tuberculose)...

Seuls des radios, examens ou analyses permettent de les diagnostiquer.

Tout effort important est interdit en cas de douleurs lombaires, par exemple forcer sur l'inclinaison, l'extension, la rotation du corps (180 à 182),

— faire craquer ses vertèbres,

— frotter ou frictionner l'endroit douloureux : ne vous faites pas masser en période de crise, même par un kinésithérapeute, sans l'accord d'un médecin rhumatologue ou d'un médecin de médecine physique,

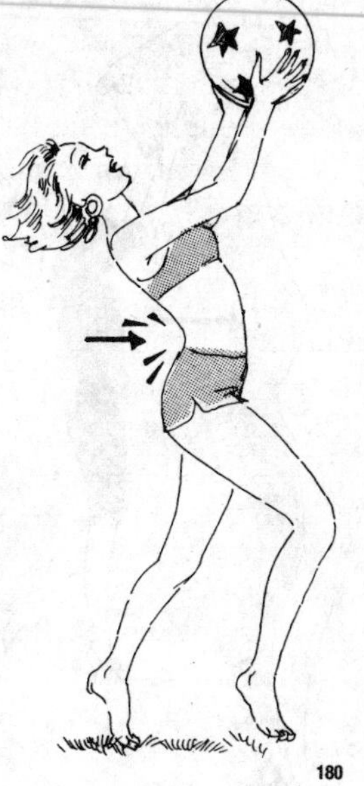

180

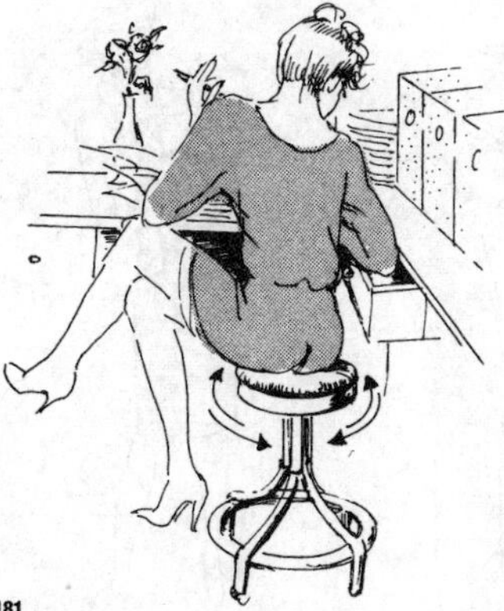

181

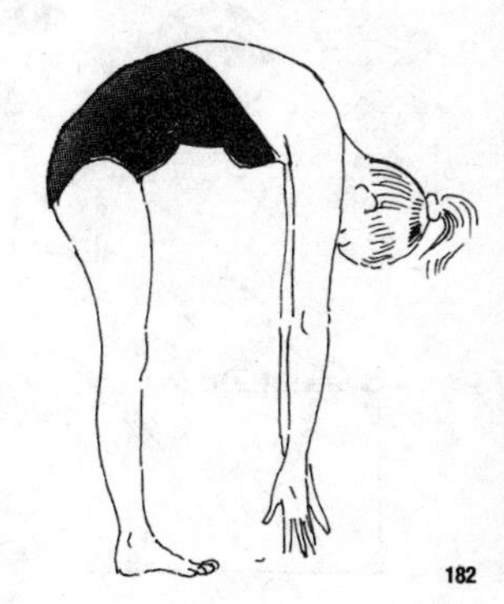

182

— porter des charges, même peu lourdes (184 à 186),
— s'exposer aux courants d'air,
— prendre une douche ou un bain froids,
— pratiquer une activité sportive ou physique (gymnastique, yoga, danse...) tant que les douleurs persistent,
— vous exposer à d'importantes vibrations (machines, moto ou voiture en terrain accidenté),
— dormir dans un lit mou et sur le ventre,
— lire à plat ventre, reins cambrés,
— porter quotidiennement des talons hauts (183).

184

183

185

186

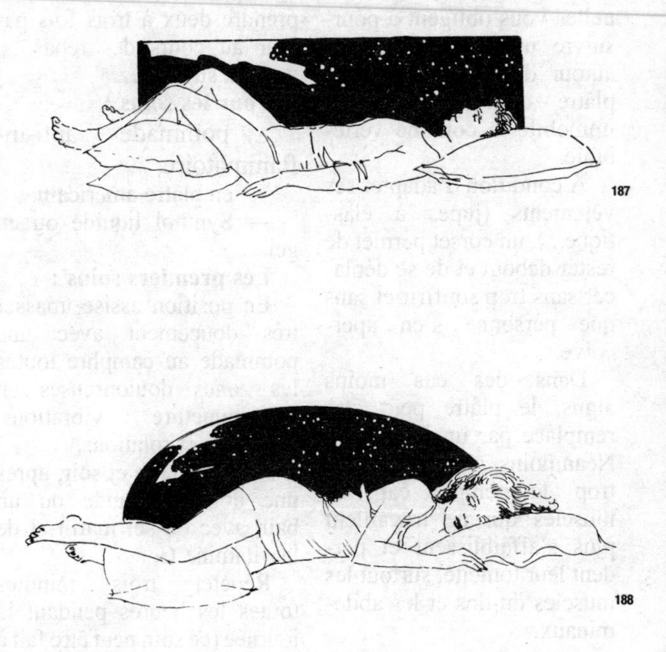
187

188

Attitudes :

— le repos au lit est parfois inévitable lors des phases de douleurs aiguës. On recherche alors la position de moindre douleur.

— se relaxer au chaud dans un lit ferme, allongé sur le dos, jambes fléchies reposant sur deux gros coussins, ou allongé sur le côté en chien de fusil, deux coussins placés entre les cuisses (187 et 188).

Remèdes :

Si des raisons professionnelles vous obligent à poursuivre une activité, porter autour des reins un corset plâtré qui maintiendra immobile la colonne vertébrale.

À condition d'adapter ses vêtements (jupes à élastique...), un corset permet de rester debout et de se déplacer sans trop souffrir et sans que personne s'en aperçoive.

Dans des cas moins aigus, le plâtre peut être remplacé par un lombostat. Néanmoins, ne pas le porter trop longtemps, car les muscles qui ne travaillent plus s'affaiblissent et perdent leur tonicité, surtout les muscles du dos et les abdominaux.

Trousse d'urgence :

Aspirine vitamine C, à prendre deux à trois fois par jour au cours des repas, si vous la supportez.

Pour les soins :

— pommade anti-inflammatoire,

— emplâtre américain,

— Synthol liquide ou en gel.

Les premiers soins :

En position assise, masser très doucement avec une pommade au camphre toutes les zones douloureuses en digitopuncture : vibrations, pressions et rotations.

À faire matin et soir, après une douche chaude ou un bain avec du sel marin et de la vitamine C.

Répéter trois minutes toutes les heures pendant la journée (ce soin peut être fait à travers les vêtements) (189).

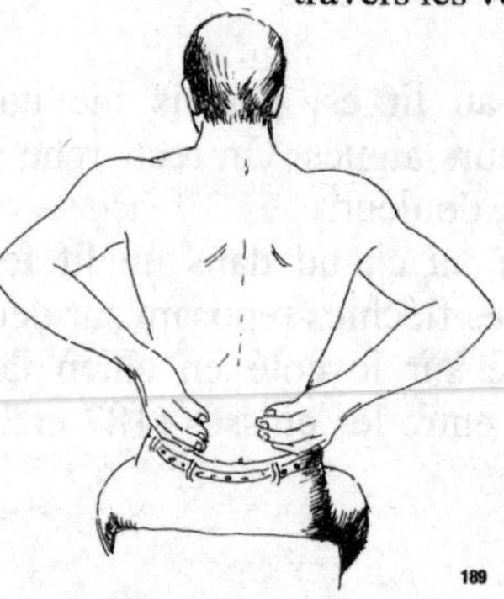

189

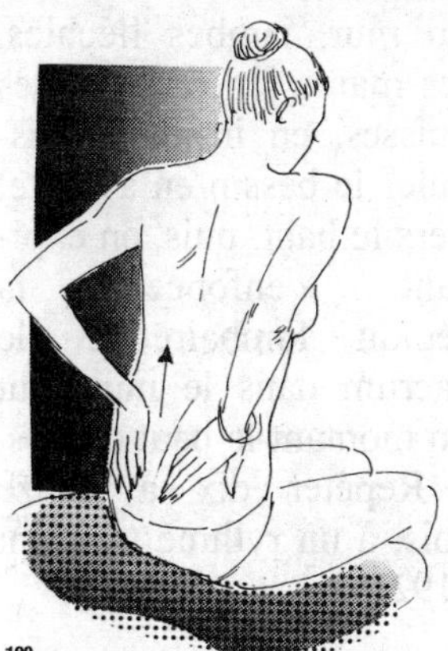

190

1. Assise, imposer les mains sur les zones douloureuses du bas du dos. En inspirant profondément, allonger le dos vers le haut. Les mains accompagnent le mouvement sans se déplacer, en exerçant une légère pression vers le haut.
Relâcher dans l'expiration et arrondir le dos.
Répéter dix fois (190).

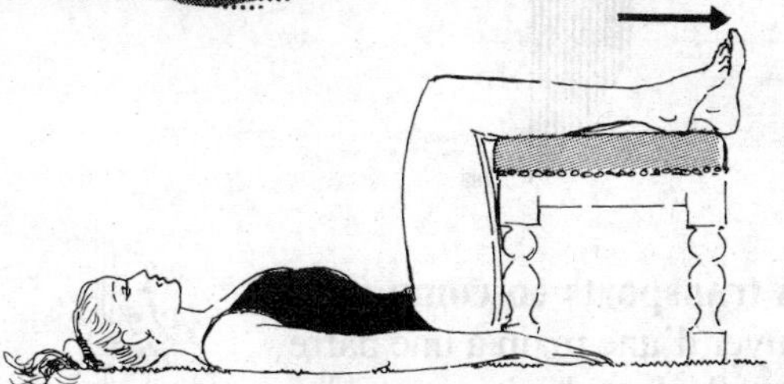

191

2. Allongée sur le dos sur un tapis ou une moquette épaisse, les jambes fléchies sur un siège placé devant vous :

Pendant l'inspiration (dix secondes), pousser le talon de la jambe droite vers l'avant sans décoller la jambe du siège.

Pendant l'expiration, pousser la jambe gauche, la jambe droite étant alors relâchée.

Répéter dix fois (191).

Se mettre dans cette position, mais en relaxation, trois minutes toutes les heures.

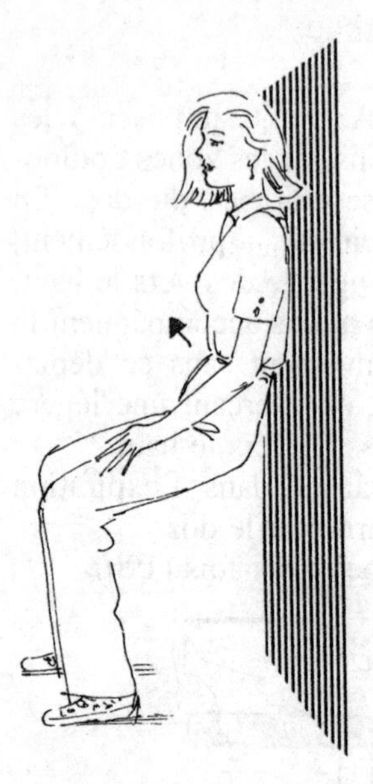

192

3. Debout, le dos collé à un mur, jambes fléchies, les mains reposant sur les cuisses, en inspirant basculer le bassin en avant et vers le haut, puis, en expirant, « enfoncer » la région lombaire et le sacrum dans le mur tout en montant le haut du dos.

Répéter dix à douze fois, à un rythme très lent (192).

Dans les transports en commun

S'appuyer d'une main à une barre verticale, fléchir légèrement les jambes, serrer fortement les fessiers en basculant le bassin vers l'avant et vers le haut (193).

En marchant

Le même exercice : fessiers serrés, corps légèrement penché en avant, bassin basculé vers le haut, jambes légèrement fléchies et pointes des pieds écartées – comme Charlie Chaplin – permet de diminuer nettement la douleur.

193

Douleurs lombaires

QUI CONSULTER	LES TRAITEMENTS
— Médecin physique — Rhumatologue	anti-inflammatoires manipulations infiltrations mésothérapie
— Acupuncteur	acupuncture
— Ostéopathe	traitements manuels doux élongations mobilisations manipulations
— Kinésithérapeute	infrarouges bains de boue et cataplasmes chauds élongations massages électrothérapie poulithérapie rééducation

PREMIÈRE SÉANCE : QUINZE MINUTES

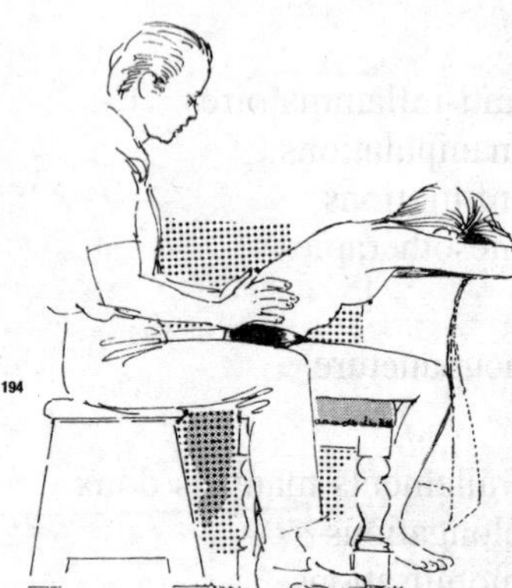

194

Le patient est assis, les bras croisés sur une table, le front reposant sur ses bras. Le « thérapeute » est assis derrière lui.

1. Imposition des mains : deux minutes

Imposer les mains sur toute la région lombaire en les déplaçant, sans glisser (194).

2. Effleurages : deux minutes

Manœuvres d'effleurage dans un mouvement circulaire (195).

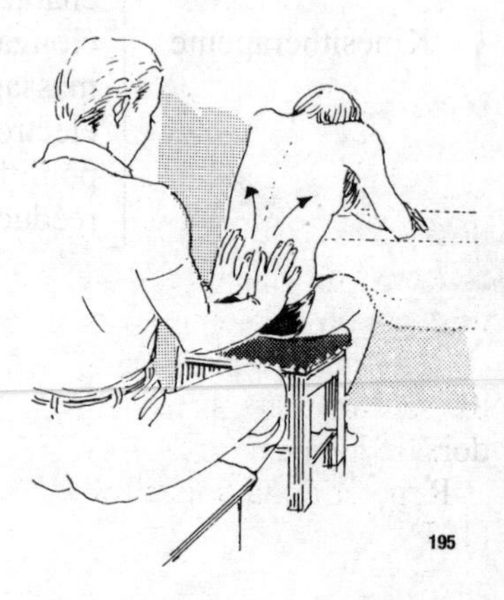

195

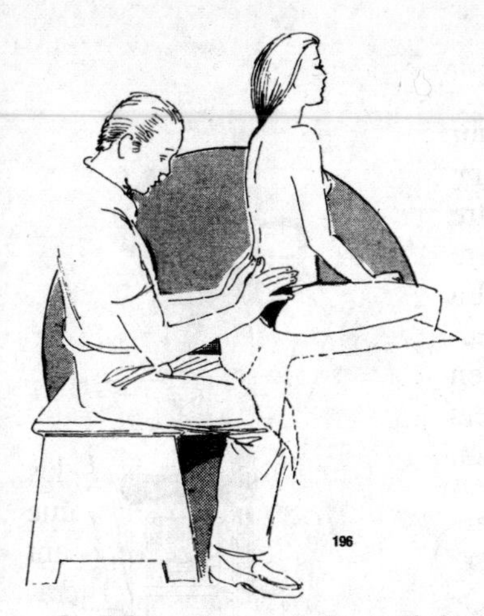
196

3. Manœuvres de digitopuncture : quatre minutes

Manœuvres de digitopuncture en pressions-rotations et pressions-vibrations faites avec les pouces, puis avec l'index et le majeur, à pratiquer sur les zones douloureuses, dans la gouttière de la colonne vertébrale, au niveau des sacro-iliaques et des fessiers (196).

4. Manœuvres de glissées profondes : deux minutes

Les mains épousent le dos. Les pouces s'enfoncent de chaque côté des apophyses épineuses et remontent, en glissant, du sacrum vers la région dorsale haute.

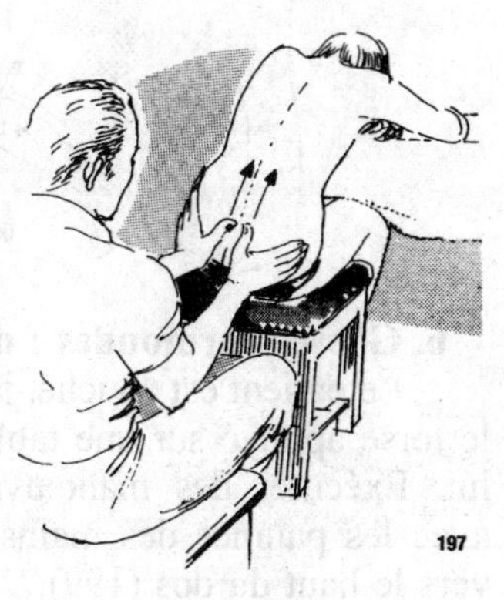
197

Répéter dix à douze fois (197).

5. Vibrations : deux minutes

Le soignant se place sur le côté du patient, une main posée sur son ventre pour le maintenir, l'autre posée sur son dos. La paume de celle-ci effectue des vibrations en remontant du sacrum vers les dorsales hautes, et en imprimant au torse un mouvement vers le haut (198).

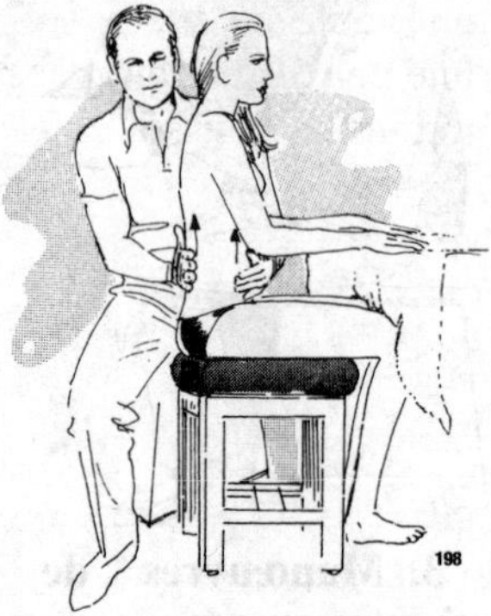

198

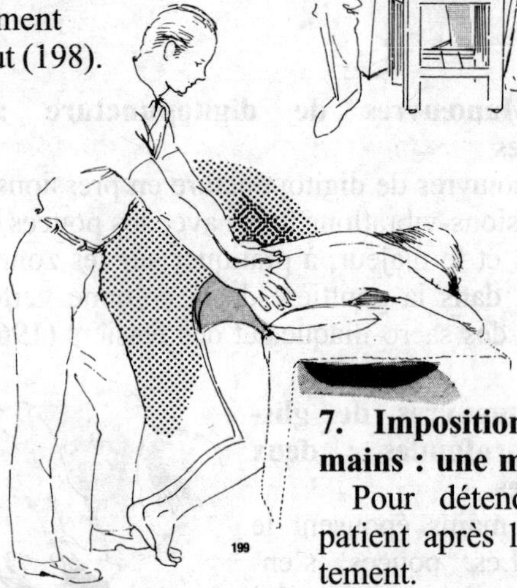

199

7. Imposition des mains : une minute

Pour détendre le patient après le traitement.

6. Glissées profondes : deux minutes

Le patient est couché, jambes légèrement fléchies, le torse appuyé sur une table, les bras pendant devant lui. Exécuter des manœuvres de glissées profondes avec les paumes des mains et les pouces, du sacrum vers le haut du dos (199).

Le patient est allongé sur une table ou sur le sol, sur une couverture ou une moquette épaisse.

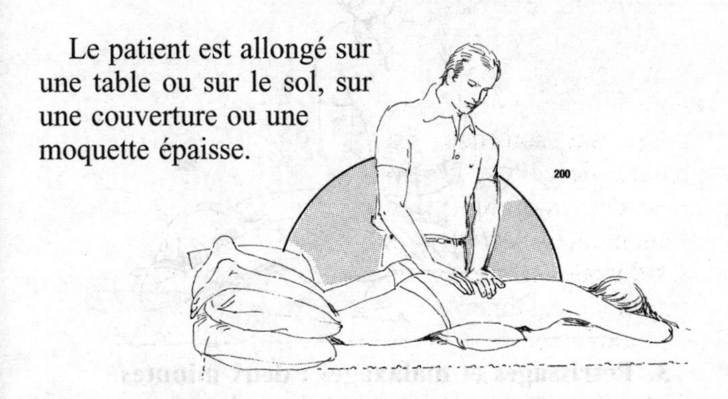

1. Imposition des mains : une minute

Les mains épousent la région lombaire et se déplacent, sans glisser (200).

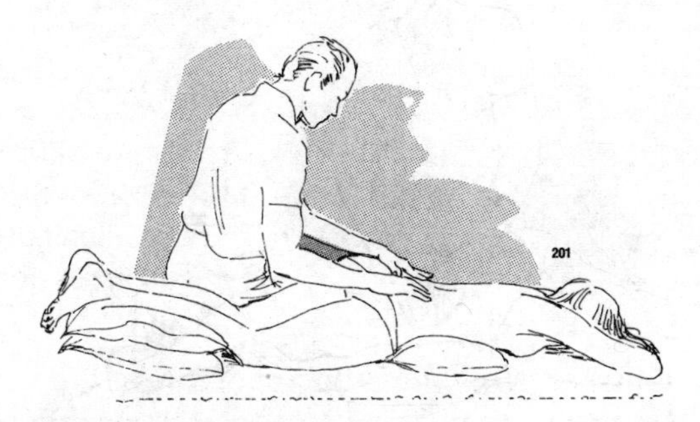

2. Effleurages : une minute

Manœuvres d'effleurage en mouvements circulaires sur toute la colonne, en allant du sacrum vers les dorsales (201).

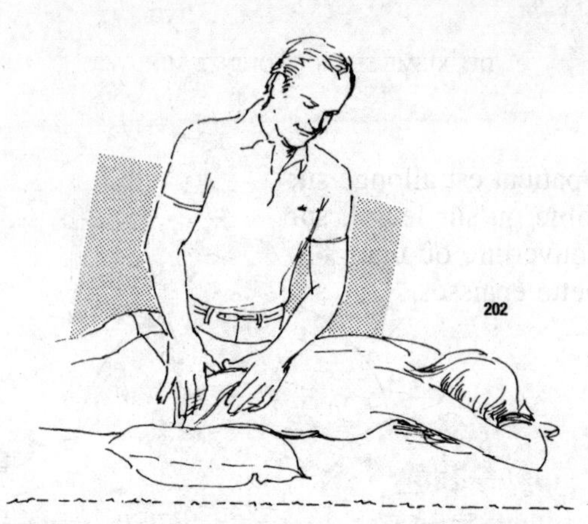

3. Pétrissages et malaxages : deux minutes
Manœuvres de pétrissage et de malaxage sur toute la région lombaire et les fessiers (202).

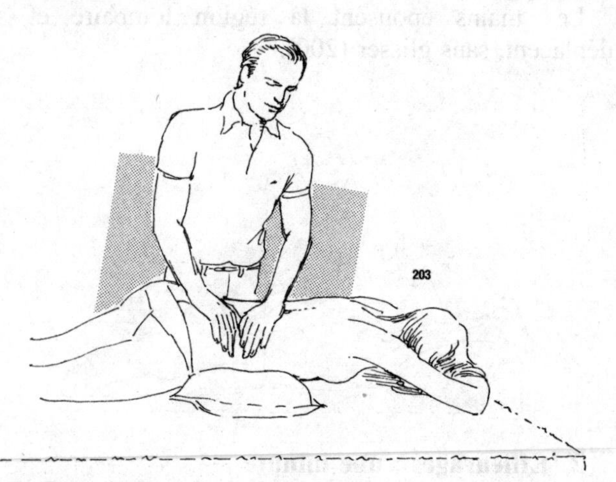

4. Pressions : deux minutes
Manœuvres de pression, exécutées avec les paumes des mains sur les fesses, les lombes, le dos (203).

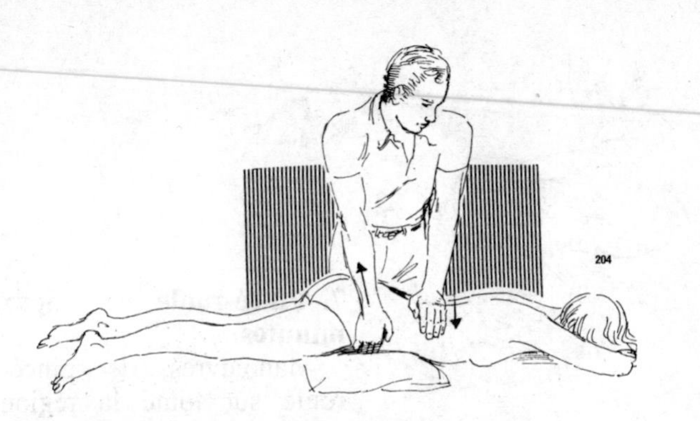

5. Mobilisations : deux minutes

Une main fait pression sur la région lombaire. De l'autre, le soignant étire doucement vers lui l'aile iliaque. Recommencer de l'autre côté. À effectuer sur un rythme lent (204).

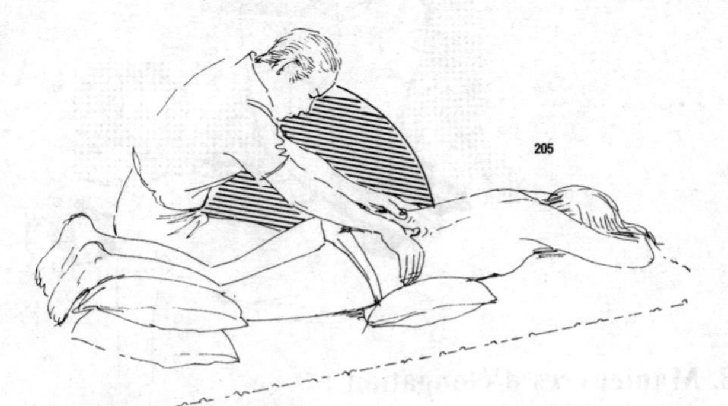

6. Glissées profondes : deux minutes

Les mains épousent le dos, les pouces s'enfoncent de chaque côté des apophyses épineuses et effectuent des manœuvres de glissées profondes du bas du dos vers le haut.

Répéter dix à douze fois (205).

206

7. Pincé-roulé : deux minutes

Manœuvres de pincé-roulé sur toute la région lombaire et les fessiers (206).

207

8. Manœuvres d'élongation : trois minutes

Le « thérapeute » pose ses mains à plat sur le dos du patient et effectue des manœuvres d'élongation en poussant les mains, sans les déplacer, en sens opposé, de manière à « détasser » les vertèbres (207 à 209).

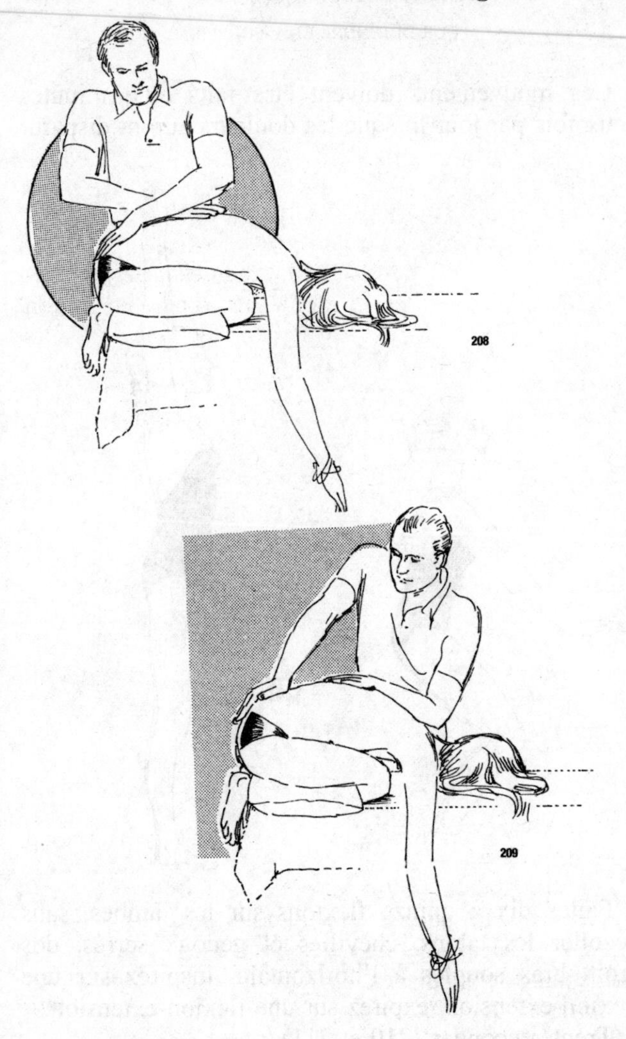
208
209

Ces mouvements doivent être faits cinq minutes deux fois par jour lorsque les douleurs auront disparu.

210

211

Faites dix à quinze flexions sur les jambes, sans décoller les talons, chevilles et genoux serrés, dos droit, bras souples à l'horizontale. Inspirez sur une flexion-extension, expirez sur une flexion-extension.

Trente secondes (210 et 211).

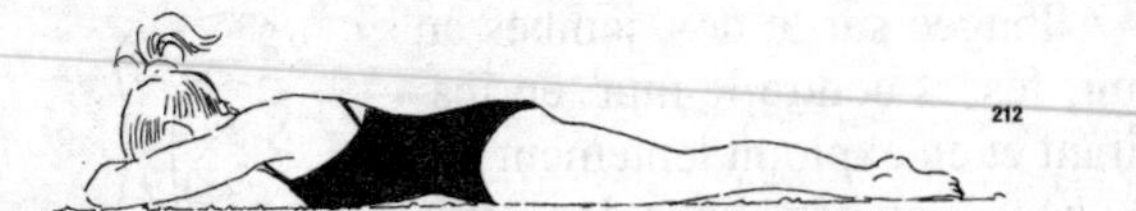

Allongée sur le ventre, bras croisés sous le front, en inspirant doucement et lentement par le nez, contractez progressivement vos fesses et vos cuisses. Insistez pour que votre nombril rentre au maximum vers vos vertèbres lombaires. Puis expirez lentement par le nez en relâchant doucement tous les muscles. Cinq fois. Rythme très lent (212).

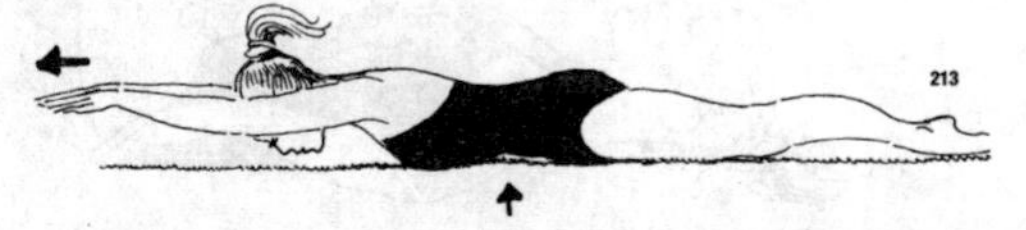

En inspirant, rentrez le ventre, serrez les fesses, levez les deux bras de quelques centimètres et étirez-les. Reposez en expirant. Deux séries de cinq. Rythme lent (213).

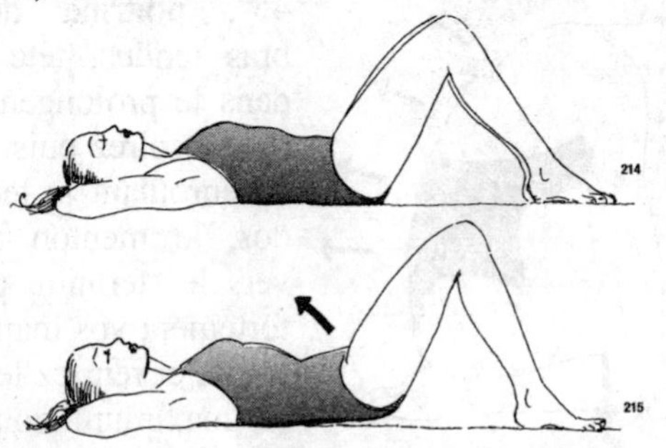

Allongée sur le dos, jambes fléchies, dos bien à plat sur le sol, inspirez et, en expirant, serrez les fesses, rentrez le ventre au maximum en portant le bassin vers le haut et la poitrine, enfoncez le dos dans le sol. Relâchez sur l'inspiration. Cinq fois. Rythme très lent (214 et 215).

Allongée sur le dos, jambes au mur, fesses contre le mur, en inspirant et en expirant lentement par le nez, poussez un talon puis l'autre vers le haut comme si vous vouliez grandir une jambe puis l'autre.

Dix fois. Rythme très lent.

Variante : les deux jambes ensemble (216).

216

217

À genoux, assise sur les talons, dos droit incliné à 45°, poitrine dégagée, bras tendus, tête droite, dans le prolongement du dos, inspirez puis expirez en enroulant la tête et le dos, le menton rentrant vers le sternum, poussez fortement vos mains dans le sol, et rentrez le ventre au maximum comme si vous vouliez coller votre nombril à votre dos. Relâchez.

Dix fois. Rythme lent (217).

À genoux, assise sur les talons, dos bien droit, incliné à 45°, nuque longue, mains à plat sur le sol, à la hauteur des genoux, bras tendus.

218

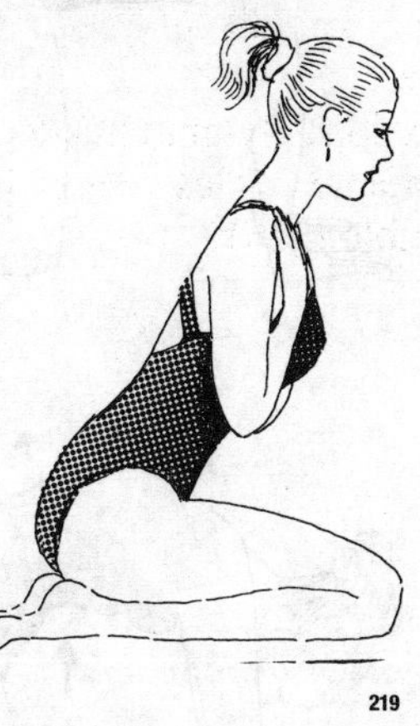

219

En inspirant, dégagez la poitrine, portez vos mains aux épaules, coudes au corps (217). Puis élevez vos bras très lentement le long des oreilles, paumes de mains ouvertes vers le ciel en imaginant que vous soulevez deux charges très lourdes. En expirant, serrez très fortement les poings en imaginant que vous tirez vers le bas deux forces très puissantes, revenez coudes au corps, puis mains à plat au sol dans la position précédente. Dix fois. Rythme très lent (218 à 220).

220

À quatre pattes, jambes légèrement écartées, bras tendus, mains dans le même axe que les genoux, tête pendante, en inspirant dégagez la poitrine, portez la tête dans le prolongement du dos, sans creuser les reins.

En expirant par le nez, laissez tomber la tête, poussez sur les bras, rentrez le ventre, serrez les fesses et arrondissez le dos en arc de cercle. Revenez en inspirant à la position de départ.

Deux séries de cinq. Rythme très lent (221 et 222).

223

À genoux, assise sur les talons, en position de prière, front et mains au sol, en inspirant glissez la main droite au sol devant vous, en expirant revenez. Faites la même chose avec la main gauche.

Cinq fois de chaque côté. Rythme très lent (223).

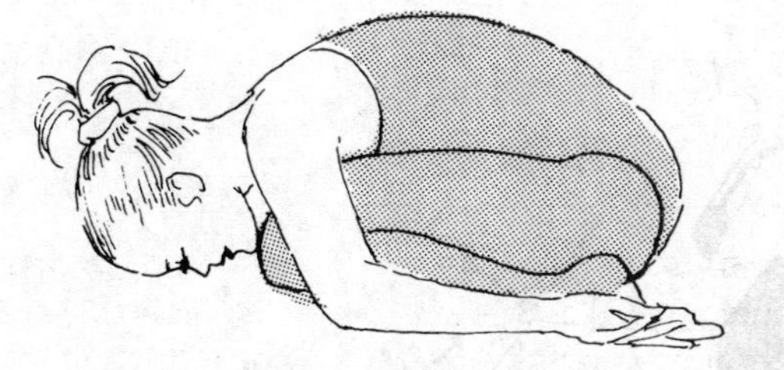

224

Le corps très détendu. Restez en relaxation. Inspirez doucement par le nez. Expirez doucement par le nez.

Trois minutes (224).

POUR TONIFIER ET MUSCLER

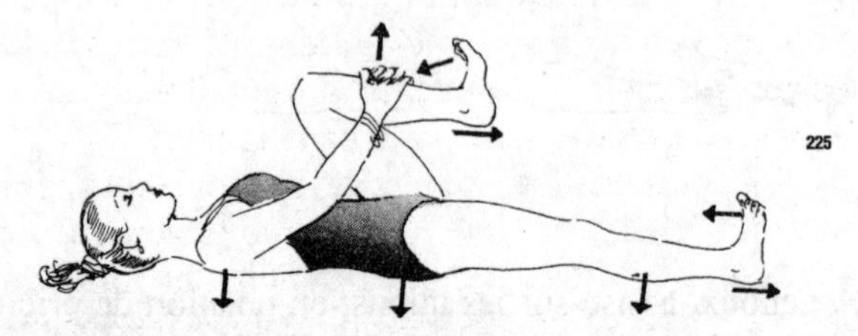

225

Couchée sur le dos, nuque longue, une jambe repliée et maintenue par les mains, l'autre jambe tendue au sol, les pointes des pieds en flexion. En inspirant, poussez fortement et progressivement votre jambe gauche vers le haut, contre une forte résistance des bras. Enfoncez votre dos, de la nuque aux fessiers, dans le sol, ainsi que toute la jambe droite. Décontractez-vous sur l'expiration.

Dix fois, puis changez de jambe. Rythme lent (225).

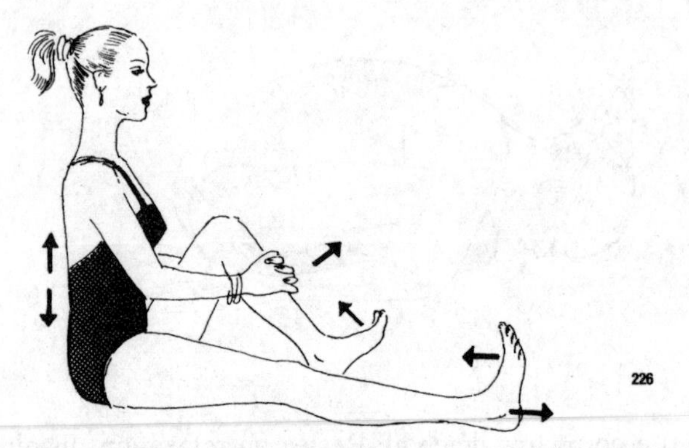

226

Assise dos droit, nuque longue, une jambe tendue au sol, l'autre repliée maintenue par les mains. En inspirant, poussez la jambe gauche vers le haut contre une forte résistance des bras. Montez votre dos et « enfoncez » le bassin dans le sol, ainsi que toute la jambe droite. Expirez en relâchant la contraction, laissez tomber votre tête en arrondissant votre dos. Même exercice le dos appuyé contre un mur : sur l'inspiration, « enfoncez » toute la colonne vertébrale dans le mur.

Dix fois, puis changez de jambe. Rythme lent (226).

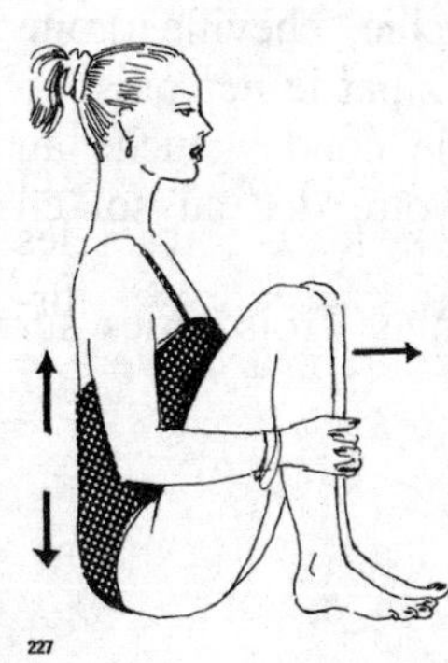

227

Même position du dos, les jambes sont repliées et maintenues par les mains. En inspirant, poussez fortement et progressivement les jambes vers l'avant contre une forte résistance des bras.

Relâchez la contraction sur l'expiration.

Dix fois. Rythme lent (227).

228

229

Allongée sur le dos, cuisses à 90°. Inspirez par le nez. Puis, en expirant par la bouche, amenez les genoux sur la poitrine.

Trois séries de vingt. Rythme moyen (228 et 229).

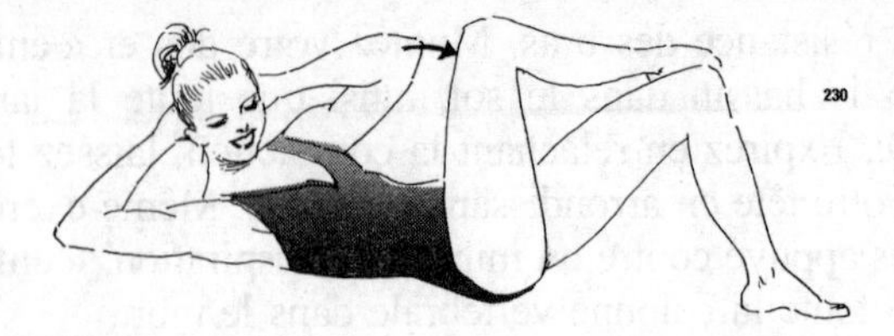

Allongée sur le dos, mains croisées derrière la nuque, coudes écartés, jambe gauche fléchie, cheville droite posée sur le genou gauche. Inspirez par le nez puis, en expirant par la bouche, amenez le coude gauche au genou droit. Inspirez en posant votre dos au sol en douceur.

Trois séries de dix sur une jambe. Trois séries sur l'autre. Rythme moyen (230).

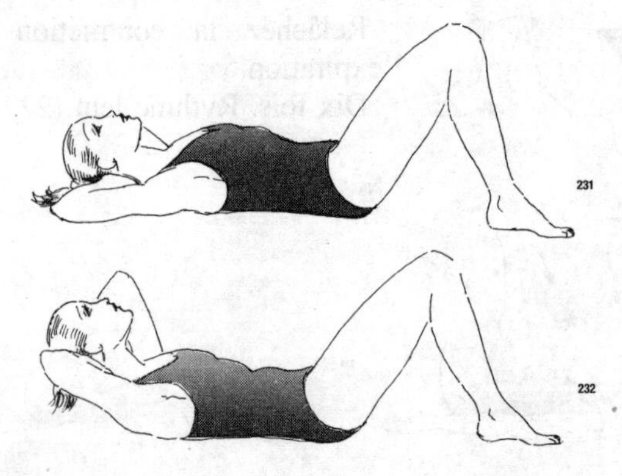

Allongée sur le dos, mains croisées derrière la nuque, jambes fléchies. Inspirez profondément par le nez.

Puis, en expirant par la bouche, soulevez le plus haut possible le buste, menton vers le ciel.

Trois séries de dix. Rythme moyen (231 et 232).

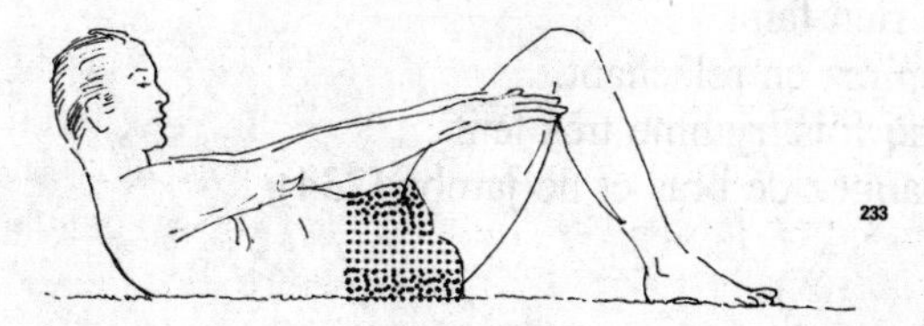

Allongé sur le dos, jambes fléchies, bras souples tendus devant vous.

Inspirez et, dans l'expiration, amenez la poitrine vers les genoux. Inspirez en posant votre dos au sol en douceur.

Trois séries de dix. Rythme moyen (233).

Allongée sur le dos, une main derrière la nuque (pas derrière la tête), jambe droite fléchie, jambe gauche genou vers la poitrine.

Inspirez par le nez. Puis en expirant, par la bouche, poussez le genou gauche contre l'opposition de la main gauche. Ne forcez pas, vous devez avoir l'impression de ne rien faire.

Inspirez en relâchant.

Cinq fois, rythme très lent.

Changez de bras et de jambe (234).

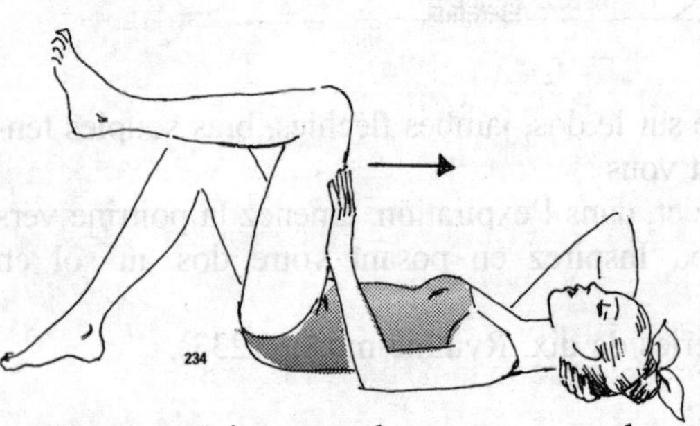
234

Même exercice avec les genoux sur la poitrine, les mains posées sur les cuisses.

Cinq fois.

Rythme très lent (235).

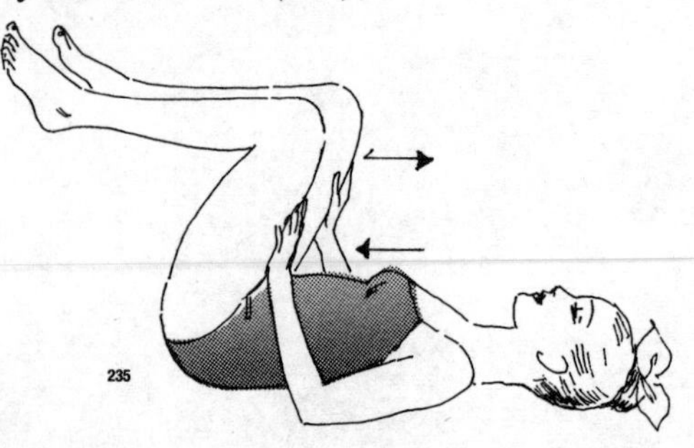
235

À proscrire pour les lombaires :

Tous les mouvements qui vous cambrent exagérément, notamment les flexions, extensions et rotations forcées.

Les meilleurs sports

— Crawl,
— dos crawlé,
— nage indienne,
— vélo,
— varappe.

À proscrire :

— tous les sports violents et les sports de combat,
— la brasse,
— le yoga,
— l'aérobic et la gymnastique classique,
— la danse moderne,
— le golf.

4
GUÉRISSEZ VOTRE DOS EN SOIGNANT VOS PIEDS

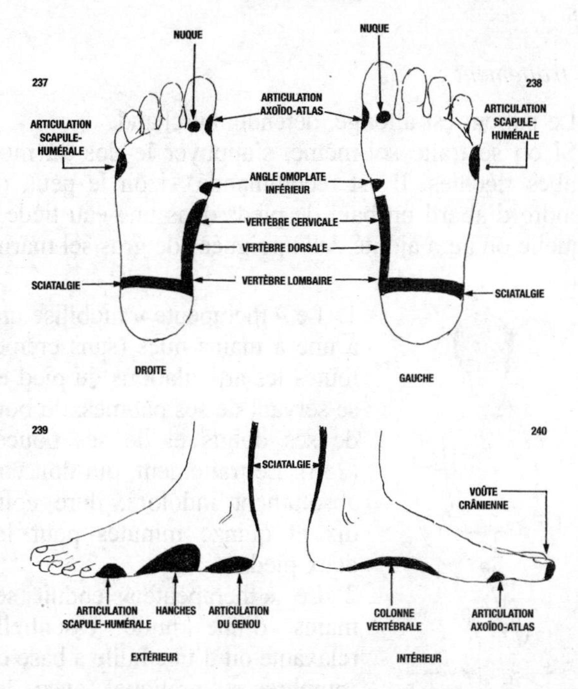

Le traitement en manœuvres de digitopuncture agit à distance par réflexe sur toutes les zones douloureuses, les dorsalgies, lombalgies, sciatiques, cruralgies pour lesquelles d'autres soins avaient échoué, mais aussi sur les maux de tête et, globalement, tous les troubles neurovégétatifs (237 à 240).

Lorsque j'étais jeune diplômé, j'ai travaillé deux ans avec Mme Placet, kinésithérapeute, spécialiste du massage des pieds. Avec elle j'ai appris que nos pieds ont des points et des zones correspondant à d'autres zones de notre corps — en particulier de notre colonne vertébrale — et qu'en les soignant on peut, parfois, guérir le dos.

Le traitement :

Le patient est allongé, détendu, au chaud.

Si on se traite soi-même, s'appuyer le dos au mur, jambes fléchies. Il est recommandé, si on le peut, de prendre d'abord un bain de pieds dans une eau tiède à laquelle on aura ajouté deux poignées de gros sel marin.

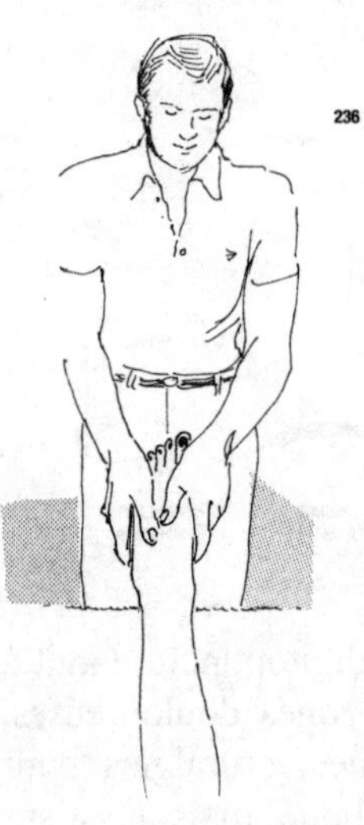

236

1. Le « thérapeute » mobilise une à une à mains nues (sans crème) toutes les articulations du pied en se servant de ses paumes, du bout de ses doigts et de ses pouces (236). Le traitement, qui doit être absolument indolore, dure entre dix et quinze minutes pour les deux pieds.

2. Le « thérapeute » enduit ses mains d'une huile essentielle relaxante ou d'une huile à base de camphre et pratique, avec les deux pouces ou avec l'index et le majeur, des manœuvres de digitopuncture en insistant sur tous les points douloureux (dix à quinze minutes). Ces manœuvres peuvent être alternées avec des manœuvres de glissées profondes sur toute la voûte plantaire en insistant sur les zones réflexes.

N.B. : Ne jamais frotter ni frictionner. Toutes les manœuvres doivent être pratiquées en douceur sur un rythme assez lent. Certains points situés sur la plante du pied correspondent aux différentes zones de localisation des douleurs vertébrales. Il en est de même pour certains points situés sur les faces interne et externe du pied.

IV

VIVEZ AVEC UN DOS GUÉRI

Je crois vous avoir, tout au long de ce livre, montré comment on peut guérir son dos au prix d'efforts somme toute supportables, presque toujours assez rapidement, et sans interrompre ses activités.

Aussi, si vous avez suivi mes conseils, vous êtes enfin guéri. Vous n'avez plus mal, vous bougez, vous courez, vous êtes redevenu normal et n'avez qu'une idée en tête : oublier ce que vous avez vécu pendant ces mois ou ces années où la douleur ne vous quittait guère. C'est possible si vous savez faire durer votre guérison, comme vous avez su la conquérir.

Pour que votre dos se porte et continue à se porter bien, il est indispensable que vous-même alliez bien, que votre organisme tout entier ait trouvé son point d'équilibre et que, moralement, vous sachiez éviter les perturbations majeures qui remettraient en cause vos forces vitales.

Pour cela, vous devez être votre propre thérapeute car votre santé, votre bien-être, dépendent de vous, non des médecins. Un dos se construit jour après jour en vivant simplement, normalement, sans excès, et en appliquant quelques règles de vie si banales qu'elles ne constituent jamais un handicap ou même une contrainte. Elles n'en sont pas moins une condition fondamentale de votre santé future.

Ces quelques règles s'appuient sur un principe, le seul peut-être que l'on ne devrait jamais oublier et que pourtant, étrangement, la plupart d'entre nous transgressent : nous nous devons à nous-mêmes respect et amour. Aimez-vous au lieu de vous maltraiter, préservez-vous au lieu de vous brutaliser, apprenez les gestes qui sauvent, renoncez aux habitudes qui détruisent, détectez les ennemis de votre dos et, enfin, vous vous porterez bien.

1

MÉNAGEZ VOTRE CORPS ET VOTRE DOS

Halte au froid

Froid, humidité, courants d'air sont des ennemis irréductibles du dos et des articulations.

Séchez-vous si vous êtes mouillé, n'alternez pas le froid du dehors et la chaleur du dedans sans vous couvrir et vous découvrir en conséquence, méfiez-vous du filet d'air qui rafraîchit mais aussi stresse vos muscles et les paralyse.

Soyez à l'aise dans vos vêtements

Les vêtements trop serrés, les talons trop hauts, les manteaux trop lourds... briment votre corps et perturbent votre statique vertébrale. Soyez à l'aise dans des vêtements souples et pratiques.

Le port quotidien de chaussures trop hautes, en surélevant le talon, modifie les appuis au sol, créant des adaptations à tous les niveaux du dos.

Le port de talons hauts favorise l'arthrose des genoux car il modifie puis altère la fonction normale de l'articulation. Ne portez pas de talons aiguilles trop longtemps.

2

PORTEZ BIEN POUR PROTÉGER VOTRE DOS

Mauvaise

Pour attraper un objet haut placé, ne levez pas les bras.

Bonne

Grimpez sur une chaise ou un escabeau.

Mauvaise

Les jambes sont raides : le dos souffre.

243

Bonne

Pour saisir un poids (valise) ou un enfant, fléchissez les jambes, serrez les fesses, rentrez le ventre et gardez le dos droit.

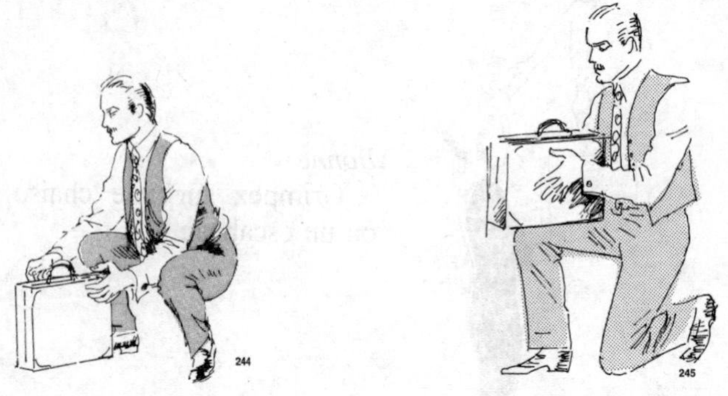

244 245

Prenez l'objet ou l'enfant contre la poitrine et relevez-vous en vous servant de vos jambes et de la force musculaire de vos cuisses.

Même conseil pour pousser ou tirer un objet (244 et 245).

246

Bonne

Sac à dos normalement chargé et porté haut avec des lanières larges.

Bonne

Bébé porté sur le dos dans un sac « kangourou » libère les bras.

248

247

Mauvaise

Sac à dos trop chargé avec des lanières trop fines.

Bonne

Le sac en bandoulière ou sur la poitrine protège le dos.

Mais attention aux sacs trop chargés (249 et 250).

Mauvaise

Le sac porté sur une épaule déséquilibre la statique vertébrale (251).

3

RECTIFIEZ VOS POSITIONS

On a souvent mal au dos non pour avoir subi un choc important, mais parce qu'on a l'habitude de se tenir mal, d'écrire courbé sur sa feuille, de travailler sur des sièges mal adaptés ou penché sur un plan de travail trop bas...

Ces attitudes dont nous sommes rarement conscients constituent à la longue des microtraumatismes, dont la répétition crée des lésions parfois importantes dont la colonne vertébrale est toujours la victime.

Assis

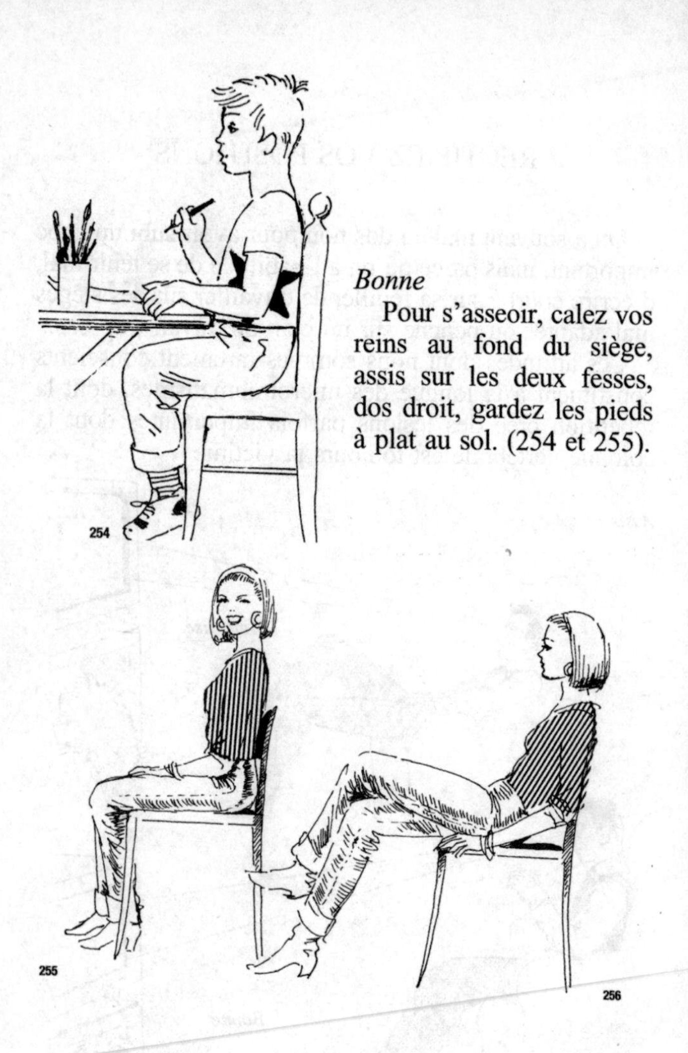

Bonne

Pour s'asseoir, calez vos reins au fond du siège, assis sur les deux fesses, dos droit, gardez les pieds à plat au sol. (254 et 255).

Mauvaise

Une position avachie (252) ou cambrée, les jambes croisées (256).

Bonnes positions

257

Allongée sur le dos, jambes fléchies

258

Assise le dos soutenu

259

Assise en tailleur

À la plage ou au jardin, protégez votre dos pour lire. Évitez la position allongée sur le ventre.

Préférez les positions qui respectent votre dos.

Debout

Si vous devez rester longtemps debout, rectifiez la position de votre dos en rentrant le ventre. Enfoncez vos mains sur le ventre sous le nombril (261).

Vous pouvez vous appuyer sur une canne ou un parapluie pour soulager votre dos (260).

Bonnes

Mauvaise
Le ventre est en avant.

Bonne

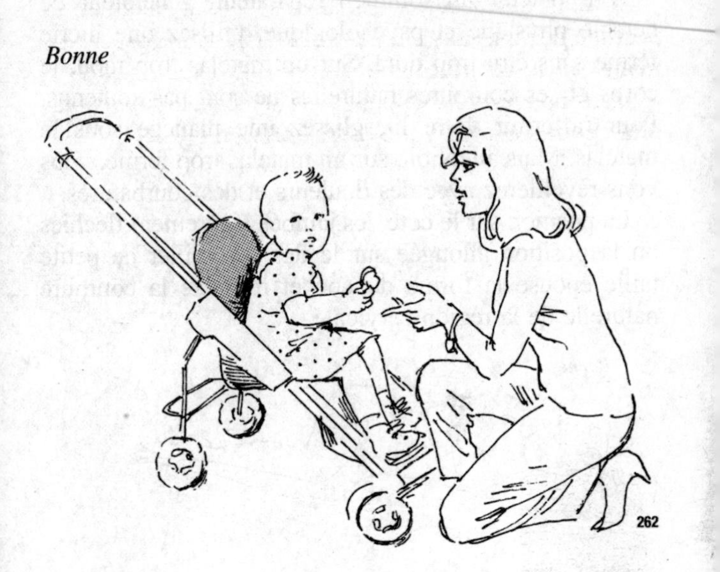

262

Accroupi(e)

Cette maman pose un genou au sol pour se tenir à hauteur de son enfant. Elle protège son dos.

Allongé(e)

Pour obtenir un sommeil réparateur, générateur de détente physique et psychologique, utilisez une literie ferme sans être trop dure. Sur un matelas trop mou, le corps et ses courbures naturelles ne sont pas soutenus. Pour raffermir votre lit, glissez une planche sous le matelas. Mais attention, sur un matelas trop ferme, vous vous réveillerez avec des douleurs et des courbatures.

La position sur le côté, les jambes légèrement fléchies ou la position allongée sur le dos. L'oreiller de petite taille épouse la forme du cou et respecte la courbure naturelle de la région cervicale.

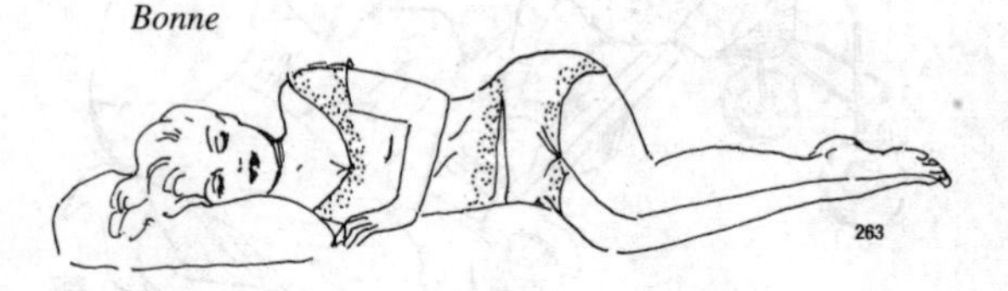

Mauvaise

264

Dormir sur le ventre accentue la cambrure lombaire (264).

Dormir avec un oreiller volumineux accentue la courbure du cou en hyperextension.

4

PROTÉGEZ VOTRE DOS À LA MAISON

Le dos des femmes et celui des hommes qui y participent sont particulièrement sollicités dans les tâches ménagères. Les machines ont considérablement allégé le travail (vaisselle, lessive, cirage, etc.). Cependant les personnes qui souffrent du dos sont plus jeunes et plus nombreuses. Et pourtant, s'occuper de son intérieur, faire le ménage en rééduquant son dos, c'est possible.

Mauvaise

En se courbant jambes tendues, cette personne risque en se redressant de se bloquer le dos (lumbago) (265).

Bonne

Le dos droit, un genou ou les deux à terre, elle épargne son dos. Pour se relever, elle prendra appui sur le lit ou sur sa jambe fléchie (266).

Dans chaque situation, apprenez à l'aide des croquis à bien utiliser et placer votre corps.

— Servez-vous efficacement de vos bras et de vos jambes pour épargner votre dos.
— Prenez votre temps. On se fait souvent mal au dos en voulant faire trop vite.

Mauvaise
Les jambes sont raides, le dos souffre.

Bonne
La jambe avant est fléchie, le dos est droit et protégé.

Bonne

Pour nettoyer une vitre, faire des travaux de peinture, etc., travaillez sur une surface d'un mètre carré maximum (dans le cercle du dessin), face à vous, puis déplacez-vous. Utilisez un escabeau pour être toujours à la bonne hauteur. Respectez votre rythme et alternez mouvements et sens des rotations. Tous les groupes musculaires travaillent et vous éviterez les mouvements forcés du dos, courbés ou cambrés, les étirements des bras et les positions dangereuses en équilibre.

Bonne

Devant un évier, un plan de travail, soulagez votre dos en écartant légèrement les pieds et en appuyant le genou ou la cuisse sur le montant du meuble. Évitez les positions courbées en réglant si possible la hauteur de la table à repasser ou en vous surélevant sur une cale bien stable.

5

PROTÉGEZ VOTRE DOS AU BUREAU

Au bureau le principal danger est de rester trop longtemps dans la même position.

Bougez, dégourdissez vos jambes, marchez, faites la gym au bureau pour améliorer votre circulation sanguine, décontracter et fortifier vos muscles, assouplir vos articulations. Faites des pauses régulièrement.

La position assise parfaite n'existe pas, tout dépend de votre morphologie, de votre musculature et de votre position de travail.

Évitez les sièges trop durs, les sièges pivotants qui par leur mouvement de rotation « cisaillent » le dos.

Réglez si vous le pouvez la hauteur et l'inclinaison de votre siège. L'idéal est de garder le dos droit en évitant les positions trop inclinées en arrière ou courbées en avant.

Ne croisez jamais vos jambes, gardez-les parallèles, pieds au sol. Vous pourrez prendre des bottins pour les surélever.

Au téléphone, évitez la position tête inclinée avec le combiné calé dans le creux de l'épaule. C'est la névralgie assurée (271).

Placez le haut de l'ordinateur à la hauteur de vos yeux pour garantir une excellente position de la nuque et un bon angle de vue.

Attention aux touches des claviers trop dures. Elles peuvent provoquer des crampes au niveau des doigts et des bras et des douleurs de la nuque. Les premières tensions apparaissent au niveau du cou et du haut du dos.

Toutes les heures, pratiquez quelques exercices de ma gym au bureau, massez votre nuque et respirez.

Gym au bureau

Assise au bureau devant votre clavier d'ordinateur, tendez les bras devant vous. Sur l'inspiration et l'expiration, faites cinq rotations des poignets dans un sens, puis cinq dans l'autre sens.

Puis faites les marionnettes trente secondes.

Debout en appui sur un mur, votre corps penché en diagonale. Faites des demi-pompes en fléchissant les bras tout en gardant le dos droit dans le prolongement des jambes.

Les talons restent au sol pour assouplir les muscles postérieurs des cuisses et des jambes.

Trois séries de dix.

Dans la journée, dès que vous le pouvez, enlevez vos chaussures. Dans l'inspiration, montez sur les pointes des pieds puis en expirant tenez en équilibre sur les talons en tirant les pointes des pieds vers vous.

Dix fois.

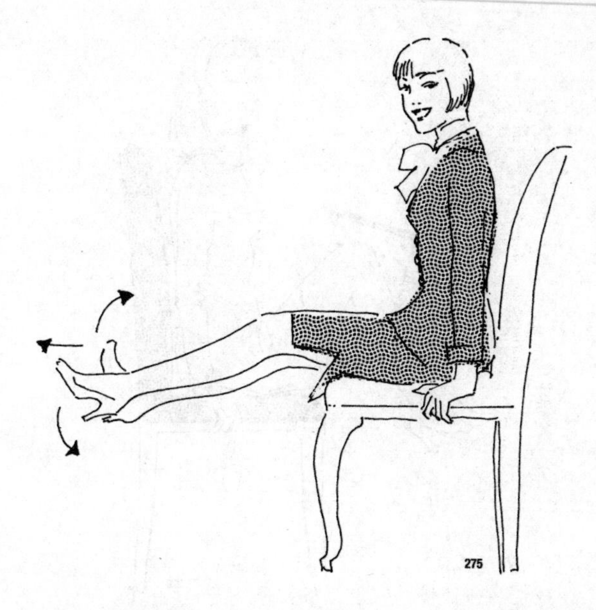

Assise, dos droit, bras tendus, les mains tenant fermement le siège, inspirez en grandissant votre dos, tirez les pointes de pieds vers vous.

Expirez en les pointant vers le sol.

Dix fois.

Puis sur l'inspiration et l'expiration, maintenez la position pointe puis flexe pendant dix secondes.

Puis sur l'inspiration et l'expiration faites des rotations des chevilles dans un sens puis dans l'autre pendant dix secondes.

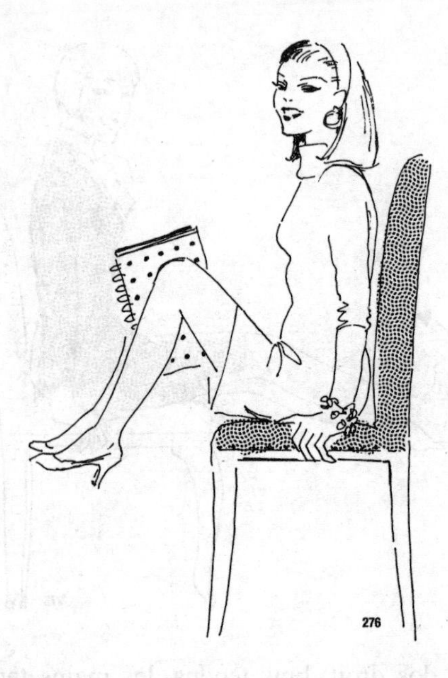

Assise, dos droit, bras tendus, les mains tenant fermement le siège, inspirez en grandissant votre dos, serrez fortement les genoux pour maintenir le classeur.

Expirez en levant les genoux vers la poitrine.

Dix fois (276).

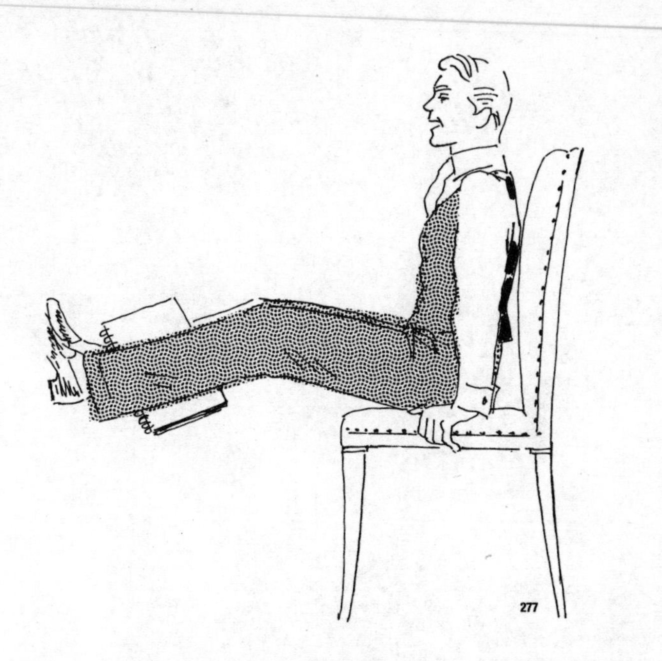

Assis, dos droit, bras tendus, les mains tenant fermement le siège, inspirez en grandissant votre dos, serrez fortement les jambes en levant les genoux vers la poitrine.

Dix fois. Expirez.

6

PROTÉGEZ VOTRE DOS EN VOITURE

De longs trajets sans arrêts pour se détendre, une mauvaise position assise, un véhicule avec une suspension défectueuse sont autant de raisons d'avoir mal au dos.

Assis au volant, fesses bien calées au fond du siège, réglez soigneusement la position du siège avant-arrière. Vos bras sont légèrement fléchis, souples. L'inclinaison du dossier doit garantir une position droite du dos avec l'appui-tête dans son prolongement. Le dos doit être totalement en contact avec le dossier du siège. Une voiture avec de bons amortisseurs épargne à votre dos d'éventuels microtraumatismes. Évitez les mouvements de torsion du corps pour attraper à l'arrière un objet, une valise ou en faisant une manœuvre.

Mauvaise *Bonne*

Attention aux courants d'air. Une vitre entrouverte, un toit ouvrant peuvent déclencher des douleurs cervicales et un torticolis.

Pour entrer et sortir de votre véhicule, prenez des appuis et évitez toutes les torsions brutales du corps.

Pour sortir vos bagages du coffre, prenez appui avec une jambe fléchie sur l'arrière du véhicule. Amenez la valise sur votre genou, puis posez-la sur le sol.

7

PROTÉGEZ VOTRE DOS EN JARDINANT

Au jardin ou dans le potager, organisez votre journée, faites un plan de travail zone par zone pour alterner différentes activités (taille, tonte, traitement, etc.).

— Évitez les positions longtemps maintenues ou les gestes répétitifs comme la taille avec un sécateur, source de tendinite.

— Alternez les gestes pour soulager muscles et articulations.

— Faites des pauses fréquentes et régulières toutes les heures pour vous restaurer et boire (même en hiver).

— Si vous ressentez une douleur, ne forcez pas, changez de position et modifiez suivant mes conseils vos gestes et votre façon de travailler.

— Protégez vos mains avec des gants surtout l'hiver.

— Ne fumez pas, le tabac ralentit la vascularisation des extrémités du corps et favorise le refroidissement des pieds et des mains.

Ne portez pas toute une journée des bottes en caoutchouc. C'est mauvais pour la circulation sanguine au niveau des jambes et vos pieds sont mal aérés. Les sabots sont toujours très efficaces.

Mauvaise

Les jambes sont raides et tendues. Le manche du râteau est trop court. Douleurs lombaires assurées au bout de vingt minutes et surtout le lendemain.

282

Bonne

Le corps est souple, les jambes légèrement fléchies accompagnent le mouvement de ratissage harmonieusement. Les jambes travaillent et protègent le dos.

283

284

Mauvaise

Le jardinier force sur son dos en se courbant les jambes tendues.

Il travaille en extension forcée et maintenue. Lumbago puis sciatique.

285

Bonne

Le genou au sol permet de jardiner en protégeant son dos.

Le port des genouillères protège de l'humidité du sol et ménage les ménisques. Il existe aussi des coussins de jardin. Pour se relever, le jardinier prendra appui avec les mains sur ses cuisses.

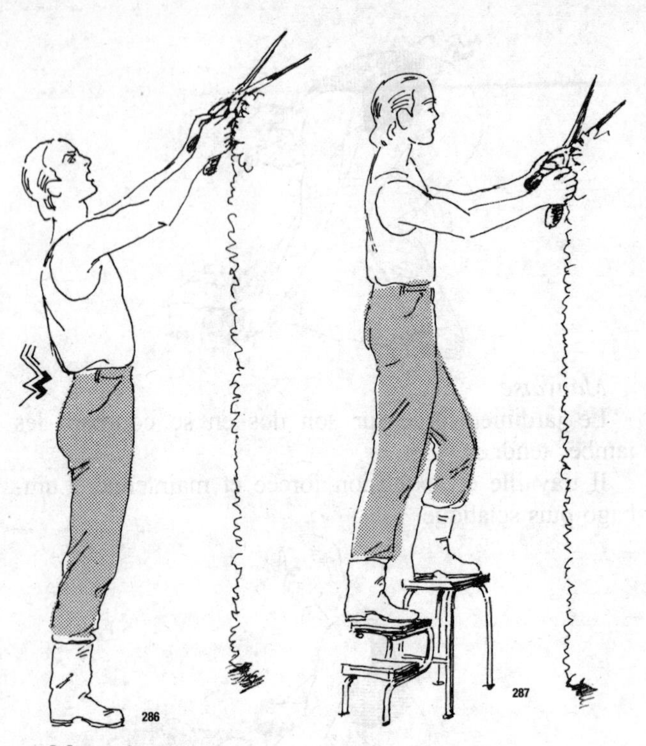

Mauvaise
Cette position longtemps maintenue, bras en l'air, provoquera rapidement des crampes dans les épaules et les bras et des douleurs aux niveaux dorsal et lombaire (286).

Bonne
Le jardinier taille à hauteur de sa poitrine. Il utilise un escabeau ou une échelle et se déplace au fur et à mesure de l'avancement de son travail (287).

8

PROTÉGEZ VOTRE DOS EN FAISANT DU SPORT

FAITES DE L'EXERCICE

Il est indispensable d'entretenir son dos par des exercices physiques. Ce qui ne signifie en aucun cas que l'on doive pratiquer à outrance n'importe quel sport ou n'importe quelle gymnastique, bien au contraire.

Éliminez toute activité violente ou intensive, et si vous faites un effort important arrêtez-vous régulièrement pour vous détendre.

En revanche, pratiquez à votre rythme, sans forcer, mais régulièrement, quelques exercices de ma gymnastique de l'imagination (p. 188-190) que vous pourrez faire chez vous, 5 à 10 minutes matin et soir.

Course à pied

Le jogging impose un certain nombre de précautions :

— Choisissez soigneusement vos chaussures, si possible à coussins d'air.

— Posez en premier le talon, puis déroulez le pied jusqu'à la pointe.

— Courez sur un terrain souple, dans un environnement aéré. Le béton est responsable de microtraumatismes au niveau des articulations (chevilles, genoux, hanches et dos).

— Ne vous couvrez pas trop, les vêtements lourds pèsent sur les régions cervicale et dorsale.

— Gardez les épaules et les bras souples.

— N'oubliez jamais l'échauffement avant et les mouvements d'assouplissement après.

— Hydratez-vous.

Si vous êtes sensible au mal de dos (région lombaire) ou si vous avez une surcharge pondérale, vous mettez en péril vos articulations. Privilégiez la marche.

Natation

C'est le sport du dos par excellence : le corps travaille en apesanteur, les articulations se dénouent facilement, libérant les disques intervertébraux. Ce sport a des vertus préventives et curatives, il rééquilibre à la fois le corps et l'esprit. Toutes les nages sont bonnes, évitez pourtant la brasse ou le plongeon en cas de cervicalgie et de lombalgie.

Évitez l'eau trop froide dans tous les cas et séchez-vous énergiquement après le bain. Ne sortez pas avec les cheveux humides.

La brasse accentue la cambrure des reins et de la nuque. Si vous ne savez nager que la brasse, faites des pauses pour vous masser la nuque et le bas du dos debout ou assise dans la piscine (voir p. 176-177).

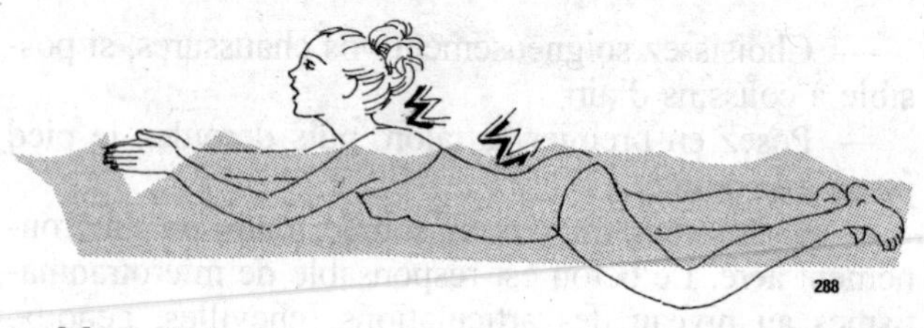

Mauvaise

Vélo

Le vélo est excellent pour soigner les lombalgies : le bas de la colonne vertébrale est soutenu par la selle et le travail synchronisé des jambes en demi-flexion rééquilibre harmonieusement la statique des articulations sacro-iliaques et des vertèbres. Le vélo apporte souplesse des articulations et musculation des jambes, garants d'un dos en bonne forme.

Le vélo doit être adapté à votre morphologie. Demandez conseil à votre marchand de cycles. Le cadre est fonction de la longueur des jambes. Ensuite il faut régler la hauteur de la selle et son inclinaison et la longueur de la potence (plus elle est courte plus la position sur le vélo sera courbée).

Deux erreurs à éviter : pédaler jambes tendues et avoir la nuque trop relevée (son hyperextension provoque des douleurs cervicales).

Mauvaise

L'hyperextension de la nuque provoque des douleurs cervicales (289).

Bonne

Le dos est droit, la nuque souple et bien positionnée (290).

Golf

Le golf, contrairement à sa réputation est un allié du dos. La marche plusieurs heures sur le parcours de golf entretient souplesse des articulations et détente de tout l'organisme.

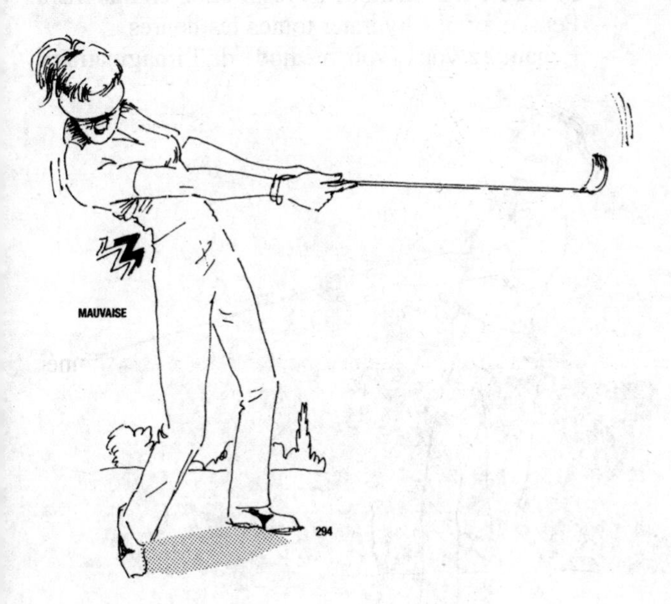

Mauvaise

En cas de douleurs dorsales ou lombaires, évitez les mouvements forcés, crispés ou trop cambrés (294).

Les conseils :

— Évitez un practice trop long, avec un geste crispé ou bloqué.

— Pendant le parcours, pratiquez de temps en temps, sans balle, des « swing » opposés.

— Pratiquez ma méthode de respiration en marchant.

— Pensez à vous hydrater toutes les heures.

— Échauffez-vous (voir méthode de l'imagination).

Bonne

Le swing bien exécuté ne présente pas de risque pour la colonne vertébrale (295).

Équitation

L'équitation bien pratiquée est une excellente discipline pour assouplir et muscler son dos.

Mais :

— Pratiquez régulièrement quelques mouvements d'assouplissement.

— Préférez le trot ou le galop en levée pour tonifier et muscler les jambes et les cuisses et protéger son dos.

— Gardez le dos droit, les épaules souples, pour rééquilibrer la statique vertébrale.

— Épousez bien le mouvement de balancier du cheval avec votre bassin (296).

Bonne

— Évitez un cheval à la tête tombante.

— Évitez le trot assis qui tasse les disques intervertébraux.

Mauvaise

Le dos de la cavalière est rond. Les bras sont tendus (297).

Planche à voile

Les douleurs du dos (lombalgie) sont fréquentes chez les débutants qui gardent les jambes raides, tombent souvent et s'épuisent à relever leur voile.

— Fléchissez les jambes, pour solliciter au maximum les muscles des cuisses.

— Rentrez le ventre, gardez le dos le plus droit possible.

— Portez des chaussures antidérapantes.

— Utilisez le harnais pour réduire les risques de lombalgie.

Mauvaise

La position courbée et jambes tendues entraînera le plus souvent des maux de dos (298).

Bonne

Le planchiste fléchit ses jambes et protège son dos (299).

Tennis

Le tennis peut se pratiquer à tout âge mais représente un risque pour le dos si on n'observe pas quelques précautions de base :

— S'échauffer cinq à dix minutes avant chaque partie (voir méthode de l'imagination p. 188-189).

— Ramasser les balles en fléchissant les jambes (croquis 291).

— Ne pas exécuter le service avec les reins trop cambrés (croquis 292).

— S'arrêter au premier signe de fatigue ou de douleur.

— Exécuter quelques mouvements d'assouplissement après chaque partie.

— Profiter des pauses pour vous hydrater et éventuellement manger quelque chose.

D'une façon générale, jouez avec une raquette légère, ne jouez pas « petit bras », n'essayez pas de gagner à tout prix.

Veillez à porter des chaussures à semelles épaisses « spécial tennis » qui font office d'amortisseurs.

Bonne

Pour ramasser une balle, fléchissez les jambes (293).

Mauvaise

En cas de douleur lombaire, évitez de servir en cambrant excessivement les reins (292).

Bonne

Un service bien exécuté ne présente pas de risque pour la colonne vertébrale.

9

PROTÉGEZ VOTRE DOS, ENCEINTE

La femme enceinte est trop souvent sujette au mal de dos. Si vous pratiquez quotidiennement matin et soir, dix minutes, deux ou trois exercices de votre choix, sans forcer, en respirant doucement et amplement, vous ressentirez un bienfait immédiat. Vous pouvez aussi dans la journée vous asseoir et masser vos reins (sans frictionner) avec le bout de vos doigts sur place en manœuvre de pression et vibration (voir page 182-183).

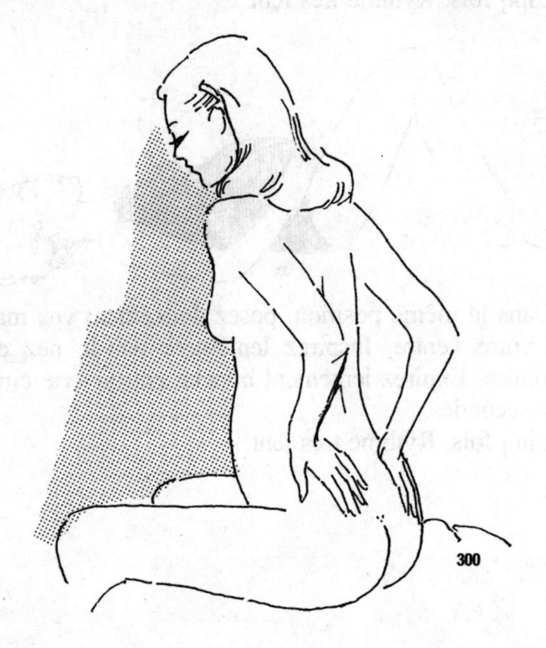

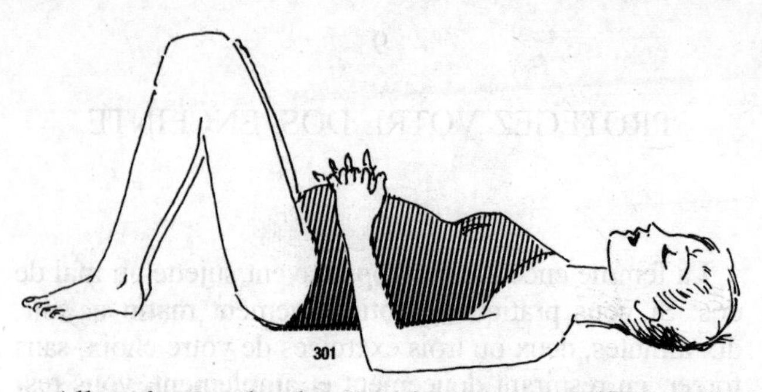

Allongée sur le dos, confortablement, jambes fléchies, placez les mains sur votre ventre, doigts croisés.

Inspirez doucement par le nez, expirez en gonflant votre ventre contre une légère opposition des mains.

Cinq fois. Rythme très lent.

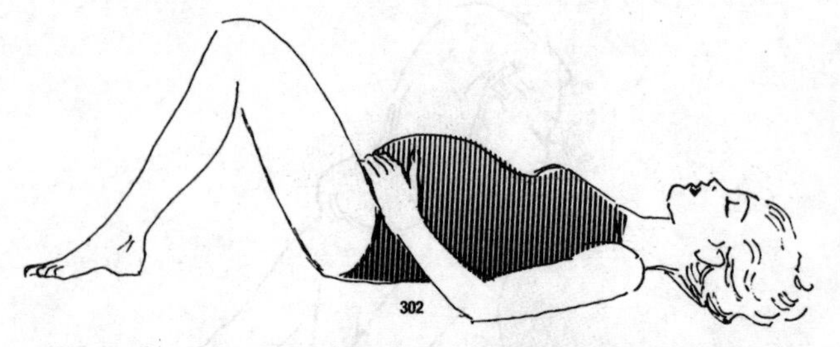

Dans la même position, posez doucement vos mains sur votre ventre. Inspirez lentement par le nez cinq secondes. Expirez lentement bouche entrouverte cinq à sept secondes.

Cinq fois. Rythme très lent.

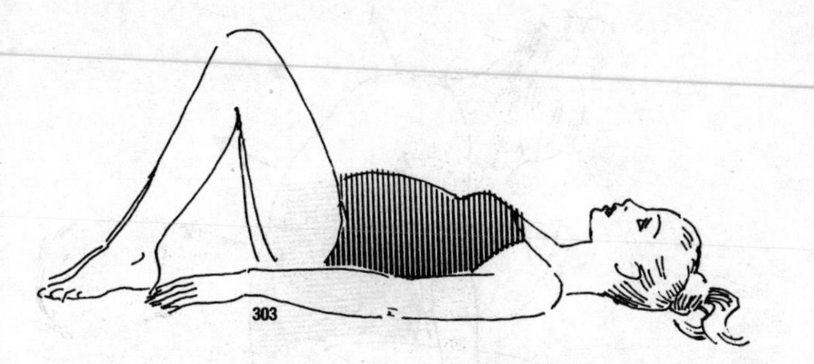
303

Allongée sur le dos, jambes fléchies, dos bien à plat sur un tapis ou sur une couverture, inspirez et, en expirant, serrez les fesses, enfoncez le dos dans le sol, portez le bassin vers le haut de la poitrine.

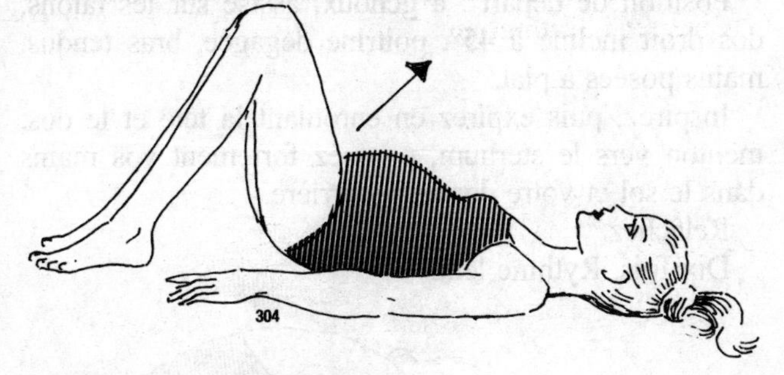
304

Relâchez sur l'inspiration.
Cinq fois. Rythme très lent.

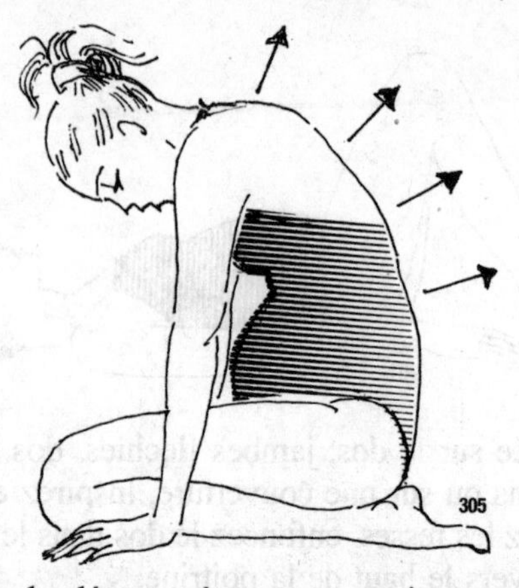
305

Position de départ : à genoux, assise sur les talons, dos droit incliné à 45°, poitrine dégagée, bras tendus, mains posées à plat.

Inspirez, puis expirez en enroulant la tête et le dos, menton vers le sternum, poussez fortement vos mains dans le sol et votre dos vers l'arrière.

Relâchez.

Dix fois. Rythme lent.

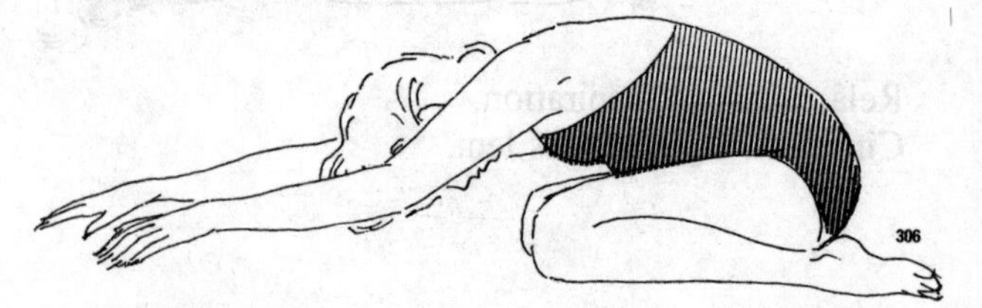
306

Position de départ : à genoux, assise sur les talons.

Inspirez en glissant la main droite au sol, en expirant revenez. Faites la même chose avec la main gauche.

Cinq fois de chaque côté. Rythme très lent.

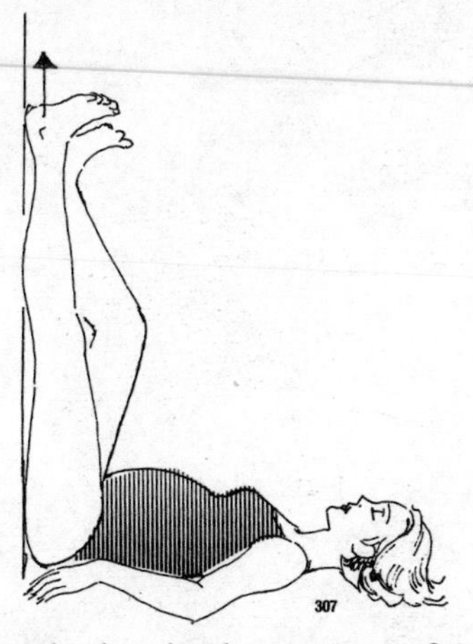

Allongée sur le dos, jambes au mur, fesses contre le mur. En inspirant et en expirant lentement par le nez, poussez un talon puis l'autre vers le haut comme si vous vouliez grandir une jambe puis l'autre.

Dix fois. Rythme très lent.

Variante : les deux jambes ensemble.

Allongée sur le dos sur un tapis épais ou une couverture, les jambes fléchies sur un siège.

Inspirez et expirez lentement.

Restez en position de relaxation, trois minutes toutes les heures.

10

LE DOS SE GUÉRIT AUSSI DANS L'ASSIETTE

SURVEILLEZ VOTRE POIDS

L'obésité est un facteur important de lésions vertébrales, car elle impose à la colonne un effort excessif permanent.

MANGEZ ÉQUILIBRÉ

Pour d'autres raisons, les troubles neurovégétatifs, qui nous poussent à nous tenir le ventre en avant, sont cause de nombreuses pathologies dorsales ou lombaires.

Le seul moyen d'éviter à la fois les kilos en trop et tout dérèglement du système neurovégétatif est d'avoir une alimentation saine et équilibrée, de veiller à manger dans le calme, et, sans adopter de régime contraignant, d'avoir la sagesse de compenser sans attendre un excès toujours autorisé.

Il est clair que vous devez veiller aussi à varier votre alimentation pour éviter toute carence en vitamines, sels minéraux et oligoéléments, facteur d'arthrose ou d'ostéoporose.

COMMENT CORRIGER VOTRE COMPORTEMENT À TABLE

FAIRE	NE PAS FAIRE
• Choisir un petit déjeuner au goût salé - protéines : œuf ou jambon - laitages : lait 1/2 écrémé, fromage cuit à pâte dure, yaourt (riches en calcium) - pain complet ou aux céréales - beurre frais - herbes aromatiques - infusion à base de chicorée ou thé vert	• Fumer à jeun (la nicotine détruit la vitamine C) • Boire à jeun : - un jus de fruit - un café noir • Sauter le petit déjeuner • Prendre un petit déjeuner trop sucré : viennoiseries, miel, confiture, etc., et des laitages additionnés de sucre, confiture, colorant, etc. • Manger du pain blanc ou du pain de mie
• Manger à heures régulières • Manger équilibré et varié • Manger lentement, assis, dans le calme	• Sauter le déjeuner ou le dîner • Manger déséquilibré : trop sucré, trop gras, trop riche • Manger insuffisamment • Manger trop vite ou debout dans le bruit et la fumée

• Manger des fruits frais entiers et des légumes de saison • Manger des crudités au milieu ou à la fin du repas • Varier les protéines : viande, poulet, poisson, crustacés, etc. • Choisir un dessert à base de fruits frais, yaourt ou pâtisserie maison au chocolat noir	• Boire de grandes quantités de jus de fruits ou de légumes • Se priver de fruits et de légumes • Manger des crudités à jeun ou en grande quantité • Manger trop de viande, de gibier, de charcuterie • Se priver de dessert • Sélectionner les desserts trop riches, trop sucrés, avec de la crème, etc.

FAIRE	NE PAS FAIRE
• Boire un ou deux verres de vin à table • Changer de marque d'eau minérale • S'hydrater régulièrement • Boire à petites gorgées • Boire un café ou un thé après le déjeuner • Choisir un restaurant avec une salle aérée • S'asseoir bien droit sur un siège confortable	• Boire du vin à jeun ou boire plus de deux verres à table • Mélanger les alcools, apéritifs, digestifs • Boire des sodas, de la limonade, etc. • Boire toujours la même eau • Boire insuffisamment • Boire plus de deux ou trois cafés par jour

• Protéger son dos des courants d'air inconfortables • Surveiller son poids	• Manger dans une salle surchauffée : risque de transpiration et de coup de froid (dos glacé) • Manger courbé ou dans une position inconfortable • S'asseoir le dos à une fenêtre ou sous une source de climatisation • Rester assis plus d'une heure • Faire des régimes déséquilibrés • Perdre et reprendre du poids (yo-yo)

11

HARMONISEZ VOTRE VIE POUR GUÉRIR VOTRE DOS

RESPECTEZ VOS RYTHMES DE VIE

On a souvent tendance, dans la vie quotidienne, à aller bien au-delà de ses possibilités. Là encore, l'ensemble des troubles provoqués par des habitudes traumatisantes à long terme pour l'organisme finit par créer des lésions difficiles à guérir.

Le surmenage, le manque de sommeil, l'abus d'excitants, une vie trop sédentaire ou, au contraire, l'agitation permanente, les week-ends marathons consacrés au jogging ou au jardinage... sont quelques exemples d'une mauvaise hygiène de vie que l'on paie cher tôt ou tard.

Certes, on s'en aperçoit rarement tout de suite. C'est entre quarante et quarante-cinq ans que les troubles jusque-là supportables se transforment en maladies organiques parfois irréversibles.

SOYEZ BIEN DANS VOTRE TÊTE

Je constate chaque jour que de très nombreuses personnes de plus en plus jeunes souffrent d'un « mal de vivre » qui crée insidieusement des maux de dos, lesquels, à la longue, deviennent chroniques. Lors des examens cliniques (radiographies, scanners, RMN), rien de détectable : pour le médecin, on est en présence d'un cas psychosomatique. Et pourtant les douleurs sans lésion organique sont bien réelles. Pour moi, elles sont l'expression de ce mal de vivre. Malgré les progrès spectaculaires de la médecine, centres antidouleur, écoles du dos, stages ouverts au public dans les hôpitaux, clubs de plus en plus nombreux de « remise en forme », etc. Malgré l'allongement des études paramédicales, le mal de dos échappe aux techniques classiques de soins.

Il devient urgent, en ce début de millénaire, si l'on veut combattre victorieusement le mal de dos, de traiter en même temps le physique et le psychisme. C'est en retrouvant l'harmonie entre le corps et l'esprit que vous n'aurez *Plus jamais mal au dos*.

Et si je ne devais vous donner qu'un conseil ce serait celui-ci : aimez-vous vous-même, appréciez-vous, relativisez vos soucis à défaut de pouvoir les éviter. Votre santé physique est le reflet de votre santé morale.

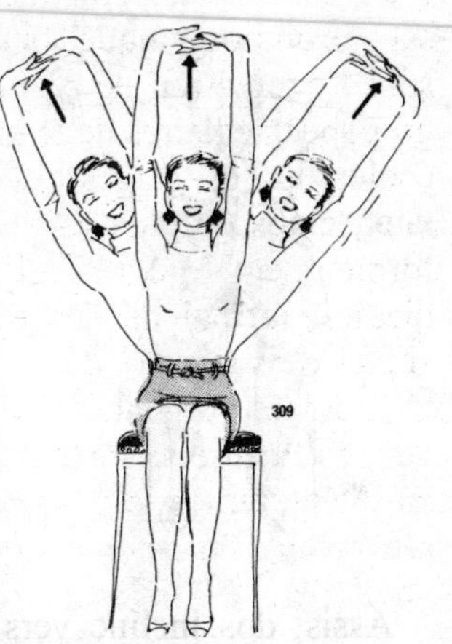

Exercices à faire n'importe quand, n'importe où. Tous ces mouvements doivent être faits sur un rythme très lent.

Assise, dos droit, croisez les doigts et portez vos bras tendus au-dessus de la tête. Inspirez en imaginant que vous poussez une charge avec les paumes de vos mains vers le haut. Expirez en relâchant l'étirement, les bras fléchis. Renouvelez cet exercice avec des étirements latéraux, à gauche et à droite.

Dix fois en haut, dix fois de chaque côté (309).

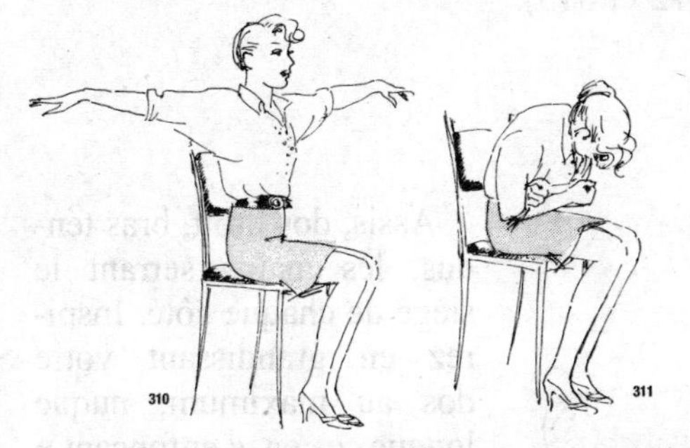

Assise, dos droit, inspirez en portant les bras à l'horizontale et en vous grandissant au maximum. Expirez en arrondissant le dos, bras croisés sur le ventre, poings serrés, afin de chasser l'air au maximum. Dix fois (310 et 311).

Assis, dos incliné vers l'avant, doigts croisés derrière la nuque, coudes écartés. Inspirez en remontant le dos contre une forte résistance des bras. Expirez en revenant à la position de départ.

Dix fois (312 et 313).

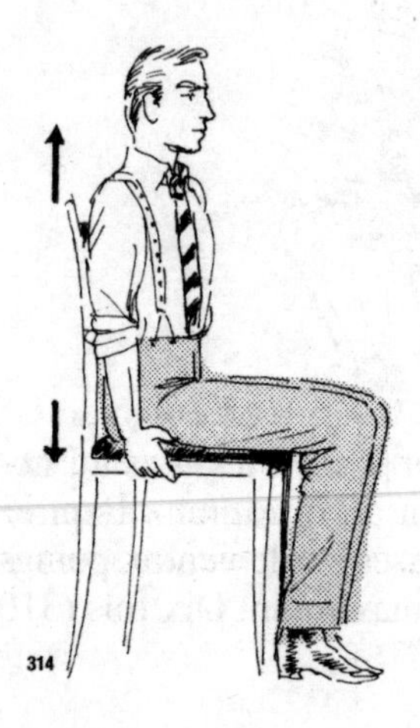

Assis, dos droit, bras tendus, les mains serrant le siège de chaque côté. Inspirez en grandissant votre dos au maximum, nuque longue, et en « enfonçant » les fessiers dans le siège. Expirez en relâchant la tension. Dix fois (314).

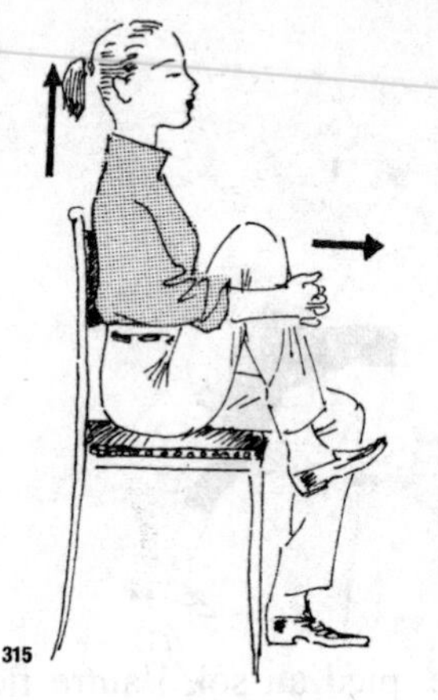

315

Assise, dos droit, une jambe remontée, les bras l'enserrant au niveau du genou. Inspirez en montant le dos au maximum, poussez la jambe droite vers l'avant contre une forte résistance des bras égale à la poussée.

Expirez en relâchant la contraction.

Cinq fois et changez de jambe (315).

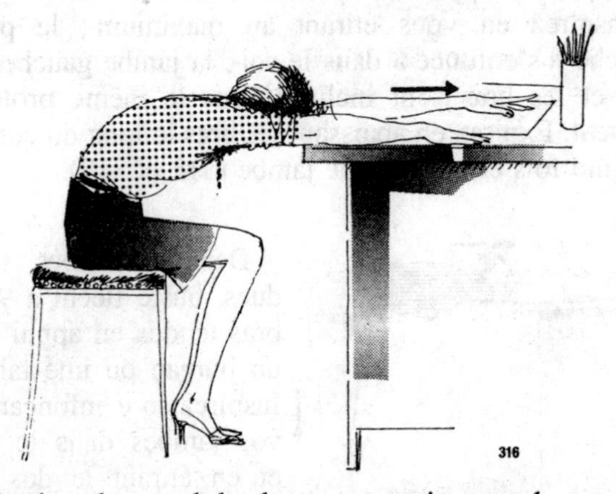

316

Assise, dos rond, les bras en appui sur un bureau ou une table. Inspirez en faisant un mouvement de reptation du bras gauche vers l'avant. Expirez en étirant le bras droit vers l'avant. Les bras doivent toujours rester en contact avec la table.

Dix fois pour chaque bras (316).

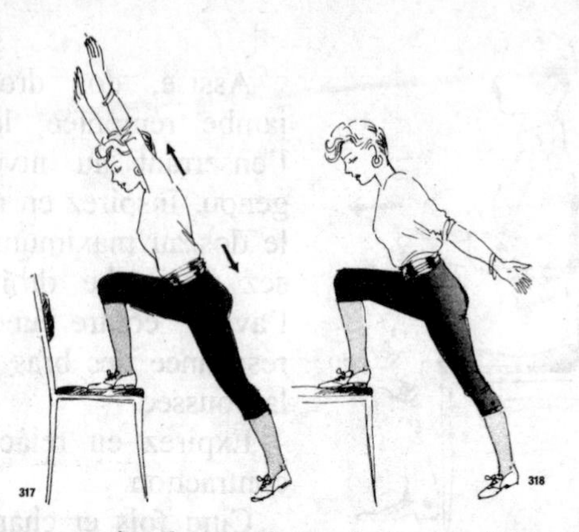

Debout, une jambe tendue, pied au sol, l'autre fléchie, pied en appui sur une chaise, bras tendus en l'air.

Inspirez en vous étirant au maximum ; le pied gauche « s'enfonce » dans le sol ; la jambe gauche, le dos et les bras sont inclinés dans le même prolongement. Expirez en abaissant les bras le long du corps.

Cinq fois et changez de jambe (317 et 318).

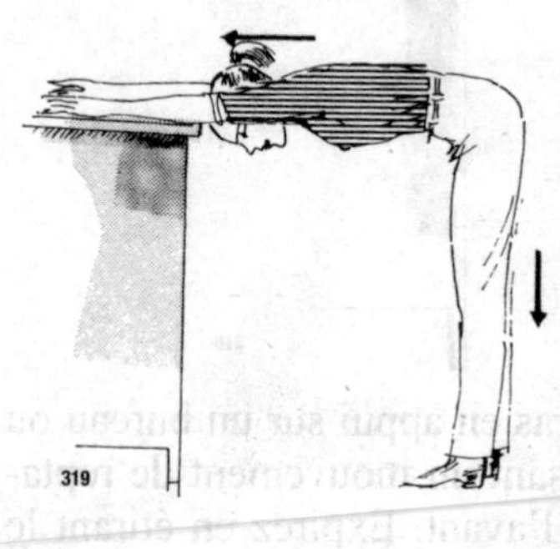

Debout, jambes tendues, buste fléchi à 90°, bras tendus en appui sur un bureau ou une table. Inspirez en « enfonçant » vos jambes dans le sol et en étirant le dos au maximum. Les bras, la nuque et le dos sont dans le même prolongement. Expirez en relâchant l'étirement.

Dix fois (319).

Impératif avant de se pendre à une barre ou un espalier : faites quelques exercices d'échauffement (voir p. 217).

Au début, pendez-vous en gardant les pieds au sol, puis, jambes fléchies, montez les genoux sur la poitrine et faites quelques séries d'abdominaux.

Inspirez et expirez lentement.

Dix fois (320 à 322).

TABLE

COLLECTION
ÉVOLUTION

Forme et santé

Trouvez dans les livres « Évolution » des conseils pour une meilleure hygiène de vie !

Composition et mise en page
NORD COMPO

Impression réalisée sur Presse Offset par

BRODARD & TAUPIN

GROUPE CPI

39328 – La Flèche (Sarthe), le 31-01-2007

POCKET – 12, avenue d'Italie - 75627 Paris cedex 13
Dépôt légal : février 2007

Imprimé en France